EDIÇÕES BESTBOLSO

## *O amante de Lady Chatterley*

David Herbert Lawrence nasceu em 1885. Poeta e ficcionista, o primeiro romance deste escritor inglês foi publicado em 1911, semanas após a morte de sua mãe, com quem tinha uma forte ligação. Lawrence só se recuperou desta perda dois anos mais tarde quando conheceu e se casou com Frieda von Ritchtofen. Sua carreira foi marcada pela polêmica. A intensa presença da temática sexual fez com que os livros *O arco-íris* e *O amante de Lady Chatterley*, publicados em 1915 e 1928 respectivamente, fossem censurados e proibidos. Embora seja conhecido como um autor maldito, pervertido e pornográfico, a vida de Lawrence é marcada pela poesia romântica e atormentada. O escritor morreu na França aos 44 anos.

D. H. LAWRENCE

# o amante de *Lady Chatterley*

Tradução de
RODRIGO RICHTER

3ª edição

CIP-Brasil. Catalogação-na-fonte
Sindicato Nacional dos Editores de Livros, RJ.

Lawrence, D. H. (David Herbert), 1885-1930
L447a O amante de Lady Chatterley / D. H. Lawrence; tradução de Rodrigo Richter. – 3ª edição – Rio de Janeiro: BestBolso, 2008.

Tradução de: Lady Chatterley's Lover
ISBN 978-85-7799-012-2

1. Romance inglês. I. Richter, Rodrigo. II. Título.

CDD – 823
07-2923 CDU – 821.111-3

*O amante de Lady Chatterley*, de autoria de D. H. Lawrence.
Título número 013 das Edições BestBolso.
Terceira edição impressa em agosto de 2008.

Título original inglês:
LADY CHATTERLEY'S LOVER



Versão integral inexpurgada, traduzida da versão definitiva do autor.

www.edicoesbestbolso.com.br

Ilustração e design de capa: Pedro Meyer Barreto



Impresso no Brasil

ISBN 978-85-7799-012-2

# Prefácio da edição brasileira*

## Um livro perseguido que sobrevive aos fariseus

Toda vez que um escritor se dispõe a chamar os bois pelo nome, arrancando a máscara de hipocrisia que encobre as chamadas "convenções sociais", uma coisa é certa: voltam-se contra ele os "donos de opinião", as tais figuras de "caráter puro e sem jaça", que, procurando a todo custo manter as aparências, são capazes de todas as indignidades e de todas as baixezas para impor seu modo de ver.

Na sociedade ainda preconceituosa em que vivemos, o sexo é um desses "assuntos proibidos", que não convém abordar publicamente. É a época das juventudes transviadas, das "curras", da prostituição amadorista que não tem, ao menos, a auto-estima da profissional, mas é também a época dos salvadores da moral coletiva, que ingenuamente confiam em palavras e atitudes, sem ter a coragem de ir ao fundo dos problemas para estudá-los e eventualmente resolvê-los.

Em *O amante de Lady Chatterley*, D. H. Lawrence teve a coragem de enfrentar as convenções sociais e os seus

*Texto publicado originalmente pela Editora Civilização Brasileira (Rio de Janeiro, 1964).

intérpretes por meio de uma narrativa que simplesmente expõe a realidade do amor sexual entre duas pessoas que se encontram, se completam e se realizam, a despeito de suas frustrações individuais.

No entanto, desde a sua primeira publicação, em 1928, contra ele se têm levantado os fariseus de todo o mundo. Lawrence não conseguiu editor em sua terra natal, e seu romance foi por isso publicado inicialmente na França. Embora o texto completo esteja hoje ao alcance do público de língua inglesa, foi uma versão com cortes a única que, durante muitos anos, se podia encontrar nas vitrines das livrarias. Nos Estados Unidos, em abril de 1959, a editora Grove Press, Inc. lançou a versão definitiva e integral da obra, como a deixou o grande escritor. Foi imediato o sucesso, e *Lady Chatterley's Lover* figurou na lista de best sellers; não menos rápida, todavia, foi a reação dos "donos de opinião": o diretor-geral dos Correios, Mr. Arthur Summerville, decidiu que esse verdadeiro clássico do século XX não poderia utilizar-se dos serviços postais para a sua difusão. Seu "brilhante julgamento crítico" estabelece que "a despeito do possível mérito literário do romance de Lawrence, são altamente condenáveis suas passagens pornográficas e escabrosas". Somente após uma longa batalha judicial é que se conseguiu revogar esse impedimento.

Encorajada pelo exemplo de sua colega americana, a Penguin Books Ltd., da Inglaterra, lançou também, em sua famosa coleção de bolso, uma edição sem cortes. Os conservadores e puritanos, os falsos moralistas e os imbecis notórios criaram tal celeuma que um processo foi movido contra a editora pela "divulgação da obra pornográfica". Sua defesa, que se constituiu antes do julgamento da imortal obra de Lawrence, acabou por inocentar ambas do crime que lhes imputavam.

No Brasil, quando lançamos em plena ditadura a primeira edição em língua portuguesa, os Goebbels caboclos do famigerado DIP também não perderam tempo: determinaram a apreensão da obra. É evidente que essa prepotência lhes resultou negativa: edições diversas foram publicadas e vendidas rapidamente, graças à propaganda que seu gesto arbitrário criara. Não é apreendendo livros, como então se fazia e como hoje, desgraçadamente, ainda se faz, que um poder de fato se transforma em poder de direito.

*O amante de Lady Chatterley* pode não agradar às ilustres damas da CAMDE* ou aos políticos profissionais que fazem de sua pretensa pureza uma plataforma eleitoral, mas continua e continuará sendo uma obra literária de valor indiscutível e, ao mesmo tempo, um símbolo dessa liberdade de expressão sem a qual o homem, como cidadão, não pode sobreviver.

*Ênio Silveira*

---

*Nos anos 1960, a Campanha da Mulher pela Democracia, ou CAMDE, tinha a função de mobilizar o maior número possível de mulheres que seguiam a ideologia de um grupo mais conservador da Igreja Católica. (*N. da R.*)

## *Uma carta aberta de*

FRIEDA LAWRENCE

*Caro leitor,*

*D.H. Lawrence escreveu três versões do romance* O amante de Lady Chatterley, *porém tão diversas entre si que na realidade constituem três livros diferentes. Conheço os antecedentes da versão original e acompanhei o terremoto que sobreveio à publicação particular dessa versão, e às várias edições subseqüentes, autorizadas ou não.*

*Desesperado por não encontrar editor na Inglaterra, Lawrence autorizou uma edição na França, que saiu pouco antes de sua morte ao preço de 60 francos o exemplar, e doou a mim os direitos autorais sobre as três versões.*

*Por uns tantos motivos que não quero mencionar, para introduzir este livro na Inglaterra, autorizei uma edição com cortes, que não desse margem a objeções. Mas Lawrence queria uma edição bem impressa, sem as falhas tipográficas da edição original e a um preço ao alcance de todos. Queria penetrar no povo.*

*Trabalhando de acordo com os seus desejos, preparei a presente edição, que deve ser considerada a forma definitiva de sua terceira versão, livre dos defeitos da primeira e sem qualquer corte ou atenuação.*

*Suponho que Lawrence aprovaria de coração o lançamento desta bela edição a preço popular; e, no caso de a tentativa ser bem-sucedida, editaremos também a segunda e, se possível, ainda a terceira versão da sua obra – a que lhe custou o último esforço.*

Londres, 26 de janeiro de 1933.

*Frieda Lawrence*

# 1

Vivemos numa época essencialmente trágica; por isso nos recusamos a aceitá-la como tal. O grande desastre aconteceu; achamo-nos entre ruínas, forçados a reconstruir novos hábitos, a criar de novo pequenas esperanças: trabalho bastante duro. Já não há caminhos fáceis à nossa frente; temos de contornar os obstáculos, pular por cima deles – e isso porque temos de viver, seja qual for a extensão do desastre que se abata sobre nós.

Era mais ou menos essa a situação em que se achava Constance Chatterley. A guerra fizera desabar o teto sobre sua cabeça, e a moça viu claramente que tinha de viver e aprender.

Casara-se com Clifford Chatterley em 1917, durante uma licença que ele passava em Londres. A lua-de-mel durou um mês. Uma vez terminada, o jovem partiu para o front, em Flandres, de onde regressaria seis meses depois, aos pedaços. Constance tinha então 23 anos e ele 29.

Clifford revelou-se dono de uma incrível tenacidade de viver. Não morreu. A cirurgia juntou seus pedaços num processo de recuperação que durou dois anos. Recebida a alta, ele pôde retornar à vida, com metade do corpo, da cintura para baixo, paralisada para sempre.

Isso foi em 1920. Constance e Clifford instalaram-se na residência senhorial de Wragby Hall, a "sede" do clã. Seu pai já havia morrido e Clifford era agora baronete* – Sir

---

*Na Inglaterra, título de nobreza intermediário entre barão e cavaleiro.

Clifford, e Constance, Lady Chatterley. Foram recomeçar a vida de casados, com uma renda bem curta, no triste e deserto solar dos Chatterley. A única irmã de Clifford afastara-se de lá e não havia nenhum parente que morasse perto. O irmão mais velho morrera em combate. E foi assim, paralítico para sempre, sem possibilidade de vir a ter filhos, que Clifford mergulhou na fumaceira dos Midlands* para conservar vivo, enquanto pudesse, o velho nome dos Chatterley.

No entanto ele não se mostrava abatido. Podia movimentar-se numa cadeira de rodas que ele mesmo controlava; e, num carrinho motorizado, dava lentos passeios pelo parque – o belo parque melancólico de que se sentia tão orgulhoso, embora não demonstrasse.

Havia padecido tanto que sua capacidade de sofrer se esgotara. Mostrava-se, porém, cheio de vivacidade, jovial, quase alegre, de tez fina, aspecto saudável, olhos azuis, brilhantes e provocadores. Vestia-se com apuro, sobretudo nas gravatas. Apesar disso tinha o olhar vago e o ar ausente dos inválidos.

Tanto arriscara a vida e tão perto estivera de perdê-la, que o que dela lhe restava adquiria um valor imenso. O brilho dos seus olhos revelava o seu orgulho de não estar morto depois de tantas calamidades. Por dentro dele, porém, muita coisa morta marcava o seu desastre – muitos sentimentos mortos. Clifford tornara-se insensível.

Sua esposa Constance era uma jovem com a saúde das camponesas, corpo robusto, movimentos lentos, cabelos escuros e caráter bastante enérgico. Olhos grandes e curiosos, voz macia – parecia recém-chegada da aldeia natal. Não era assim, entretanto. Seu pai fizera nome na Academia Real de Pintura – Sir Malcolm Reid; e sua mãe se distinguira entre as mentalidades avançadas no socialismo da

---

 *Midlands Ocidental: condado inglês.

época. Em meio a artistas e socialistas militantes, Constance e sua irmã Hilda tiveram criação esteticamente livre. Haviam sido mandadas para Paris, Florença e Roma, a fim de respirarem aqueles ambientes artísticos; e também para Haia e Berlim, a fim de se ambientarem nas grandes convenções socialistas onde se falavam todas as línguas e ninguém se espantava com coisa alguma.

Viveram, assim, desde muito meninas, mergulhadas em arte e política. Essa era sua atmosfera natural. Eram a um tempo cosmopolitas e provincianas – do provincianismo cosmopolita que a arte aliada ao idealismo social produz.

Também foram enviadas a Dresden, aos 15 anos, para se aperfeiçoarem em música e outras artes, e lá viveram com extrema liberdade, conversando com filosófica franqueza sobre todos os assuntos, em perfeito pé de igualdade com os homens. Percorriam a floresta com vigorosos rapazes que levavam guitarras e cantavam as canções do momento. Eram livres. Livres! Eis a grande palavra. Soltas no mundo, soltas pelas florestas com magníficos jovens, gozavam a liberdade de fazer o que lhes aprouvesse e, sobretudo, de dizer o que sentiam. Era essa conversa livre o que mais as encantava – essa arrebatada troca de impressões. O amor entrava ali apenas como acompanhamento secundário.

Tanto uma como a outra iniciaram-se no amor aos 18 anos. Estimulados por aquela liberdade, os companheiros masculinos tornaram-se exigentes – quiseram tudo. A princípio as moças hesitaram; mas tanto haviam discutido o amor que já não tinha tanta importância. Além disso os rapazes mostravam-se tão humildes, tão suplicantes... Por que não agir como rainhas e darem-se a eles generosamente?

E deram-se, cada uma ao rapaz com que mais ardorosamente debatia sobre o amor. A discussão era o principal; o amor físico não passava de uma espécie de retorno ao instinto, algo como uma reação. Depois do ato do amor sobrevinha um pouco de ódio ao amigo, como se ele houvesse penetrado muito longe na sua intimidade, violando a liberdade feminina. Porque essa liberdade era o que mais importava – era a sua razão de viver. O que mais poderia significar a vida de uma jovem senão a repulsa de velhas e sórdidas ligações e sujeições?

Ora, por mais que filosofassem sobre o assunto, aquelas relações sexuais constituíam uma das mais antigas sujeições. Os poetas que as glorificavam eram homens – a mulher sempre percebeu que há coisas mais elevadas que o amor físico. E, por experiência própria, estavam agora as duas convencidas disso. A bela e a pura liberdade de uma mulher valia muito mais que o amor sexual. Triste é o atraso dos homens nesse ponto. Eles insistem na cópula, como cães.

E a mulher tem de ceder, tão infantilmente teimosos os homens se mostram. Ou a mulher cede ou eles passam a se comportar como crianças malcriadas, que estragam tudo com seus amuos. Mas a mulher pode ceder só na aparência, conservando-se livre e dona de si lá no seu íntimo. É este um ponto que os poetas e os sexólogos não levam em consideração. Uma mulher pode receber um homem sem se entregar a ele, ou sem cair em seu poder – antes utilizando-se do sexo para adquirir poder sobre ele. Durante a cópula, basta que se contenha, que o deixe chegar ao clímax sem que com ela aconteça o mesmo. Por outro lado, ela pode prolongar o coito e conseguir seu orgasmo sem que o homem seja outra coisa senão mero instrumento.

Quando as duas irmãs voltaram a Londres para as férias de 1913, Hilda com 20 anos e Constance – ou Connie, como também era chamada – com 18 anos, seu pai percebeu imediatamente que já haviam experimentado o amor físico. "O amor havia passado por ali", como disse alguém.

Mas, homem experiente, Sir Malcolm deixou que a vida seguisse o seu curso. Já a mãe das meninas, uma inválida nos meses de vida, só desejava uma coisa – que as filhas fossem "livres e realizadas".

Ela jamais conseguira isso, apesar de possuir renda pessoal e ter tido todas as oportunidades. Colocava a culpa no marido, mas a explicação estava na velha força do tradicionalismo que sempre pesara sobre ela. Sir Malcolm, na realidade, em nada influíra, pois sempre lhe deixara completamente livre.

Estavam "livres" as suas filhas e livres voltaram a Dresden, à música, aos rapazes. Cada qual tinha o seu namorado que a amava apaixonadamente. Todas as maravilhas que os jovens sentem e exprimem e escrevem, esses namorados sentiam, exprimiam e escreviam sobre aquele amor. O rapaz de Connie era músico; o de Hilda, técnico. Ambos só vivendo para suas amantes – pelo menos mentalmente. Mas já estavam um tanto cansados, sem que o percebessem.

Nelas também se via claramente que o amor já passara, isto é, que já estava distante a grande atração da experiência física. É interessante a mudança que o amor físico opera no corpo dos homens e das mulheres; a mulher floresce em sua plástica, arredonda-se, perde as arestas, adquire uma expressão ansiosa ou triunfante; o homem torna-se mais tranqüilo, mais interiorizado.

No início, arrastadas pelas sensações íntimas do sexo, as duas irmãs sucumbiam ao estranho poder do macho. Rapidamente, porém, recuperaram-se; readquiriram a liberdade, ficando aquele amor apenas como sensação da carne. Já os seus amantes, gratos pela experiência que lhes havia sido proporcionada, vacilaram em dar-se também de alma às suas queridas; ficaram como quem perde um franco e só acha dez centavos. O amante de Connie era um tanto rabugento e o de Hilda pendia para o sarcástico. São assim os homens. Ingratos, nunca estão satisfeitos. Quando desprezados, enfurecem-se pelo desprezo; e quando aceitos, queixam-se disso. Autênticas crianças, descontentes, jamais satisfeitos, por mais que faça uma mulher.

A situação estava neste pé quando a guerra estourou, e as duas irmãs correram para casa, onde já haviam estado em maio, por ocasião do funeral de sua mãe. Antes do Natal de 1914 os dois rapazes de Dresden já estavam mortos. Constance e Hilda choraram por eles apaixonadamente.

Viviam as duas na casa de Sir Malcolm, em Kensington, freqüentando os rapazes de Cambridge que apregoavam a "liberdade", as calças de flanela, as camisas abertas no peito, anárquicos em matéria de sentimentos e ultra-sensíveis. Subitamente, Hilda casou-se com um homem desse grupo, dez anos mais velho, endinheirado e com um bom emprego público; era também autor de uns ensaios filosóficos. Foram viver numa pequena casa em Westminster e freqüentavam a roda governamental que não ocupa o ápice, mas que representa o verdadeiro poder intelectual da nação: gente que sabe o que diz, ou pensa que sabe.

Constance obteve um modesto emprego durante a guerra e continuou a freqüentar o grupo de Cambridge que não levava nada a sério. Seu "amigo" passou a ser Clifford Chatterley, um rapaz de 22 anos recém-chegado de Bonn, onde estivera estudando Engenharia. Entrara como subtenente num grupo refinado, para, de uniforme, poder caçoar de tudo com mais elegância.

Clifford pertencia a uma classe pouco acima da de Connie. Ela era da *intelligentsia* e ele da aristocracia, não da alta, mas, em todo caso, aristocracia. Seu pai figurava entre os baronetes do Império; sua mãe era filha de visconde.

Clifford, entretanto, embora mais bem-educado que Connie, e de melhor "sociedade", era de temperamento mais tímido. Sentia-se à vontade no mundo acanhado da aristocracia rural, mas mostrava-se nervoso e um tanto amedrontado entre pessoas das classes média, baixa, ou entre estrangeiros. Parecia consciente de tal fraqueza, embora estivesse bem defendido pelos privilégios de sua classe social – fenômeno curioso e bastante freqüente.

Como tal temperamento, a firmeza de uma jovem como Constance fascinava-o. Encantava-o vê-la tão segura de si. Clifford, entretanto, era no fundo um rebelado contra sua própria classe. Talvez a palavra rebelado seja muito forte. Mas dominava-o essa natural aversão dos rapazes pela autoridade e pelo convencionalismo. Tudo lhe parecia ridículo – os pais, por exemplo, e sobretudo seu próprio pai. Os governos eram ridículos – e sobretudo o governo inglês. E os exércitos eram ridículos, com seus generais de cara vermelha, como Lord Kitchener. A própria guerra parecia-lhe algo ridículo, a despeito de sacrificar tanta gente.

Tudo era ridículo, mas o que se referia à autoridade, fosse no Exército, fosse no governo ou nas universidades, isso então alcançava o apogeu do ridículo. Sir Geoffrey, seu pai, era profundamente ridículo com a sua mania de cortar as árvores dos parques e de catequizar para a guerra os homens que trabalhavam nas minas do seu distrito. Ridículo em seu patriotismo conservador. Ridículo em gastar com a pátria mais do que suas posses o autorizavam.

Quando Ema Chatterley, irmã de Clifford, foi a Londres trabalhar como enfermeira, também ela se divertiu com a fúria patriótica do pai; e Herbert, o irmão mais velho e herdeiro, se divertiu mais ainda, embora fossem suas futuras árvores que o velho estava derrubando para abastecer de madeira o front. Mas Clifford sorria diante de tudo, constrangido, porque também achava a si próprio um tanto ridículo.

E via a felicidade nas pessoas como Connie, que levava tudo a sério. Pelo menos acreditavam em algo.

Tomavam muito a sério os *Tommies**, a ameaça do alistamento militar, as restrições de açúcar e doces para as crianças. Não havia dúvida que em todas essas situações as autoridades se comportavam grotescamente, e, por isso, Clifford não conseguiu levá-las a sério. Para ele as autoridades eram ridículas pelo simples fato de serem autoridades – não por causa dos *Tommies*, do açúcar e dos doces.

As autoridades também se sentiam ridículas e se conduziam ridiculamente, de modo que por um tempo tudo parecia uma encenação teatral. Por fim, quando a situação se agravou, surgiu Lloyd George** para salvá-la. E como isso foi o supra-sumo do ridículo, até os rapazes que zombavam de tudo deixaram de rir.

Em 1916 chegou a notícia da morte de Herbert, e Clifford passou à condição de herdeiro, fato que o aterrorizou. Parecia ver nos olhos de todos que aquilo também era ridículo. Ele, herdeiro de Wragby e responsável pela família! Oh, era esplêndido, mas ao mesmo tempo tão absurdo...

Sir Geoffrey, porém, não via naquilo nada de absurdo. Muito pálido e sempre retesado em suas energias, estava obstinadamente decidido a salvar a si próprio e ao país, com ou sem Lloyd George, ou quem quer que fosse. Ia derrubando

---

**Tommies*: soldados britânicos.

**O galês David Lloyd George (1863-1945) tornou-se primeiro Ministro em 1916. Lloyd George era constantemente objeto de escárnio de D.H. Lawrence. (*N. do E.*)

as velhas árvores dos bosques na firme intenção de salvar a Inglaterra. E quis que Clifford se casasse para que viesse a prole, idéia que fez o moço sorrir. Muito anacrônico aquele pai! Todavia, pensando bem, em que se diferenciava ele desse pai, a não ser no seu sentimento do ridículo de tudo? E acabou aceitando, com a maior seriedade, a sua posição de baronete e de dono de Wragby.

Mas a alegre agitação do começo da guerra já se fora. Os horrores haviam passado do limite. Um homem precisa de companhia e reconforto – um porto em que aferre a sua âncora. Um homem necessita de uma mulher.

Os Chatterley, dois irmãos e uma irmã, isolados em Wragby, viviam longe do mundo, apesar de todas as suas relações. Sentiam-se separados do povo industrial que os rodeava, e também se sentiam afastados daqueles que pertenciam à sua classe em vista do caráter difícil de Sir Geoffrey, de quem eles caçoavam mas não admitiam que ninguém fizesse o mesmo.

Tinham-se prometido viver sempre juntos, mas Herbert se fora e o velho queria que Clifford se casasse. Sir Geoffrey havia apenas formulado esse desejo. Falava tão pouco! Mas era difícil resistir à insistência muda dos seus anseios.

Ema, porém, protestou. Não. Era dez anos mais velha que Clifford, e considerava aquele casamento uma traição, um esquecimento das promessas feitas.

Apesar disso, Clifford casou-se e teve um mês de lua-de-mel. Foi no terrível ano de 1917. A intimidade dos dois lembrava a de passageiros dum navio que está afundando. Clifford entrou virgem para o casamento, e não dava grande importância ao lado sexual da união. Havia entre ele e Connie tantas outras afinidades! E ela exultava nessa intimidade para além do sexo – para além da "satisfação" sexual do homem. Clifford tinha o sexo como um simples acidente, uma dessas grosseiras funções orgânicas que persistem apesar de terem perdido a razão de ser. Entretanto, Connie desejava ter filhos – apenas para fortalecer sua posição familiar diante da cunhada.

Mas, no início de 1918, Clifford regressava do front inutilizado. Impossível pensar em filhos. Sir Geoffrey morreu de desgosto.

## 2

Constance e Clifford voltaram para Wragby no outono de 1920. Ema, ainda com rancor do irmão por havê-la "traído", foi viver num pequeno apartamento em Londres.

Wragby era uma velha mansão senhorial, de pedra escura, que começou a ser erguida em meados do século XVIII e foi sendo reformada até chegar ao que é atualmente – um enorme casarão achatado, sem nenhum estilo. Ficava em posição de destaque no centro de um antigo e belo parque onde dominavam os carvalhos. Mas, ai! A pouca distância viam-se as chaminés da mina de Tevershall, sempre fumarentas, e mais adiante a aldeia do mesmo nome, feia e suja como todas as aldeias das zonas de mineração. Casas de tijolos nus, com tetos escalavrados, anguloso, feio, mortalmente triste.

Constance estava habituada à paisagem de Kensington, aos morros da Escócia e às dunas do Sussex; era essa a sua Inglaterra. Foi, portanto, com o estoicismo da mocidade que abarcou com um olhar o horripilante distrito mineiro, todo ferro e carvão, e onde nem pensar era possível.

Do soturno casarão de Wragby ouvia-se o barulho das perfuradeiras nas minas, o paf-paf das máquinas a vapor, o apito das locomotivas e o ranger dos vagões nos trilhos. Um banco de turfa de Tevershall ardia havia já muitos anos, e como para extinguir o incêndio fossem necessários muitos milhares de libras, iam deixando o fogo entregue à sua obra. Quando o vento vinha na direção de Wragby, o casarão enchia-se de vapores sulfurosos da combustão, e mesmo nos dias calmos havia por ali um cheiro que parecia vindo de debaixo da terra. E o pó do carvão? Até nas pétalas das rosas aquela horrível poeira negra se depositava.

Nada agradável, portanto, viver ali – mas era o destino. Era a vida – o que fazer? Sob a cortina cinza das nuvens o fogacho rubro dos fornos ardia. No início esse quadro fascinou tragicamente Constance; depois passou a dar-lhe a impressão de estar vivendo debaixo da terra. Acostumou-se por fim – como se acostumara à chuva pelas manhãs.

Clifford, entretanto, declarava preferir Wragby a Londres. As pessoas ali tinham uma sinistra vontade própria, e bom estômago. Connie perguntava a si mesma o que mais teriam, porque olhos e cérebros era algo que não via em ninguém. Um povo tão árido, mal formado e sem encantos como a terra. Hostil. Na aspereza do dialeto que se falava, no ruído dos sapatos que arrastavam pelo asfalto ao voltarem em grupos das minas, ela sentia algo misterioso e terrível.

Ninguém se apresentou para saudar a nova lady pela sua chegada; nada de delegações, festas ou flores. Sua recepção se resumiu numa corrida de carros pelas pastagens com carneiros resignados, e por sob as árvores tristes do parque silencioso até o platô em que se erguia o casarão. À porta, a governanta de Clifford a esperava.

Não havia ligações entre Wragby e a aldeia de Tevershall. Nada de cumprimentos ou simples toques no chapéu. Os mineiros encaravam-nos calados, e os comerciantes, sempre mais amáveis (por interesse), se limitavam a tocar no boné diante de Connie, como se fosse uma cliente qualquer. A Clifford saudavam com um movimento de cabeça, canhestramente; e era só. Um abismo intransponível os separava. Rancor mudo. No começo essa frieza e essa aura de ódio incomodaram Constance; por fim ela reagiu, vendo em tal atitude um tônico que lhe endurecia o ânimo. Não se pode dizer que fossem os dois impopulares; mas eram de outra raça, de outra classe e acabou-se. "Fica-te do teu lado que ficarei do meu", era o que se lia em tudo.

Apesar disso, entretanto, aquela gente simpatizava com o casal de baronetes, mas de um modo abstrato. Concretamente praticava-se o "Deixem-nos em paz", de ambas as partes.

O pároco da aldeia era um amável senhor de 60 anos sempre atento aos seus deveres e reduzido à miséria pela indiferença da população. As mulheres dos mineiros eram na maior parte metodistas. Os homens não eram coisa alguma. Consideravam Mestre Ashby como um igual, apenas com a função automática de pregar e rezar.

"Por melhor que seja Lady Chatterley, somos iguais" – essa idéia teimosa que Connie via em todos surpreendeu-a e, por fim, passou a molestá-la. As mulheres dos mineiros tratavam-na com falsa amabilidade. Pareciam tomadas sempre da mesma idéia, até as mais servis. "Lady Chatterley deu-me a honra de umas palavras, mas isso não é razão para que se julgue melhor que eu." Esse ambiente desesperava Connie.

Mas como Clifford mostrava indiferença, ela tratou de fazer o mesmo. Passava pelos mineiros sem olhá-los, embora sentindo que a mediam de alto a baixo. Ao tratar com eles em algum negócio, Clifford mostrava-se altivo e desdenhoso; inútil tentar a amabilidade. Mantinha-se em seu lugar, olhando do alto os que não pertenciam à sua classe, sem a menor tentativa de reconciliação. Não era amado nem odiado. Aquele equilíbrio de relações fazia parte da ordem ali reinante.

Mas, depois do desastre que lhe ocorreu na guerra, Clifford tornou-se intimamente tímido. Evitava ver gente, salvo os criados, porque lhe parecia humilhante receber as pessoas naquela cadeira de rodas. Trazia sempre rigorosamente bem trajada a metade do corpo não colhida pela paralisia, mantendo-se da cintura para cima com a elegância de outrora. Clifford nunca fora um efeminado. Ao contrário, era o tipo de homem varonil, de ombros largos, tez quente. Sua voz tranqüila e seu olhar às vezes cheio de audácia revelavam-lhe a natureza íntima. Mas nos modos oscilava entre uma hostilidade orgulhosa e uma humildade quase tímida.

Sua ligação matrimonial era à moda moderna: separados e distantes. Ele, sempre deprimido pelo tremendo golpe que o mutilara, um ser sofredor – e por isso mesmo Connie apegara-se como fazem as enfermeiras. Mas ressentia-se daquele isolamento do marido, para quem os mineiros não eram gente, e sim coisas, objetos, partes das minas em que trabalhavam. Mais matéria-prima humana do que criaturas. E agora que estava aleijado, Clifford tinha de certo modo medo deles, não lhes suportava os olhares curiosos e a existência grosseira deles.

Só remotamente podia interessar-se por tal gente, como o homem de laboratório se interessa pelo que vê ao microscópio. Não havia contatos possíveis. Clifford, aliás, não mantinha contato com pessoa alguma, salvo as de

Wragby, e, por tradição de família, Ema. Fora estes, mais ninguém. A própria Constance percebia que já pouco significava para ele. Clifford tornara-se a negação do contato humano.

Nunca, todavia, um homem dependeu tanto de uma mulher. Necessitava dela em todos os momentos. Grande e forte como era, estava inválido. Podia apenas mover a sua cadeira de rodas. Fora isso, era uma coisa inerte. Tinha necessidade de Connie para provar a si próprio que, afinal de contas, ainda existia.

Mas a ambição não morrera naquele homem. Começou a escrever contos, compondo uma obra muito pessoal, com a descrição de tipos que conhecera. Mostrava bastante habilidade nesse gênero, muita perversidade também – mas seus contos não faziam sentido. E revelava, a respeito de sua obra, uma sensibilidade doentia. Todos haviam de maravilhar-se com os seus escritos, que apareceram nas publicações mais modernas. As críticas desfavoráveis ele as recebia como punhaladas, como se todo o seu ser tivesse se transformado naqueles contos.

Constance ajudava-o em tudo quanto podia, e no começo com paixão. Minuciosamente, ele lhe expunha as idéias e ela fazia os maiores esforços para compreendê-las profundamente. Desejava ardentemente absorver-se na obra do marido.

A vida material contava muito pouco. Connie dirigia a casa, mas conservara a governanta da época de Sir Geoffrey – velha, magra, seca... e dificilmente poderia ser chamada de mulher. Estava naquela casa há quarenta anos. As outras criadas não eram mais jovens. Tudo era velho em Wragby, o que agravava a tristeza da mansão. Um horror! O que poderia fazer naquele lugar a não ser ficar sozinha? Aquela

 quantidade de aposentos, a rotina tradicional, o serviço

mecanizado, a limpeza automática, a vida de irritante pontualidade – para Constance, tudo não passava de anarquia organizada. Nenhum calor dava vida àquela mansão, triste como uma rua deserta.

Como reagir a semelhante estado de coisas? Impotente diante da tradição. Constance deixou a vida correr. De vez em quando Ema aparecia por lá, com o seu rosto seco de aristocrata orgulhosa, e exultava por não ver mudança alguma. Mas, intimamente, não perdoava à cunhada ter-lhe roubado o irmão. Ela, sim, é quem devia estar ao lado dele, ajudando-o na carreira literária. Contos assinados por um Chatterley deviam ter unicamente a colaboração dos Chatterley.

Certa vez em que o pai de Constance apareceu para visitar a filha, a verdade escapou-lhe dos lábios.

– Os contos de Clifford – disse ele – revelam habilidade, mas não há nada ali. Passarão depressa.

Connie encarou-o, espantada. Nada ali? O que queria ele dizer com isso? A crítica elogiava-os, o nome de Clifford estava ficando conhecido e até dinheiro aquela literatura rendia. O que mais desejava seu pai?

Connie tinha adotado o critério dos jovens: o momento presente é tudo. O que estava por vir era de valor secundário.

Em outra visita, o velho Sir Malcolm abordou Constance com estas palavras:

– Espero, Connie, que as circunstâncias não te obriguem à vida de semivirgem.

– Semivirgem? – repetiu a moça. – Por quê? Ou por que não?

– Bem, se aceitas essa renúncia, o caso é outro – apressou-se a dizer o velho.

E a Clifford declarou o mesmo, quando se viu a sós com ele:

– Tenho receio que Connie não se adapte a esta vida de semivirgem.

– Semivirgem? – repetiu Clifford, e ficou pensando por um momento. Por fim corou, encolerizado e ofendido. – E por que não conviria esse estado a Constance? – perguntou com rispidez.

– Porque... porque emagrece uma criatura, torna-a angulosa, como ela já está se tornando. Constance não nasceu para ser arenque defumado: é uma truta escocesa.

– Sem as manchas, naturalmente – replicou Clifford irônico.

Mais tarde quis abordar a esposa sobre aquela história de semivirgem, mas não conseguiu. Eram próximos, mas não eram íntimos o suficiente. Havia afinidade espiritual, mas nenhuma corporal. Íntimos que não se tocavam.

Connie, porém, adivinhou que o pai havia conversado aquele assunto com o marido e que este não tinha ânimo de comentá-lo. Tinha certeza de que a Clifford era indiferente que ela fosse semivirgem ou semiprostituta, desde que não tivesse certeza de nada. O que os olhos não vêem e o espírito ignora não existe.

Dois anos se passaram assim, naquela tristeza de Wragby, ambos absorvidos no trabalho literário. O interesse do casal concentrava-se vivamente na obra que, na realidade, parecia preencher-lhes a existência. Fora da literatura nada mais existia.

Assim a vida passava: no vazio. Os criados eram espectros, sombras – de nenhum modo seres vivos. Constance passeava pelo parque e florestas vizinhas, sentindo a solidão, colhendo flores e frutas silvestres. Mas aquilo não era mais que um sonho, um simulacro de realidade. As folhas dos carvalhos pareciam-lhe imagens de um espelho; ela própria era uma personagem de romance colhendo flores que nada mais eram do que sombras, recordações ou palavras. Em nada enxergava substância, realidade. Sempre, sempre aquela vida monótona em companhia do marido inválido, aquela literatura sem fim em que seu pai não via conteúdo. E por que havia de ter conteúdo? Que necessidade tinha de durar? Não basta a cada instante da vida a *aparência* da realidade?

Clifford começou a convidar alguns amigos para visitá-lo, críticos e escritores, na sua ansiedade de ser analisado e louvado. Lisonjeados pelo convite, desmanchavam-se em louvores. Constance compreendia tudo. Mas que mal havia nisso? Era mais um dos reflexos do espelho. Dava prazer e não causava dano algum.

Ela recebia gentilmente toda aquela gente, em geral homens. Também recebia as poucas relações aristocráticas de Clifford. Moça de compleição sadia, cabelos castanhos ondulados, grandes olhos azuis e coxas firmes, achavam-na um tanto antiquada e "excessivamente mulher". Não lembrava nada um arenque, como essas moças do tipo viril, de peito chato e pernas finas. Constance era demasiadamente feminina para ser tão inteligente.

Talvez por isso os homens se mostrassem tão encantados diante dela. Mas sabendo que o menor flerte torturaria o marido, não alimentava a galanteria. Conservava-se serena e distante. Fugia aos contatos. Pobre Clifford. Andava tão orgulhoso de si próprio...

Os parentes do marido tratavam-na com gentileza, mas Constance sabia que tal gentileza vinha de a considerarem inofensiva. Certas pessoas só respeitam os que podem fazer mal. Constance aceitava com resignação aquela gentileza de fundo desdenhoso. Na realidade, não se sentia ligada de modo algum aos parentes do marido.

E o tempo passava. Tudo o que acontecia, de fato, não acontecia, de tal forma ela se afastara do mundo. Viviam os dois o sonho da literatura – uma vida de idéias e livros. Mas, como dona de casa, Constance ia recebendo os visitantes. Wragby nunca deixava de ter gente de fora. E o tempo ia passando...

## 3

Mas a inquietação de Constance era crescente. Aquele isolamento de tudo quase a enlouquecia. Sentia tiques pelo corpo que não a deixavam estar tranqüila, e tamanho mal-estar que às vezes se lançava a nado na piscina, como para libertar-se de qualquer coisa. Seu coração palpitava sem motivo. Começou a emagrecer.

Inquietação apenas. Freqüentemente atravessava correndo o parque abandonando Clifford, e deitava-se de bruços na grama. O bosque era-lhe um refúgio, um santuário, embora ela não se sentisse integrada nele – não tivesse alcançado o espírito da floresta.

E vagamente se sentia definhar naquele distanciamento de tudo; perdera qualquer contato com o que havia de substancial ou vital no mundo. O universo se resumia em Clifford e em sua obra, a qual também não existia, já que não tinha conteúdo. Vazio! Tudo vazio! Constance vivia numa permanente sensação do vazio de tudo. Estava como se houvesse batido a cabeça numa pedra.

Seu pai advertiu-a de novo.

– Por que não procuras um amante, Constance? Isso te faria bem.

Naquele inverno, Michaelis fora passar uns dias em Wragby. O jovem irlandês, que havia ganhado uma fortuna com a representação das suas peças na América, começou a andar nas rodas da sociedade elegante de Londres, todo entregue a novas produções mundanas. Por fim essa sociedade percebeu que em suas peças ele a ridicularizava, e esfriou. Michaelis foi posto de lado. Descobriram que ele era antiinglês, crime que essa gente não perdoa. Acabou lançado à lata do lixo.

Não obstante, Michaelis mantinha apartamento em Mayfair e flanava pela Bond Street com todos os trejeitos de um cavalheiro – isso porque até os grandes alfaiates se recusam a voltar as costas aos clientes de má fama quando as contas são pagas em dia.

Michaelis teve seus maus pedaços; apesar disso, Clifford não vacilou em convidá-lo. Escritor com milhões de leitores, ao ver-se naquela situação de pária social, por certo retribuiria o acolhimento trabalhando pela celebridade de Clifford na América.

Hábeis elogios estabelecem uma reputação, principalmente no Novo Mundo. Ora, Clifford era um escritor em ascensão, com um notável instinto de publicidade. Michaelis o incluiu em uma de suas comédias, transformando-o, assim, em herói popular – isto é, algo ridículo.

Constance admirava-se da cegueira do marido, daquela fúria de tornar-se célebre num continente amorfo que ela não conhecia e até lhe inspirava medo, daquela eterna ânsia de ser celebrado como um dos escritores modernos de mais valor. Com o exemplo em casa de Sir Malcolm, Constance sabia muito bem como agem os artistas que querem vender seus produtos. Mas seu pai se utilizava dos meios usuais, ao passo que Clifford recorria a todos, e a muitos inéditos. Wragby passou a encher-se de gente de toda espécie. Na fúria de conquistar reputação, ele lançava mão de todos os meios disponíveis.

Michaelis chegou num belo carro, com motorista e criado de quarto. Não podia haver nada mais elegante – nada mais Bond Street! Mas, ao vê-lo, a alma de Clifford, que, apesar de tudo, era fidalgo, recebeu um golpe. Aquele Michaelis evidentemente não era o que pretendia ser. Essa primeira impressão Clifford nunca reformulou. Mostrou-se, entretanto, muito gentil com o irlandês, já que se tratava de um homem que obtivera o mais extraordinário êxito. A deusa-cadela* que é o sucesso literário andava sempre a cercá-lo, esfregando-se-lhe nas pernas, de dentes arreganhados em sua defesa, e Clifford tudo fazia para também prostituir-se à deusa.

Por mais que os alfaiates de alto gabarito o vestissem à moda inglesa, Michaelis não era inglês. Nada nele afinava com o inglês verdadeiro, nem o seu rosto pálido nem o seu rancor de alma. Michaelis era todo ressentimento e rancor, o que não escapava aos olhos prudentes dos cavalheiros que primam em não deixar transparecer seus sentimentos. Mas o pobre Michaelis havia recebido muitos pontapés, circunstância que lhe dava aqueles modos de rabo entre as pernas. Rompera caminho unicamente levado pelo instinto; a desfaçatez cínica o pusera na frente do palco. Como suas peças houvessem conquistado o público, supôs que o período dos pontapés houvesse passado. Mas não havia passado. Não passaria nunca. E isso porque tudo nele clamava por pontapés, sobretudo a sua insistência em viver no alto mundo inglês, que não era o seu. Ah, o gosto que sentiam os ingleses em dar-lhe pontapés! E como ele odiava os ingleses!

---

*O culto à deusa-cadela refere-se à busca desenfreada do sucesso, do êxito; refere-se à valorização desmedida do dinheiro. O autor critica essa atitude ao escolher um termo sarcástico, depreciativo (deusa-cadela) para designar o dinheiro, o sucesso. (*N. do R.*)

Mesmo assim, esse cão bastardo de Dublin viajava num lindo carro, acompanhado do seu criado de quarto.

Mas Constance apreciava-o. Apreciava a sua despretensão. Michaelis não se iludia a respeito de si próprio. Com Clifford conversava muito razoavelmente, informando-o de modo prático sobre tudo que desejava saber. Nunca insistia e não se deixava arrastar. Tinha a consciência de que o haviam introduzido em Wragby unicamente em vista da contribuição que ele poderia dar para a vitória de Clifford, e, como um velho homem de negócios, judicioso e indiferente, deixava-se interrogar e a tudo respondia, sem perder tempo com sentimentalismos.

– Dinheiro! – dizia ele. – Não passa de uma espécie de instinto. Ganhar dinheiro é um dom natural. Não depende do que uma pessoa faça. Não depende de artifício. É uma função. E uma vez que recomeçamos a ganhar dinheiro, continuamos a ganhá-lo maquinalmente.

– Mas há que se começar – disse Clifford.

– Claro. Temos de "entrar". O dinheiro não vem enquanto estamos de fora. Temos de bater à porta para entrar; mas, uma vez dentro, nada mais nos deterá no caminho.

– Acha que poderia ganhar dinheiro de outra forma que não fosse a dramaturgia?

– Provavelmente não. Bom ou mau, nasci escritor de teatro; não posso ser outra coisa. Quanto a isso não tenho dúvida.

– E acredita que nada pode impedi-lo de ser autor de peças de aceitação do público? – perguntou Constance.

– Exatamente – respondeu o irlandês voltando-se para ela. Mas tudo isso nada vale; o sucesso não é nada, o público não é nada. Em minhas peças não há elemento algum que justifique o êxito. O ponto não é este. O ponto é o fato de que elas obtêm êxito. São peças que correspondem ao gosto do público neste momento.

Seus olhos morosos, cheios de uma desilusão sem fim, fixaram-se em Connie, que estremeceu levemente. Parecia tão velho aquele homem, tão recoberto das desilusões que nele se foram depositando como as camadas sedimentárias da terra – e ao mesmo tempo parecia uma criança indefesa. Um verdadeiro pária, mas com a desesperada bravura de um rato perseguido.

– De todo modo, que bela carreira para a sua idade! – murmurou Clifford, pensativo.

– Tenho 30 anos, sim, 30 anos, murmurou Michaelis com um sorriso singular, um sorriso cínico, triunfante, amargo.

– E vive só?

– O que quer dizer com isso? Se vivo só?... Não; tenho o meu criado. É, segundo ele diz, grego, e bem inábil. Mesmo assim o mantenho. E também pretendo casar-me; sim, preciso casar-me...

– Fala de casar-se como se falasse de extirpar as amígdalas – riu-se Constance. – Será por acaso algo assim tão difícil?

Mick olhou-a com admiração.

– Sim, Lady Chatterley, é difícil, imagino... Acho, perdoe-me, que não poderia casar-me com uma inglesa, nem com uma irlandesa.

– Por que não experimenta uma americana? – perguntou Clifford.

– Oh, americana! – Mick sorriu o seu sorriso cínico. – Já falei ao meu criado que me arranje uma turca, ou qualquer coisa bem oriental.

Constance estava surpreendida da tristeza daquele homem de extraordinário sucesso; atribuía-lhe uma renda de 50 mil dólares só na América. Por momentos ele lhe parecia belo – quando olhava de soslaio: se baixava a cabeça, a luz caía sobre seu rosto, lembrando uma máscara negra de marfim esculpido, com olhos um tanto salientes, lábios apertados. Algo velho, algo muito arraigado na raça humana. Revelaram-se nele séculos de submissão ao destino da espécie, em vez de qualquer traço individual. Além disso, lembrava algo nadando de lado – como ratos num rio escuro.

Constance sentiu um estranho impulso de simpatia, misturado com compaixão e asco – quase um impulso de amor. O homem de outra classe! Consideravam-no um homem rude – mas quanto mais rude e presunçoso lhe parecia Clifford? E quanto mais estúpido...

Michaelis percebeu imediatamente que impactara a moça. Olhou-a com abandono. Estava avaliando-a, e a impressão que lhe causara. Entre os ingleses, nada o livraria de ser eternamente um pária – nem mesmo o amor. Entretanto, as mulheres às vezes se entregavam a ele. Até as inglesas.

Michaelis compreendia perfeitamente a sua situação diante de Clifford. Eram dois cães de raças diferentes que em vez de se atracarem se viam forçados a gentilezas. Mas diante daquela mulher Mick não se sentia seguro.

O café-da-manhã foi servido nos quartos, Clifford nunca aparecia antes do almoço. Na triste sala de jantar, depois do café, Michaelis, inquieto e incerto, perguntou a si mesmo o que poderia fazer. Era um belo dia – belo para Wragby. Seus olhos melancólicos examinavam o parque. Deus do céu! Que lugar...

Mandou por um criado saber de Lady Chatterley se poderia servi-la em alguma coisa – com o pensamento de levá-la de carro até Sheffield. Veio a resposta: Lady Chatterley esperava-o na saleta.

Michaelis sentiu-se lisonjeado daquela intimidade. Foi. Viu lá reproduções de quadros de Cézanne e Renoir.

– Muito agradável aqui! – exclamou com aquele sorriso que lhe descobria os dentes, um sorriso forçado. – A senhora tem razão em viver aqui em cima.

– Acha? – murmurou Constance.

Aquela saleta era a única parte alegre e moderna do solar, o único ponto em que algo da personalidade de Constance se revelava. Clifford jamais a vira e Connie recebia poucas pessoas naquele lugar.

Sentaram-se em frente a lareira e puseram-se a conversar. Ela o interrogou sobre sua mãe, seu pai, seus irmãos; quando sentia simpatia por alguém, Lady Chatterley deixava de lado todas as convenções. Michaelis falou de si mesmo com muita franqueza, sem afetação alguma, revelando com simplicidade sua alma indiferente e amarga de cão sem dono, com lampejos de orgulho – o orgulho do êxito.

– Mas por que vive assim tão solitário? – perguntou Constance.

Ele a mirou com aqueles olhos salientes, cor de avelã.

– Há criaturas que nascem solitárias – disse em tom irônico. – Mas a senhora também me dá a impressão de ser uma pessoa solitária...

Levemente surpreendida, Constance pensou antes de responder.

– Em parte, talvez, mas não tanto como supõe...

– E acha-me completamente solitário? – perguntou Michaelis com o seu sorriso de dor nevrálgica, tão profundamente melancólico.

– E por acaso não é? – indagou ela encarando-o um pouco sem ar.

A terrível atração que estava sentindo por aquele homem quase a fez perder o equilíbrio.

– Sim, tem toda a razão – disse ele volvendo a cabeça de soslaio e adquirindo a estranha imobilidade das velhas linhagens, o que justamente fazia Constance perder o domínio de si própria.

E encarou-a com o olhar que tudo vê e tudo registra. Ela sentiu dentro de si algo que gritava, que pedia.

– Acho muito gentil da sua parte pensar em mim – concluiu Mick laconicamente.

– E por que não pensaria em você? – exclamou Constance, quase sem fala.

Michaelis sorriu o seu sorriso estranho.

– Oh!... Permita-me apertar a sua mão por um instante? – perguntou, fixando nela os olhos com poder hipnótico e a emanar uma força que a arrastava irresistivelmente.

Constance o mirou fascinada, enquanto ele se ajoelhava diante dela e lhe tomava nas mãos os dois pés, escondendo o rosto em seu colo imóvel. Completamente tonta com a pressão do rosto de Mick em suas coxas, Constance não pôde evitar de correr a mão pela nuca do homem trêmulo.

Ele então ergueu a cabeça e encarou-a com os olhos brilhantes, cheios de terrível apelo. A moça não pôde resistir. De seu peito brotou a onda terrível de desejo correspondente à que inundava Michaelis. A partir daquele instante ela lhe daria o que ele quisesse.

Michaelis mostrou-se um amante muito delicado, terno, mas apesar disso atento a todos os rumores de fora da saleta. Pouco a pouco sua ternura foi passando e ele voltou à tranqüilidade normal. Constance passava os dedos macios sobre a cabeça que repousava em seu peito.

Michaelis ergueu-se repentinamente, beijou-lhe as mãos, beijou-lhe os pés ocultos em sandálias e em silêncio retirou-se para o outro lado da saleta, onde ficou algum tempo de pé, de costas para a moça. Depois voltaram a sentar-se diante do fogo.

– Agora suponho que vai odiar-me – disse ele calmo e resignadamente.

Constance o encarou.

– Por que haveria de odiá-lo?

– É o que geralmente acontece – explicou Mick e corrigiu-se logo. – Quero dizer, é o que nós homens esperamos das mulheres.

– Não acho próprio odiá-lo neste momento – murmurou Constance, ressentida.

– Eu sei, eu sei... Deve ter razão. Foi espantosamente boa comigo... – disse ele em tom lastimoso.

Constance espantava-se daquele tom. Ele estava novamente de pé.

– Por que não se senta?

Mick lançou um olhar para a porta.

– Clifford... Não estará ele nos...

– Talvez – murmurou Constance. – Não quero que Clifford saiba. Doer-lhe-ia demasiadamente... mas não há mal nenhum nisto, não é?

– Mal? Meu Deus, não! Só que a acho infinitamente boa para mim. Quase não posso suportar isso.

Michaelis voltou-lhe as costas, prestes a soluçar.

– Sim, não devemos deixar que Clifford suspeite de nada. Se não souber de nada e de nada suspeitar, será como se nada houvesse – disse a moça.

– De mim, Clifford jamais suspeitará coisa alguma, asseguro. Eu, prejudicar a mim mesmo! Ah, ah! – e Michaelis riu-se cinicamente de tal idéia. Constance observava-o. – Permita-me que lhe beije a mão? – disse ele. – Vou a Sheffield, onde almoçarei, e estarei de volta para o chá. Quer alguma coisa de Sheffield? Posso estar seguro de que não me odeia? Oh, quem não me odiaria! – concluiu com um desesperado tom de cinismo.

– Não, não o odeio – disse ela. – Agrada-me tanto...

– Ah! – fez ele com sarcasmo –, prefiro que me fale assim a que me diga que me ama. Isso significa muito mais... Até à tarde, então. Tenho muito em que pensar até lá...

Beijou-lhe a mão com humildade e partiu.

– Não consigo suportar esse homem – disse Clifford durante o almoço.

– Por quê? – perguntou Connie.

– Parece tão pretensioso debaixo do verniz das aparências. Sempre à espera do momento de dar o bote.

– O mundo tem sido muito cruel com ele – observou Connie.

– E admira-se disso? Julga que ele tem empregado o tempo em realizar a bondade na Terra?

– Penso de outro modo. Vejo em Mick uma certa generosidade...

– Em relação a quê?

– Não sei.

– Claro que não sabe. Está confundindo falta de escrúpulos com generosidade.

Connie calou-se. Seria possível estar enganada? Em todo caso, a falta de escrúpulos de Michaelis fascinava-a. Avançava a passos largos pelos caminhos por onde Clifford se arrastava timidamente. Havia conquistado o mundo, o sonho de Clifford. Os meios? Ora... Seriam os meios de Michaelis mais censuráveis que os de Clifford? Os meios com que aquele homem sem nenhum apoio social rompeu seu caminho seriam acaso diferentes dos da publicidade a que recorria Clifford? A deusa-cadela do sucesso era seguida por milhares de cães com a língua de fora; quem primeiro lhe obtinha as graças tornava-se um dos seus cães favoritos. Natural, portanto, que, havendo-lhe conquistado as graças, Michaelis movesse orgulhosamente a cauda.

E, entretanto, não o fazia – não o fez naquela tarde. Voltou para o chá com um buquê de violetas e lírios, com a mesma expressão de humildade no rosto. Connie refletiu se não seria aquilo pura máscara para desarmar os inimigos. Seria Michaelis realmente um triste cão surrado?

Sua humildade canina persistiu durante toda a noite. Mas nela Clifford só viu disfarce da desfaçatez. Connie pensava de maneira diversa, talvez porque aquilo não fosse artifício dirigido contra as mulheres, e sim contra os homens. Era justamente a atrevida ousadia secreta de Michaelis o que mais afrontava os homens. Bastava a sua presença, por mais que se disfarçasse com máscara, para irritar os cavalheiros.

Connie estava apaixonada por ele, mas soube conservar-se atenta ao bordado, sem trair-se, enquanto os dois cães conversavam. Mick revelou-se perfeito; o mesmo da véspera, melancólico, atento e distante, às vezes a milhares de léguas dali, respondendo ao que lhe perguntavam de modo a não surpreender pelas respostas – e sem aproximar-se demais. "Talvez tenha esquecido o que se passou pela manhã", refletiu a moça. Não esquecera, não, mas sabia onde estava... entre inimigos de classe. Mick não dava ao acidente da manhã nenhuma importância pessoal. Admitia que a colocação de uma coleira de couro num cão de nenhum modo muda o parecer das criaturas sobre ele.

No fundo de sua alma sabia que era um deslocado social, apesar de toda sofisticação comprada na rua mais elegante de Londres. Seu isolamento era-lhe uma necessidade – como também lhe era necessário aparentar conformidade e misturar-se com a gente da alta sociedade.

Mas um pouco de amor, ocasionalmente, era algo reconfortante que não lhe desagradava. Ao contrário, sentia-se ardentemente grato por um pouco de bondade espontânea e natural. Grato até às lágrimas. Por trás do seu rosto pálido, imóvel, desiludido, sua alma infantil soluçava de gratidão para com a mulher que lhe oferecia algo – e ardia de desejo de tê-la novamente nos braços, embora sua alma de pária soubesse que ela jamais se uniria realmente a ele.

Procurou falar-lhe, no momento de acenderem as lâmpadas do hall.

– Posso ir ao seu quarto?

– Irei ao seu – sussurrou Connie.

– Maravilha!

Michaelis esperou-a por muito tempo... e Connie veio.

Ele pertencia a essa classe de amantes trêmulos e nervosos, de prazer muito rápido, com algo curiosamente infantil e indefesa no corpo nu: uma nudez de criança. Todas as defesas de Mick estavam no plano mental – a esperteza, a manha, o instinto da astúcia, de modo que, quando não podia se valer dos seus meios, mostrava-se indefeso, como uma criança que se debate às cegas.

Seu tipo despertava em Constance uma espécie de enternecimento compassivo, e também um desejo selvagem. Desejo que não satisfazia. Tinha o coito muito rápido, acabava depressa e abandonava-se sobre seus seios, deixando-a desapontada, perdida.

Constance, entretanto, logo aprendeu o modo de conservá-lo dentro de si mesma depois do orgasmo. E nisso Mick mostrou-se generoso e de forte potência; deixava-se ficar dentro dela, oferecia-se inteiramente, enquanto Connie, assumindo a iniciativa, trabalhava apaixonadamente até alcançar o clímax. E, ao vê-la atingindo a satisfação orgástica sobre sua passividade ereta, sentia um curioso orgulho.

– Ah, como é bom! – murmurava Connie tremendo, e ficava imóvel, grudada nele. Mick prestava-se com orgulho àquele papel de instrumento.

Não permaneceu em Wragby mais de três dias, e sua atitude em relação a Clifford conservou-se a mesma – e em relação a Connie também. Nada mudava aquela máscara.

Depois que se foi, escreveu à moça naquele mesmo tom choroso e melancólico, sempre com graça, mas sem nexo algum. Parecia sentir por ela uma ternura sem esperança. Havia lido em algum lugar que "uma grande esperança atravessara a Terra", e acrescentara: "afogando tudo quanto valia alguma coisa".

Constance jamais o compreendeu bem, mas lá à sua maneira o amava. E sempre sentiu o reflexo daquela desesperança – algo que não condizia com o seu temperamento. Como amar sem esperança?

E assim passaram-se uns tempos, escrevendo-se e encontrando-se em Londres de vez em quando. Ela se interessava pela satisfação sexual física que Mick lhe permitia depois do seu rápido orgasmo; ele tinha prazer em servir-lhe de instrumento. Isso foi o bastante para conservá-los unidos. O jogo dava a Connie uma espécie de segurança de si, um tanto arrogante. Uma espécie de confiança mecânica em suas próprias forças. Em conseqüência, ela viveu breve período de franco bom humor.

Bom humor em Wragby! Pois ela o revelou, e empregava-o sobretudo para estimular o trabalho de Clifford, cuja literatura nunca lhe pareceu tão boa. Cegamente ele colhia os frutos da satisfação sexual que sua esposa tirava da ereta passividade de Mick. Mas Clifford jamais desconfiou de coisa alguma – não podendo, portanto, agradecer-lhes o bem que lhe faziam.

Mais tarde, quando esses agradáveis dias de bom humor e trabalho ativo se foram para sempre e Connie voltou à sua irritada inquietação do começo, Clifford muito lamentou o encerramento da era áurea! E se conhecesse realmente a causa de tudo, talvez até interviesse para que Connie e Mick se ligassem novamente.

## 4

Constance pressentira que sua ligação com Michaelis não levaria a nada. Nenhum homem parecia atraí-la. Estava presa a Clifford, que lhe tomava uma grande parte da vida. Entretanto, ela também pedia uma parte da vida de um homem, coisa que Clifford não lhe dava, nem podia dar-lhe. Michaelis a ocupou por um tempo, mas dando-lhe uma sensação de precariedade. Com Mick nada podia durar. O fundo de sua natureza o obrigava a romper todas as cadeias, a conservar-se livre, isolado – cão sem dono. Constance atendia a uma necessidade momentânea, embora sempre dissesse: "Ela me prendeu."

Pretendem que o mundo seja rico de possibilidades. Mas, na realidade, estas se reduzem a simples experiências pessoais. Bons peixes haverá no mar... pode ser... mas a grande massa é de sardinhas e arenques; e se não somos sardinhas ou arenques, é provável que encontremos poucos peixe no mar.

O renome de Clifford aumentava dia a dia; ele ganhava dinheiro, era solicitado. Constance tinha sempre alguém a recepcionar em Wragby. Mas eram sardinhas ou arenques; raramente surgia uma garoupa ou um robalo.

Alguns mostravam-se assíduos, como os condiscípulos de Clifford em Cambridge. Entre esses, figurava Tommy Dukes que ficara no Exército e já era brigadeiro.

– O Exército deixa-me tempo para pensar – dizia – e me poupa esforços na luta pela vida.

Havia também Charles May, um irlandês, autor de trabalhos científicos sobre as estrelas. E Hammond, também escritor. Quase todos da mesma idade que Clifford. Eram os jovens intelectuais do momento. Acreditavam na vida interior. Fora dela, coisa alguma tinha importância para eles; era tudo mera questão pessoal. Ninguém pensa em nos interpelar sobre a hora em que vamos ao banheiro: é assunto que só interessa a nós mesmos – assim pensavam.

E o mesmo valia para a maior parte dos atos da vida... o dinheiro ganho, o amor pela esposa, as "aventuras" que se possa ter. Tudo isso, bem como a ida ao banheiro, só tem importância para o interessado.

– Tudo o que se possa dizer acerca do problema sexual – argumentava Hammond, rapaz alto e magro, com mulher, dois filhos e uma "datilógrafa" – é que não há nada a dizer. Não há aí nenhum problema. Já não temos desejo nenhum de seguir um homem ao banheiro; por que haveríamos de querer segui-lo ao leito em que se deita com sua mulher? Aqui está o problema. Se não nos ocupássemos mais do leito do que o banheiro, não haveria problema nenhum. Nada disso tem significação; é tudo apenas matéria de curiosidade malsã.

– Certo, Hammond! Mas se alguém se metesse a fazer a corte à Júlia, você começaria a ferver; e se a situação fosse adiante, estouraria.

Júlia era a mulher de Hammond.

– Está claro. Do mesmo modo que estouraria se alguém começasse a urinar num canto do meu salão. Cada coisa em seu lugar.

– Quer dizer que lhe seria indiferente se alguém fizesse amor com Júlia numa alcova secreta?

Charles May falava com ironia; tinha flertado com Júlia e Hammond se irritara.

– Não, não me seria indiferente. Sexo é algo privado entre mim e Júlia, e muito naturalmente não acharia razoável que uma pessoa se intrometesse.

– Para ser franco, Hammond – disse o sargento Tommy Dukes –, acho que você tem o instinto da propriedade muito desenvolvido, e um forte desejo de impor-se, e uma grande necessidade de sucesso. Desde que abracei definitivamente o Exército, afastei-me um pouco do mundo, e agora vejo com que ardor os homens procuram impor-se e vencer. E, naturalmente, homens como você imaginam que vencerão mais facilmente com o auxílio de uma mulher. Daí a sexualidade... um dinamozinho vital entre você e Júlia, que deve trazer a vitória. Se não obtiver a vitória, você começará a flertar, como o Charles, que nunca foi um vitorioso. Os casados trazem etiquetas como as malas. A etiqueta de Júlia diz: "Sra. Arnold B. Hammond", exatamente como um baú que pertença a alguém. E sua etiqueta diz: "Arnold B. Hammond, aos cuidados da Sra. Arnold B. Hammond". Oh, você tem razão! A "vida interior" necessita de casa confortável e boa cozinha. Tem razão de sobra, sim, e até precisa de posteridade. Mas tudo se prende ao instinto do êxito, o pivô de todas as coisas.

Hammond pareceu um tanto chocado. Gabava-se de sua honestidade de espírito e de não se deixar impressionar pelo gosto corrente. Não obstante, ansiava pelo êxito.

– É verdade que é impossível viver sem dinheiro – disse May. – Sem dinheiro não podemos nem sequer pensar, pois o estômago reclama. Mas parece-me que em amor é possível evitar as etiquetas. Já que podemos falar com quem queremos, por que não poderíamos fazer amor com a mulher que nos agrada?

– Assim fala o celta libidinoso! – exclamou Clifford.

– Libidinoso!... Por quê? Não vejo em que se faça mais mal a uma mulher deitando-se com ela do que com ela dançando, ou lhe falando da chuva ou do bom tempo. Simples troca de sensações, em vez de troca de idéias. Por que não?

– A promiscuidade dos coelhos! – replicou Hammond.

– Por que não? Que há de condenável nisso? Serão piores os coelhos que uma humanidade neurótica, revolucionária, roída de perpétua raiva?

– Mas não somos coelhos – objetou Hammond.

– Exatamente. Há o espírito. Tenho cálculos a fazer sobre certas questões de astronomia, que constituem para mim quase uma questão de vida ou de morte. Por vezes a minha digestão ou a fome obrigam-me a parar. Do mesmo modo, o sexo feminino interfere com o meu trabalho e me faz parar. Que fazer?

– Eu o imagino vítima de uma indigestão de necessidades sexuais superalimentadas – declarou Hammond ironicamente.

– Não é verdade; não me excedo nem na mesa nem na cama; mas fariam vocês com que eu passasse fome, se pudessem?

– Não. Achamos, porém, que deve casar-se.

– E quem disse que posso me casar? Não tenho vocação. Creio que o casamento não convém ao mecanismo do meu espírito. O casamento... E deverei, por isso, ser encarcerado num convento de frades? Loucura, meu caro. Preciso viver e fazer meus cálculos astronômicos. Eventualmente necessito de mulher... e ponho de lado as condenações e proibições morais de quem quer que seja. Mas teria vergonha de ver uma mulher rolando pela vida, que nem um baú, com o meu nome e o meu endereço na etiqueta.

Aqueles dois homens olhavam-se com rancor por causa do flerte com Júlia.

– Gosto dessa idéia, Charlie – tornou Dukes –, de que o amor não passa de uma forma de diálogo em que as palavras são substituídas pela ação. Parece-me justo isso. Penso que poderíamos trocar com as mulheres muitas sensações e emoções, como trocamos idéias sobre o bom ou o mau tempo. O amor poderia ser uma espécie de conversação normal e física entre os dois sexos. Nunca conversamos com uma mulher se ambos não temos idéias comuns; pelo menos não com interesse. Também não podemos nos deitar com elas se não experimentarmos emoção e simpatia em comum. Se isto acaso se dá...

– Se você tem simpatia por uma mulher, deve deitar-se com ela – disse May. – A única coisa decente a fazer é deitar-se com ela. Do mesmo modo que se dá quando temos interesse em conversar com alguém; o que há a fazer é abordar esse alguém, em vez de ficar mordendo pudicamente a língua. Digamos-lhe logo o que temos a dizer. No amor é a mesma coisa.

– Não – protestou Hammond –, isso é falso. Você, por exemplo, May, desperdiça metade de suas forças com as mulheres. Não fará nunca o que poderia fazer, bem-dotado como é. Seu talento desvia-se para outro lado.

– Pode ser, mas muitos de vocês passam para esse lado, Hammond, sejam casados ou não, e o espírito se resseca. Esses lindos espíritos, tão puros, tornam-se secos como madeira de violino. Vocês falam, e nada mais.

Tommy Dukes caiu na gargalhada.

– Vamos, ó espíritos puros! – bradou ele. – Olhem-me. Não realizo nenhum trabalho mental, limito-me a anotações. E entretanto não me caso nem corro atrás das mulheres. Dou razão a Charlie. Se você tem desejo de correr atrás de mulheres, é livre para fazê-lo, mas sem excesso. Não seria eu quem o impediria. Quanto a Hammond, tem senso de propriedade, da maneira que prefere a estrada direta e a porta estreita. Havemos ainda de vê-lo tornar-se um verdadeiro Homem de Letras da cabeça aos pés. E depois eu. Não sou nada, não passo de um pensamento. E que diz você, Clifford? Acha que o amor é um dínamo para ajudar-nos a vencer no mundo?

Nessas ocasiões Clifford falava pouco. Suas idéias perdiam a clareza. Ficava confuso e emocionado. A pergunta de Dukes deixou-o vermelho como um rabanete.

– Já que estou fora de combate, não me parece que tenha algo a dizer sobre o assunto.

– Ao contrário – tornou Dukes. – A parte superior do seu corpo não está fora de combate. Tem sã e intacta a vida do espírito. Quais são as suas idéias?

– Está bem – balbuciou Clifford –, mas seja como for, creio que não tenho nenhuma idéia sobre o caso. Acho que "casar e não falar disso" é o mais acertado, embora seja o coito uma coisa muito importante entre um homem e uma mulher que se amam.

– Por que importante? – perguntou Tommy.

– Ora... é o meio de tornar a intimidade mais perfeita –, disse Clifford, muito pouco à vontade naquele gênero de conversação.

– Perfeitamente, Charlie e eu cremos que a cópula é um meio de comunicação, como a palestra. Se uma mulher começa comigo uma conversação sexual, é natural que em momento oportuno a terminemos no leito. Infelizmente, nenhuma mulher ainda teve comigo esse começo de conversação, de modo que vou para a cama só... e não me dou mal com isso. Não tenho cálculos na cabeça que possam ser interrompidos, nem obras imortais a escrever. Não passo de um pobre-diabo que se esconde no exército.

Caíram em silêncio, fumando. Constance ali estava com seu bordado, sem nada dizer, quieta como um camundongo, para não perturbar a conversa tão importante daquela plêiade de intelectuais. Mas sua presença ajudava-os. Fazia com que as idéias brotassem com fluência. Quando ela se ausentava, Clifford tornava-se mais irritadiço e nervoso, queixando-se logo de frio nos pés – e a conversação morria. A Tommy Dukes, o mais eloqüente, a presença de Constance dava inspiração. Ela não gostava de Hammond, que lhe parecia muito egoísta. De Charles May gostava um pouco, mas aborrecia-a por vezes, apesar de suas estrelas.

Quantas noites não passara Constance ouvindo as conferências desses quatro homens e de outros mais! O debate não levava a coisa alguma, e também não a impressionava. Agradava-lhe, entretanto, escutar o que diziam, sobretudo quando Tommy estava presente. Era divertido. Em lugar de beijá-la com seus corpos, aqueles homens revelavam-lhe seus espíritos. Bastante curioso – mas como tinham a alma gélida!

Por vezes tornavam-se ferinos. Constance sentia mais interesse por Michaelis, de quem falavam com desprezo, tachando-o de bastardo, arrivista, plebeu sem educação. Bastardo ou não, Mick sabia ir direto ao fim. Não perdia tempo com um milhão de palavras de rodeio.

Constance não se desagradava da vida mental; era-lhe até um consolo. Mas fatigava-se um pouco. Gostava, todavia, de deixar-se ficar no meio do fumo desses famosos "serões de machos", como dizia de si para si. Divertia-se e sentia-se lisonjeada ao ver a conversa descambar sem a sua silenciosa presença. Sempre sentira o maior respeito pelo pensamento... e pelo menos aqueles homens esforçavam-se por pensar honestamente. Dos seus discursos, entretanto, não tirava nenhuma conclusão. Subsistia um obstáculo qualquer, que nenhum transpunha. Qual seria? O próprio Mick não afastava esse obstáculo, e Mick não tinha outro pensamento senão o de bem desempenhar o seu papel e impor-se aos olhos dos outros mais do que os outros queriam impor-se a ele. Verdadeiramente anti-social – era o que Clifford e seus amigos alegavam contra ele. Porque os demais não eram anti-sociais; eram mais ou menos devotados à salvação da humanidade, ou, pelo menos, a melhorar os homens.

Houve um belo debate na noite de domingo sobre o tema do amor.

– "Bendito seja o elo que prende nossos *corações...*" – começou Tommy Dukes. – Quisera eu saber que elo é esse. O que nos prende a nós, neste momento, é uma espécie de fricção mental que exercemos uns sobre os outros. Fora isso, há pouca ligação entre nós. Quando nos voltamos as costas, dizemos horrores uns dos outros como todos os intelectuais, como todo o mundo, pois o mundo procede deste modo. E quem não faz isso é porque esconde sob uma camada de falsa doçura os horrores que pensa do próximo. É curioso como a vida traz a malevolência. E tem sido sempre assim! Vejam Sócrates e seus amigos nos diálogos de Platão. Quanta perversidade, que alegria em ferir o próximo, não importando qual fosse o adversário – Pitágoras ou qualquer outro! E Alcebíades, e todos os discípulos menores, congregados para o estraçalhamento! Vale muito mais Buda, tranqüilamente à sombra da figueira, ou Jesus contando aos seus discípulos histórias singelas, calmamente, sem fogos de artifício. Há qualquer coisa de radicalmente falso nessa vida mental que mergulha as raízes no despeito e na inveja. Temos de julgar a árvore pelos seus frutos.

– Não creio que sejamos tão malévolos assim – protestou Clifford.

– Meu caro Clifford, pense na maneira como nos dissecamos uns aos outros. Eu me sinto pior que os outros porque prefiro infinitamente o despeito espontâneo aos fingimentos açucarados, porque aí é que está o veneno. Quando começo a tecer louvores, é o momento de lamentar o louvado. Mas se todos vocês dizem horrores a meu respeito, isso quer dizer que valho alguma coisa. Nada de açúcar comigo!

– Oh! Mas creio que sinceramente gostamos uns dos outros – atalhou Hammond.

– Sim, já que pelas costas dizemos tantas perversidades uns dos outros... eu mais que todos.

– Suponho que vocês confundem vida mental com aquele espírito crítico ao qual Sócrates deu tão grande impulso – observou May.

Dukes recusou-se a comentar Sócrates.

– É verdade, espírito crítico e ciência não são a mesma coisa – disse Hammond.

– Claro que não são – sussurrou Berry, um rapaz tímido que viera uma vez e fora ficando.

Todos o olharam como se um asno tivesse falado.

– Não falo de ciência – replicou Dukes rindo –, falo da vida mental. A verdadeira ciência emana do conjunto do nosso ser consciente, do nosso ventre e do nosso pênis, tanto quanto do nosso cérebro e do nosso espírito. O espírito só pode analisar e explicar. Quando o espírito e a razão dominam o restante, só temos a crítica fria. É tudo quanto podem fazer, e é de grande importância. Santo Deus, como o mundo tem hoje necessidade de crítica! Sendo assim, vivemos a nossa vida mental, e exultamos com a malevolência, desmascarando as velhas farsas. Mas, prestem atenção, vejam o que ocorre: embora vivamos a nossa vida, fazemos parte orgânica do todo. E nada mais nos fica da vida senão a vida mental; tornamo-nos maçãs caídas da árvore. Daí vem a malevolência, como à maçã caída sucede a podridão.

Clifford arregalava os olhos. Nada via naquilo. Constance sorria para si mesma.

– Muito bem, somos todos maçãs caídas* – disse Hammond com acidez.

– Nesse caso, vamos todos virar cidra – gracejou Charlie.

– Mas que pensam do bolchevismo? – indagou o rapaz tímido, como se toda a discussão se encaminhasse para esse assunto.

– Bravos! – urrou Charlie. – Que pensam do bolchevismo?

– Vamos, estraçalhemos o bolchevismo! – propôs Dukes.

– Acho que o bolchevismo é assunto amplo demais – disse Hammond, meneando gravemente a cabeça.

– O bolchevismo parece-me a expressão requintada do ódio a isso que eles chamam de burguesia – disse Charlie. – Mas ao que chamam eles burguesia? Palavra muito vaga. É, entre outras coisas, o capitalismo. Os sentimentos e as emoções são também de tal forma burgueses que é preciso criar, inventar o homem desprovido de sentimentos e emoções. Por conseguinte, o homem individual, e sobretudo o homem pessoal, é burguês; tem de ser suprimido. A humanidade há que submergir nessa grande idéia: o conceito social soviético. Até o próprio organismo é burguês... de modo que o ideal tem de ser mecânico. A única coisa que é una, não orgânica, composta de muitas partes diferentes, embora essenciais, é a máquina. Cada homem é uma parte da máquina, e a força motora da máquina é o ódio a tudo que é burguês: eis o bolchevismo.

---

 *Refere-se a Adão e Eva.

– Certamente – concordou Tommy. – Mas isso também parece uma perfeita descrição do ideal industrial. É, em poucas palavras, o ideal de um dono de fábrica, exceto, dirá ele, quanto ao ódio como força propulsora. E, no entanto, a fábrica é o ódio, o puro ódio à vida. Vejam esses Midlands: o ódio faz parte da sua vida mental, é o seu desenvolvimento lógico.

– Nego que o bolchevismo seja lógico, já que rejeita a maior parte das premissas – objetou Hammond.

– Mas, meu caro, o bolchevismo admite as premissas materiais, como também faz o espírito puro.

– Em todo caso, o bolchevismo desceu até o fundo das coisas – disse Charlie.

– O fundo! Um fundo que não tem fundo! Em pouco tempo os bolchevistas terão o melhor Exército da Terra e o melhor equipamento.

– Mas isso não pode continuar assim... todo este ódio. Há de vir uma reação – replicou Hammond.

– Por ela estamos esperando, e muito esperaremos ainda. O ódio é algo que pode crescer como nenhum outro sentimento. É o resultado inevitável da violência imposta aos nossos instintos mais profundos: violentamos os nossos sentimentos mais puros para enquadrá-los em certas idéias. Acionamo-nos por meio de uma fórmula, como as máquinas. O espírito lógico pretende governar os homens... e surge o ódio. Todos somos bolchevistas, com a diferença de que somos também hipócritas. Os russos são bolchevistas sem hipocrisia...

– Mas há outras maneiras de ser bolchevista, além da soviética – disse Hammond. – Os bolchevistas não são inteligentes.

– Naturalmente que não. Mas às vezes inteligente é ser imbecil: conduz ao fim visado. Eu, de minha parte, julgo o bolchevismo imbecil; nossa vida social, no Ocidente, é também imbecil; e nossa famosa vida intelectual também é imbecil. Somos todos uns cretinos, idiotas sem paixão. Somos todos bolchevistas... a diferença é que damos a isso outros nomes. Acreditamo-nos deuses, homens semelhantes a deuses. Isso é bolchevismo! Temos de ser humanos; temos de ter um coração e um pênis para escaparmos de ser um bolchevista. Porque Deus e o bolchevista são a mesma coisa; algo belo demais para ser verdade.

No meio de um silêncio desaprovador ergue-se, ansiosa, a voz de Berry:

– Acredita no amor, Tommy?

– Pobre criança! – respondeu ele. – Não, meu querubim, mil vezes não! O amor dos nossos dias é ainda uma dessas comédias imbecis. Janotas que enfiam em moças com nádegas de criança que lembram botões de colarinho. É dessa espécie de amor que quer falar ou do amor de coleira, do tipo "meu-marido-minha-mulher"? Não, meu amigo, não creio no amor.

– Mas crê ao menos em algo?

– Eu! Intelectualmente creio em se ter um bom coração, um pênis em bom estado, uma inteligência viva e a coragem de dizer "merda" diante duma senhora.

– Tudo isso você tem – murmurou Berry.

Tommy Dukes dobrou-se de rir.

– Meu anjinho, ah, se assim fosse! Se assim fosse! Não, meu coração vive inerte como uma batata, meu pênis nunca levanta a cabeça... e preferiria cortá-lo a dizer "merda" diante de minha mãe ou minha tia, damas respeitáveis; e tampouco sou inteligente. Sou apenas um interessado no intelecto. Que bom ser inteligente! Sentir que se vive em todas as partes, as nomeáveis e as não nomeáveis. Com o pênis ereto, dizendo bom dia a todos os inteligentes de verdade. Renoir pintava os seus quadros com o pênis... e que lindos quadros!* Quisera fazer qualquer coisa com o meu. E só sei falar! Tortura inédita acrescentada ao inferno. E foi Sócrates quem começou...

– Ainda há mulheres gentis no mundo – disse Constance, levantando a cabeça e falando pela primeira vez.

Os homens ficaram chocados. Ela deveria ter fingido que nada ouvia. Era-lhes desagradável pensar que Lady Chatterley tivesse seguido tão de perto semelhante conversação.

– Santo Deus! – exclamou Tommy. – "Se elas não são gentis comigo, que posso fazer?" Não. Não há nada a fazer. Não posso vibrar em uníssono com uma mulher. Não há nenhuma que eu verdadeiramente deseje, se me vejo face a face com ela... e não quero forçar-me neste ponto. Ah, não! Ficarei como sou, vivendo a minha vida mental. É a única coisa honesta que posso fazer. Tenho o maior gosto em conversar com uma mulher; mas é um prazer absolutamente puro. Que diz a isto, meu franguinho?

– Que é muito menos complicado se alguém se mantém puro – respondeu Berry.

– Sim, a vida é algo extremamente simples...

## 5

Em uma glacial manhã de sol de fevereiro, Clifford e Constance atravessaram o parque em direção ao bosque. Clifford manobrava o seu pequeno veículo e Constance seguia-o ao lado.

---

*Há relatos de que o pintor impressionista Pierre-Auguste Renoir tenha feito esse comentário no fim de sua vida, quando suas mãos o incapacitavam de trabalhar. (*N. do E.*)

O ar cortante tinha aquele eterno cheiro de enxofre ao qual ambos já estavam habituados. No horizonte levantava-se a neblina opalescente da fumaceira sob o pálido azul do céu.

Os carneiros fuçavam a erva dura e seca, branco-azulejada pelo gelo. No parque, uma estreita fita cor-de-rosa, serpenteava o atalho que conduzia à porteira do bosque. Clifford mandara recobri-lo de fino cascalho trazido da boca da mina. Depois que os detritos do mundo subterrâneo eram queimados e libertados do enxofre, tornavam-se de um róseo vivo, cor de camarão nos dias secos, e de um tom mais escuro, de caranguejo, nos dias úmidos. Naquele momento estavam cor de camarão pálido, recobertos de uma fina camada de geada. Constance gostava daquele chão róseo, de um brilho filtrado.

Clifford conduzia-se com prudência pelo declive da colina onde se elevava o castelo, e Constance tinha a mão sobre sua cadeira móvel. Diante deles estendia-se o bosque, as nogueiras, e mais adiante a espessura avermelhada dos carvalhos. Coelhos pulavam da orla do bosque, tosando as ervas da beira do caminho. Gralhas levantavam vôos súbitos, riscando de negro o espaço.

Constance abriu a porteira, que Clifford atravessou manobrando sua cadeira motorizada. O bosque era um remanescente da grande floresta de Robin Hood, e o caminho uma antiga estrada pública que outrora atravessava o país. Reduzia-se agora a um trecho sem trânsito, de propriedade privada. A estrada de Mansfield corria ao norte.

Tudo imóvel no bosque; as folhas secas acumuladas no chão escondiam o gelo. Um galo cantou; passarinhos batiam as asas. Caça nenhuma, nenhum faisão. Foram dizimados durante a guerra, quando o bosque ficou abandonado;

e só ultimamente Clifford contratara novamente um guarda-caça.*

Clifford adorava o bosque, adorava os velhos carvalhos que lhe pertenciam ao longo de gerações. Queria protegê-los, manter aquele lugar inviolado, fechado, separado do mundo.

A cadeira motorizada subia lentamente a encosta, aos solavancos, sobre os torrões gelados. Subitamente, à esquerda, surgiu uma área onde só havia montes de mato seco, grossos troncos serrados, raízes à mostra – e manchas negras nos pontos em que os madeireiros haviam acendido uma fogueira.

Era um dos pontos de onde Sir Geoffrey havia tirado madeira para a guerra. Todo o terreno, que se erguia suavemente à direita, estava desnudado e estranhamente triste. Sobre o cume onde se enfileiravam os carvalhos nada mais restava, e de lá se podia, por sobre a copa das árvores, ver a estradinha de ferro das minas e as novas instalações de Stacks Gate. Constance, de pé, olhava. Aquela abertura no deserto permitia a visão de uma nesga do mundo exterior. Mas Constance não lembrou isso a Clifford, em quem o devastado trecho do bosque despertava a cólera. Clifford havia estado na guerra. Conhecia-a. Mas só se encolerizou contra a calamidade quando viu o desnudamento da colina feito por seu pai. Mandou replantá-la, mas conservou sempre um certo rancor contra Sir Geoffrey.

Clifford subiu lentamente, com o olhar fixo. Parou no alto. Não queria aventurar-se pelo perigoso caminho que dali por diante descia. Observou o túnel esverdeado que a estrada rasgava entre as carvalheiras e desaparecia ao longe

---

*Guarda-caça: pessoa contratada para cuidar de terras de fidalgos em que se criava caça e nas quais não era permitido caçar. (*N. da R.*)

numa curva. Por lá haviam passado nobres e damas de outrora em seus cavalos.

– Considero isto o verdadeiro coração da Inglaterra – observou ele, com os olhos perdidos naquela imagem.

– Sim? – retrucou Constance, sentando-se, com o seu vestido de tricô azul, sobre um tronco à beira do caminho.

– Temos aqui a velha Inglaterra, o coração da Inglaterra... e hei de guardá-lo intacto.

As sirenes de Stacks Gate soaram. Acostumado àquele sinal das 11 horas, Clifford não lhe deu atenção. Continuou:

– Quero este bosque perfeito... intacto. Ninguém passará por aqui sem minha permissão.

Havia uma eloqüente tristeza em suas palavras.

O bosque ainda conservava algo misterioso da Inglaterra selvagem. Mas as derrubadas de Sir Geoffrey haviam-lhe dado um golpe. Como eram tranqüilas as árvores, com seus inúmeros ramos em busca do céu, os troncos cinzentos e obstinados erguendo-se da mata sombria! Com que segurança os pássaros voavam entre eles! Outrora erraram por ali veados e arqueiros, e monges cavalgando asnos. Tudo ainda os relembrava.

Clifford estava sentado sob o pálido sol que iluminava seus cabelos lisos, quase louros, e a face cheia, corada, com uma expressão difícil de decifrar.

– É sobretudo quando venho aqui que me lamento de não ter filhos – murmurou.

– Mas o bosque é mais velho que sua família – disse Constance docemente.

– Sim, mas nós o temos conservado. Sem nós, teria desaparecido, como o restante da floresta. É preciso manter um pouco da velha Inglaterra.

– Por que é preciso? – replicou Constance. – Conservá-la mesmo contra a nova Inglaterra?

– Se não conservarmos um pouco da velha Inglaterra, não haverá mais Inglaterra alguma –, observou Clifford. E nós, proprietários e amigos destas terras, temos o dever de defendê-las.

Houve uma pausa de melancólico silêncio.

– Sim, por algum tempo – disse Constance.

– Por algum tempo, é verdade! Tudo o que podemos fazer limita-se a isso. Devemos apenas a nossa contribuição. Cada homem de minha família deu a sua, desde que nos tornamos donos da propriedade. Podemos combater as convenções, mas é preciso manter a tradição.

Novo silêncio.

– Que tradição?

– A tradição da Inglaterra... de tudo isto!

– Sim – disse ela lentamente.

– Daí a necessidade de filhos. Somos elos de uma cadeia.

Constance não gostava de cadeias, mas nada objetou. Achava aquele desejo de filhos curiosamente impessoal.

– Pois eu lamento muito que não possamos tê-los – disse-lhe ela.

Clifford fitou nela os seus claros olhos azuis.

Constance voltou o olhar para ele.

– Seria quase desejável que você tivesse um filho de outro homem – retrucou ele. – Se o criássemos em Wragby, esse filho nos pertenceria, a nós e à terra. Não dou grande importância à paternidade. Se criássemos a criança, ela seria nossa... e nos daria continuidade. Seria isso irrealizável?

Um filho não era senão um objeto para ele.

– Mas... e o outro homem?

– Terá importância? Você já teve na Alemanha um amante. O que resta dele agora? Nada. Esses pequenos atos e essas pequenas ligações que ocorrem na vida não me parecem ter importância. Passam. Onde estão as neves de outrora? Só o que ao longo da vida perdura tem importância. Minha própria vida é a vida comum, de todos os dias, e não com quem divido meu leito ocasionalmente. Mas o que significam ligações de momento, sobretudo as sexuais? Se não as exagerássemos ridiculamente, seriam naturais como o simples acasalamento dos pássaros. Que importância têm? O que importa é a longa união durante toda uma vida; é a vida em comum, de todos os dias, e não o leito em comum de algumas noites. Haja o que houver, você e eu somos casados. Temos o hábito um do outro. E o hábito, a meu ver, é de uma importância mais vital do que qualquer excitação passageira. A longevidade, lenta, durável, eis o que faz a nossa vida... e não ocasionais espasmos. Pouco a pouco, à força de viver juntos, dois seres chegam a uma espécie de união, de tal modo as sensações se misturam. É este o verdadeiro segredo do casamento, e não o ato físico, a simples função sexual. Você e eu estamos unidos pelo casamento. Se mantivermos o essencial, parece que podemos encontrar um meio de resolver a questão do sexo: não será mais difícil do que ir ao dentista, já que o destino fisicamente nos deu um xeque-mate.

Constance ouvia-o num misto de estupor e medo, e não saberia dizer se ele tinha razão ou não. Amava Michaelis – pelo menos supunha isso. Mas esse amor não passava de uma breve fuga do seu casamento com Clifford – aquele longo hábito de intimidade formada em anos de sofrimento e paciência. Talvez a alma humana tenha necessidade dessas escapadelas e não lhe devemos recusar isso. Mas quem diz escapadela diz regresso.

– E que homem é esse de quem terei um filho?... – perguntou Constance.

– Confio no seu bom gosto. Você seria incapaz de entregar-se a um homem indigno.

Ela pensou em Michaelis. Era exatamente o tipo que Clifford chamava de homem indigno.

– Mas tanto os homens como as mulheres variam em suas opiniões sobre o homem indigno – avançou ela.

– Não. Você me achou do seu agrado... e não creio que pudesse achar do seu agrado um homem que fosse absolutamente o meu contrário.

Constance emudeceu. A lógica pode ser irrespondível, mas falsa.

– E devo colocá-lo a par de tudo? – perguntou ela olhando-o furtivamente.

– É melhor que eu não saiba... Mas você não concorda que o ato físico, praticado de vez em quando, nada vale diante de uma longa vida vivida a dois? Não acredita que se possa subordinar o lado sexual às contingências de uma longa vida? Acha que na realidade tenham grande importância as breves convulsões dos orgasmos? Não crê que o verdadeiro problema seja desenvolver a personalidade ao longo dos anos? Uma vida incompleta não é vida. Se a privação do amor físico torna sua vida incompleta, Constance, vá em busca de uma ligação com um homem; se a falta de um filho a atormenta, tenha esse filho. Mas terá de fazê-lo sempre visando a uma vida completa, integrada e harmoniosa. Nós dois podemos realizar esta vida, não acha? Podemos adaptar-nos às urgências do nosso caso, integrando essa adaptação no tecido da nossa vida em comum. Não é a sua opinião?

Essas palavras perturbaram Constance. Sim, teoricamente Clifford tinha razão. Mas e na prática? Teria de continuar naquela vida em comum? Ela hesitava. Seria seu destino absorver-se na vida daquele homem? Não haveria outro? Deveria contentar-se então em tecer com ele uma vida em comum, enfeitada ocasionalmente com as flores de uma aventura? Mas como poderia ela saber o que pensaria dali a um ano? Como saber se por longos e longos anos poderiam dizer "sim" – o pequenino "sim", breve como um sopro? Apesar de leve como uma borboleta, essa minúscula palavra escraviza. Não. Era preciso que esse "sim" voasse, desaparecesse, fosse seguido de outros "sins" e outros "nãos". Um bando de borboletas que passam...

– Creio que você tem razão, Clifford – disse ela –, e acho que estou de acordo. Só receio que nossa vida venha a mudar completamente.

– Mas, ainda que venha a mudar completamente, você está de acordo?

– Sim, acredito que sim.

Constance tinha os olhos num perdigueiro que acabava de desembocar de uma encruzilhada, ladrando para eles de focinho erguido. Um homem de espingarda em punho surgiu em seguida, cauteloso e rápido. Reconhecendo-os, parou e saudou-os – e fez menção de afastar-se. Era o novo guarda-caça, cuja aparição repentina surpreendera Constance. Foi assim que ela o viu: como súbita ameaça vinda não sabia de onde.

O guarda-caça vestia fustão verde-escuro, com polainas da mesma cor. Estilo antiquado. Rosto vermelho, bigodes ruivos. Começou a descer a colina.

– Mellors! – chamou Clifford.

O homem voltou-se de pronto, fazendo continência.

– Quer fazer o favor de virar esta cadeira?

Lançando o fuzil ao ombro, o homem aproximou-se, sempre naquele curioso passo cauteloso e rápido de quem procura fazer-se invisível. Era de estatura mediana, um tanto magro, ar discreto. Não olhou para a Lady, só se ocupou da cadeira.

– Este é o novo guarda-caça – explicou Clifford a Constance, e interpelou-o: – Não teve ainda a ocasião de conhecer Lady Chatterley?

– Não, meu senhor – foi imediata resposta do homem, em tom de indiferença.

Ao erguer o chapéu para saudá-la, Mellors descobriu os cabelos bastos, quase louros. Encarou a castelã nos olhos, com firmeza, como quem mede e avalia. Quase a intimidava. Constance retribuiu a saudação com um movimento de cabeça, enquanto o homem, passando o chapéu para a mão esquerda, se mantinha curvado num gesto de cavalheiro, imóvel.

– Está aqui há quanto tempo? – perguntou ela.

– Oito meses, senhora – respondeu o guarda-caça e corrigiu-se imediatamente, sem precipitação: – minha senhora.

– Gosta do lugar? – continuou Constance, olhando-o nos olhos.

– Sim, criei-me por aqui... Obrigado.

Fez novamente um ligeiro cumprimento, recolocou o chapéu e voltou-se para a cadeira. Suas últimas palavras saíram com uma entonação arrastada, talvez intencional. Dava a impressão de um cavalheiro. Um tipo bastante galhardo e singular, evidentemente seguro de si.

Clifford deu partida na cadeira motorizada e o homem cuidadosamente virou-a no rumo da ladeira.

– Só isso, Sir Clifford? – perguntou depois da ajuda prestada.

– Não. Acho melhor que nos acompanhe até em casa; pode haver enguiço no caminho. Este motor às vezes não se comporta bem nas subidas.

Mellors procurou o cão com um olhar solícito, que o perdigueiro agradeceu com um movimento de cauda; um leve sorriso, entre travesso e bondoso, surgiu e se apagou no seu rosto, agora sem expressão nenhuma. A mão de Mellors dava firmeza à cadeira. Seu porte não lembrava um servo, mas um soldado livre. "Tinha qualquer coisa de Tommy Dukes", pensou Constance.

Quando chegaram ao fim do bosque, Constance adiantou-se correndo para abrir a porteira do parque e ficou segurando-a. A cadeira passou, e de passagem os dois olharam-na: Clifford com um olhar crítico, e Mellors com um olhar avaliador. Constance sentiu nele sofrimento e indiferença, mas também um certo valor. Por que aquela indiferença distante no olhar desse homem?

Atravessada a passagem, Clifford parou a cadeira e o acompanhante apressou-se em a porteira.

– Por que correu na frente para abrir? – perguntou Clifford em leve tom de censura. – Isso competia a Mellors.

– Para que não fosse preciso parar a cadeira – respondeu Constance.

– Mas você teria depois de correr para alcançar-nos...

– Ora, gosto de correr, às vezes...

Mellors voltou a cuidar da cadeira, como se não estivesse ouvindo, mas Constance percebeu que ele não perdia nada. O esforço de empurrar a cadeira fê-lo respirar de lábios entreabertos. Não era muito vigoroso. "Mas bastante cheio de vida e rijo", adivinhou o instinto feminino de Constance.

Lady Chatterley atrasou-se enquanto a cadeira seguia na frente. O tempo mudara, o céu da manhã desaparecera e o frio estava áspero. Ia nevar. Tudo cinzento, nublado. Um ar de cansaço pairava sobre o lugar.

A cadeira parou numa elevação e Clifford voltou o rosto para ver Constance chegar.

– Cansada? – perguntou-lhe.

– Não, não...

Mas estava cansada – com a alma cansada. Sentia um estranho peso de fadiga, uma necessidade de qualquer coisa indefinível, um descontentamento. Clifford não dava atenção a esse tipo de estado de alma e nada notou. Mas Mellors notou-o.

Tudo para Constance parecia gasto, findo, morto. Era um descontentamento mais velho que aquelas paragens.

Ao chegarem ao solar, foram até a porta dos fundos, onde não havia degrau a subir, e Clifford passou da cadeira motorizada para a cadeira de rodas. Tinha os braços fortes e ágeis, mas as pernas mortas; Constance teve de erguê-las nos braços.

À espera de que o dispensassem, Mellors olhava ao redor, sem nada perder de vista. Ao ver Constance erguer as pernas inertes do marido para colocá-las na cadeira enquanto Clifford girava sobre si mesmo, arrepiou-se. Sentiu medo.

– Obrigado pela ajuda, Mellors – murmurou distraidamente Clifford, levando a cadeira para adiante, rumo ao escritório. Em uma voz neutra o acompanhante perguntou ainda:

– Nada mais, Sir Clifford?

– Não. Obrigado. Até logo.

– Até logo, meu senhor.

– Até logo – disse também Constance. – Espero que não tenha se cansado muito com a subida da ladeira.

Os olhos de Mellors olharam-na de relance, como despertos dum sonho.

– Oh! Não foi para tanto – disse com presteza, e sua voz retomou a entonação arrastada. – Até logo, minha senhora.

Durante o almoço Constance perguntou ao marido:

– Quem é o guarda-caça?

– Mellors, não o viu? – respondeu Clifford, surpreso.

– Sei. Mas pergunto quem é ele, de onde vem.

– De parte alguma. Daqui mesmo, de Tevershall. Filho de mineiros, suponho.

– Mineiro ele também?

– Foi ferreiro de mina, creio, ou capataz de ferreiro, ou ferrador. Também já trabalhou aqui como guarda, durante dois anos, antes da guerra. Meu pai sempre o teve em boa conta; por isso, quando me apareceu pedindo uma colocação na mina, dei-lhe o lugar de guarda-caça. E foi ótimo, porque não é fácil encontrar um bom guarda-caça... um que conheça toda a população.

– Casado?

– Foi casado. Sua mulher fugiu com... com vários homens, e por fim com um mineiro de Stacks Gate... e ainda vive por lá, penso eu.

Clifford tinha em Constance seus olhos claros, um pouco salientes, de vaga expressão indefinível. Um olhar aparentemente vivo e inteligente, mas no fundo embotado como a atmosfera dos Midlands. Ao encará-la fixamente à medida que dava aquelas informações, ao olhá-la de um modo estranho, seu espírito logo se encheu de névoa – Constance o sentiu e teve medo. Havia ali impessoalidade, quase idiota.

De um modo vago, Constance vinha aprendendo uma das grandes leis da alma humana: quando um ser recebe um golpe por demais violento, mas que não dá para matar o corpo, a alma parece estabelecer-se à proporção que o corpo se recompõe. Mas só na aparência. A ferida da alma não fecha; começa de repente a manifestar-se de novo, lentamente a princípio, depois invasivamente até tomar a alma inteira – e quando supomos que tudo já está cicatrizado e esquecido, lá vem o contragolpe fatal.

Foi assim com Clifford. Depois que se recuperou e veio para Wragby, a fim de entregar-se à leitura, pareceu-lhe ter reencontrado o equilíbrio mental. Mas, com o passar dos anos, Constance via bem que a ferida do medo e do horror novamente se apoderava dele. Mentalmente talvez estivesse perfeito, mas a paralisia, a ferida causada pelo choque violento, se alastrava pela sua sensibilidade.

E o mal de Clifford projetava-se sobre ela. A alma de Constance ia sendo dominada por um medo interior, um vácuo, uma indiferença por tudo na vida. Nos seus bons momentos, ele conversava com ânimo e pensava no futuro – como durante o passeio em que lhe falara do filho e herdeiro. Mas já no dia seguinte todas aquelas idéias não passavam de folhas mortas, sem significação. Não eram folhas verdes de árvores da vida, e sim meros restos secos que o vento leva.

Tudo parecia sem qualquer significado. Os mineiros de Tevershall começavam novamente a rosnar ameaças de greve, mas isso não parecia a Lady Chatterley nenhuma demonstração de energia. Resíduo da guerra, sim, resíduos ocultos por algum tempo e agora vindos à tona, envolvidos em dor, em inquietação, de desencanto. Fora profunda demais a ferida da guerra. Anos e anos seriam necessários para que o sangue novo das gerações dissolvesse o imenso coágulo de sangue negro, de sangue doente, que a catástrofe formara no fundo dos corpos e das almas. Era preciso que viesse ao mundo uma nova esperança.

Pobre Lady Chatterley! À medida que o tempo passava, ela estremecia diante do seu casamento. A atividade mental de Clifford dava-lhe idéia de puro vácuo. Sua união com ele, aquela vida integrada, com base no hábito da intimidade, que ele tanto gabava, aquilo era um verdadeiro deserto. Palavras, simples palavras – sons. A realidade ela a conhecia: o nada, o vácuo sob uma camada hipócrita de palavras.

É verdade que havia o êxito literário de Clifford, já agora quase célebre. Seus livros davam-lhe mil libras de renda por ano, e suas fotografias figuravam em toda parte. Aparecera um busto seu numa galeria de arte, e dois retratos em outras. Clifford transformou-se numa das mais modernas vozes do momento. Graças ao seu instinto de publicidade, esse curioso instinto dos doentes, tornara-se em quatro ou cinco anos um dos novos intelectuais mais falados. Intelectual! Intelecto! Constance não atinava exatamente com a significação disso. Clifford tinha a habilidade literária de analisar com humor as pessoas, dissecá-las, descobrir o motivo das ações humanas e por fim reduzir tudo a pedaços. Mas não é isso que os cães de luxo fazem com as almofadas? Só que não era novo e nada tinha de travessura, antes era estranhamente velho e obstinadamente vaidoso. E exagerado. Era o que Constance repetia a si mesma. No fundo, nada. Unicamente uma maravilhosa ostentação de nada. Ostentação, só isso.

Michaelis tinha conquistado Clifford, fazendo dele o personagem central de uma de suas peças. Já havia esboçado o enredo e composto o primeiro ato. Porque, na ostentação do nada, Michaelis era ainda mais hábil do que Clifford. A única paixão que restava nos dois era a de ostentar. Sexualmente, vazios ambos, mortos mesmo. Quanto ao dinheiro, já não era algo que tentasse Michaelis. Nem a Clifford, embora o dinheiro signifique o selo da vitória. Queriam o êxito, o favor do público.

Curiosa essa prostituição à deusa-cadela! Para Constance, depois da embriaguez dos primeiros momentos, o êxito não passava de vácuo. Aquela prostituição à deusa-cadela, a que os homens se entregavam com tamanho furor, parecia-lhe não bastar.

Michaelis escreveu a Clifford sobre a peça em andamento, assunto já do conhecimento de Constance. Ia ostentar-se mais uma vez, e dessa vez por intermédio de um outro – ostentação bem lisonjeira, está claro. Convidou Michaelis a visitá-lo para ler-lhe o primeiro ato.

Michaelis veio: era verão; surgiu num terno claro, de luvas de gamo brancas. Para Constance trouxe orquídeas de malva, maravilhosas. A leitura do primeiro ato obteve grande sucesso. A própria Constance ficou encantada, tão encantada quanto possível. E Michaelis, encantado pelo seu poder de encantar, esteve maravilhoso – e até belo. Constance viu nele a antiga imobilidade das raças que não têm mais nenhuma ilusão a perder, um extremo de impureza que, de tão impuro, chega a tornar-se puro. No ponto mais distante de sua prostituição à deusa-cadela, Michaelis parecia puro – puro como a máscara de marfim africano que, à força de impureza, transformava-se em pureza na superfície de suas curvas.

Esse momento de euforia dos dois Chatterley tornou-se supremo em sua vida. Michaelis tinha-os vencido. O próprio Clifford estava como que momentaneamente apaixonado por ele – se é possível dizer isso.

Na manhã seguinte, Mick apareceu agitado de angustiosa inquietação, prendendo nos bolsos as mãos nervosas. Constance não fora ao seu quarto! Coquetismo? Fugir dele justamente no instante áureo da vitória?

Finalmente ele foi aos aposentos de cima. Constance adivinhou essa visita. Agitadamente, Michaelis pediu-lhe a opinião sobre a leitura da véspera. Boa? Que necessidade imperiosa tinha de ser louvado! Só o louvor lhe dava frêmitos ainda superiores aos do espasmo sexual. Constance atendeu-o. Cobriu-o de lisonjas extasiadas, embora em seu foro íntimo nada sentisse do que estava dizendo.

– Ouça-me – sussurrou Mick em seu enlevo. – Por que não fazemos o que devemos fazer? Por que não nos casamos?

– Mas... eu sou casada... – respondeu-lhe ela com estupor, sem entretanto sentir nada no íntimo.

– Oh, isso não é obstáculo. Clifford concordaria com o divórcio. Por que não nos casamos? Quero casar-me. Sei que seria o melhor para mim. Casar-me e levar uma vida regular. A vida estúpida que levo arruína-me o espírito e o corpo. Ouça. Você e eu fomos feitos um para o outro, somos a mão e a luva. Por que não nos casamos? Tem alguma objeção?

Constance olhava-o, estupefata. Contudo, não sentia nada. Sempre os mesmos, os homens, na eterna omissão do essencial. Sobem como foguetes e esperam que os sigam ao céu, a eles e às suas varetas.

– Mas sou casada – repetiu ela. – Você sabe que não posso deixar Clifford.

– Por que não? Só ao cabo de seis meses Clifford notaria a sua ausência, Constance. Vida nenhuma importa a Clifford, a não ser a dele. Você nada lhe significa, pelo que vejo. Clifford só pensa em si.

Constance sentia a verdade daquelas palavras, mas não tinha Mick como nenhum exemplo de altruísmo.

– Será que todos os homens só pensam em si? – murmurou.

– Sim, mais ou menos, admito. É o meio de conseguirmos a vitória. O nosso caso, porém, é outro. Trata-se da felicidade que um homem pode dar a uma mulher. Pode torná-la feliz? Se não pode, não tem nenhum direito sobre essa mulher...

Calou-se, e encarou-a com os seus olhos cor de avelã, hipnotizantes.

– Pois bem: creio que posso dar a uma mulher toda a felicidade a que ela aspira. Serei o fiador de mim mesmo.

– Que felicidade? – perguntou Constance, sempre a olhá-lo com uma espécie de estupor que parecia paixão e não era nada.

– Toda a felicidade, todos os prazeres possíveis. Vestidos, jóias, todos os entretenimentos noturnos imagináveis, todas as relações que queira, todas as coisas da moda, viagens, situação social. Enfim, todas as felicidades, todos os prazeres.

Falava com uma espécie de eloqüência triunfante que parecia fasciná-la e, no entanto, Constance nada sentia. Todas aquelas brilhantes promessas nem tocavam a superfície de seu ser. Nada nela reagia às palavras de Mick. Não experimentava nenhum sentimento. Não podia "partir". Não se movia do lugar. Não experimentava sensação nenhuma – salvo a olfativa: o cheiro da deusa-cadela.

Mick estava como em brasas, caído à frente da cadeira, fixando-a com olhares quase histéricos. Desejava por vaidade que ela dissesse sim ou tinha receio disso? Quem poderia saber?

– Preciso de tempo para refletir. Você talvez pense que Clifford não conte comigo para nada, mas erra. Quando penso em tudo o que lhe falta...

– Deus do céu! Se a sua objeção é essa, eu poderia, de saída, alegar como vivo isolado. Se um homem não tem outra recomendação fora as coisas que lhe faltam...

E Mick afastou-se, com as mãos furiosamente enterradas nos bolsos.

Nessa mesma tarde disse-lhe Mick:

– Vem ao meu quarto esta noite, não é? Não sei onde é o seu.

Nessa noite Mick foi mais lascivo do que nunca, em sua estranha e delicada nudez infantil. Constance não pôde alcançar o gozo antes que ele "acabasse", apesar daquela nudez enchê-la de imenso ardor. Mick chegou ao orgasmo e ela continuou no tumulto selvagem da palpitação dos rins, com o seu parceiro embaixo, heroicamente ereto doando-se completamente. O gozo lhe veio intenso, com gritinhos.

Mas, depois de saciados, Michaelis murmurou com voz amarga, quase sarcástica:

– Por que razão você não goza ao mesmo tempo que eu? Que necessidade é essa de só gozar pelo esforço próprio?

Tais palavras, naquele momento, surpreenderam-na como bem pouca coisa a havia surpreendido em sua vida, porque aquele modo passivo pelo qual ele se dava a ela era manifestamente o seu verdadeiro modo de comunicação com os outros.

– Que quer dizer com isso? – perguntou Constance.

– Sabe o que quero dizer. Você demora demais para gozar... Tive de permanecer um longo tempo estendido, de dentes cerrados, até que você alcançasse o orgasmo por si mesma.

Essa inesperada brutalidade consternou Constance. Ouvir aquilo, quando ainda se achava sob a impressão de um prazer acima de qualquer descrição!... Como a maioria dos homens de hoje, ele havia terminado muito rápido – o que força a mulher a passar à ativa.

– Mas então não quer você que eu "continue", que tenha o meu prazer? – perguntou Constance.

Mick respondeu com um sorriso sombrio:

– Quero, claro. Mas pensa que me agrada ficar inerte, de dentes cerrados, enquanto uma mulher se esfrega em mim?

– Mas que quer então?...

Mick evitou responder.

– Todas as mulheres são iguais – disse por fim. – Ou não gozam, como se fossem estátuas, ou esperam que o homem "acabe" para só depois gozarem... e o macho que fique à sua disposição. Jamais encontrei mulher que gozasse comigo.

Constance não entendeu senão metade desses informes masculinos, novos para ela, mas ficou estupefata ante os sentimentos revelados por Mick, e pela sua incompreensível brutalidade.

– Mas você há de permitir que eu também tenha o meu prazer, não é?

– Sim, não nego isso. Mas não é nada interessante ficar tanto tempo imóvel, à espera de que a mulher goze...

Essas palavras foram um dos golpes mais cruéis que Constance já recebeu. Qualquer coisa partiu-se dentro dela. Nunca sentira grande afeição por Michaelis. Parecera-lhe mesmo a princípio que Mick não lhe podia satisfazer o desejo. Mas, depois que se ligaram, mudou de opinião e quase o amou por isso, chegando naquela noite até a pensar em desposá-lo.

Talvez por instinto adivinhasse o pensamento de Constance e fosse essa a razão de sua brutalidade, pois com um golpe destruía tudo – todo o castelo de cartas de sua amante. Mas o resultado foi que a atração sexual que ela sentia por ele, ou por qualquer outro homem, desapareceu nessa noite. Sua vida separou-se da de Michaelis – era como se ele nunca houvesse existido.

E continuou Constance na languidez de sua vida. Nada mais lhe restava senão o mecanismo vazio a que Clifford chamava a "vida completa" – essa longa existência em comum de dois seres que adquirem o hábito de viver juntos na mesma casa.

Vácuo! Aceitar o grande vazio da existência parecia-lhe a única finalidade da vida, com todas as pequenas ocupações compondo o grande todo: nada!

# 6

– Por que será que os homens e as mulheres de hoje não se olham com simpatia? – perguntou Constance a Tommy Dukes, que era mais ou menos o seu oráculo.

– Ao contrário! Não creio que, desde que a espécie humana foi inventada, tenha havido uma época em que os homens e as mulheres se amassem tanto quanto hoje. E que se amassem com afeição mais verdadeira. Sou um exemplo, pois da minha parte prefiro as mulheres aos homens; têm mais coragem, podemos ser mais francos com elas.

Constance refletiu e disse:

– Ah, sim, mas você não se interessa por nenhuma!

– Eu? Que faço neste momento senão conversar muito sinceramente com uma mulher?

– Sim, conversar...

– E o que mais poderia eu fazer com você, se você fosse um homem, senão falar-lhe sinceramente?

– Nada, talvez. Mas sendo eu mulher...

– Uma mulher quer que a prefiramos e que lhe falemos e, ao mesmo tempo, que a amemos e a desejemos; e parece-me que as duas coisas se excluem.

– Mas não deveriam!

– Sem dúvida, a água não deveria ser tão líquida; a água exagera a sua liquidez, mas o que fazer? Gosto das mulheres e de lhes falar; e aí está a razão por que não as amo nem as desejo. Em mim essas duas coisas não vêm juntas.

– Acho que deveriam vir.

– Muito bem. Mas o fato de as coisas não serem o que deveriam ser não me interessa.



Constance refletiu alguns momentos e acrescentou:

– Não é verdade. Os homens podem amar as mulheres e conversar com elas. Não compreendo que possam amá-las sem demonstrar, sem ser afetuosos e íntimos.

– Como podem? – respondeu Tommy. – Não sei. Para que generalizar? Só conheço o meu próprio caso. A mulher agrada-me, mas não a desejo. Gosto de conversar com ela; mas, mesmo que isso de certo modo nos aproxime, não me dá a menor vontade de beijá-la. Veja você! Mas não me tome como exemplo; não sou, provavelmente, senão um caso particular, um desses homens que gostam das mulheres mas não as amam, e que até chegam a detestá-las quando obrigados a uma paródia de amor, ou a uma aparência de intriga.

– Mas isso não o aflige?

– Por quê? De maneira alguma. Quando me lembro de Charlie May e outros, sempre com ligações amorosas... Não, absolutamente não os invejo. Se o destino me enviasse uma mulher que eu pudesse amar e desejar, muito bem. Mas, pelo fato de nunca haver encontrado essa mulher, penso que sou frio. Mas confesso que certas mulheres me agradam muito.

– Será que eu pertenço a essa classe?

– Sim. E você bem sabe que não sentimos a tentação do beijo.

– É verdade – disse Constance. – Mas não será isso um erro?

– Por que, Deus do céu? Clifford agrada-me; mas o que diria você se eu me pusesse a abraçá-lo e beijá-lo?

– Mas não será diferente?

– Onde está a diferença? Somos criaturas dotadas de inteligência; a questão macho e fêmea fica em segundo plano. Que diria você se eu de repente me pusesse a agir como os machos continentais, parodiando o desejo?

– Isso me causaria horror.

– Claro. Por menos macho que seja, não encontro nunca uma fêmea da minha espécie. E mulheres não faltam, mas apenas me agradam, eis tudo. Quem poderá forçar-me a amá-las, ou a fingir amor, fazendo o jogo do sexo?

– Não seria eu. Mas isso não está errado?

– Como errado? A mim me parece que não.

– Sim, eu sinto que hoje há qualquer coisa que não se encaixa entre os homens e as mulheres. A mulher já não tem prestígio e encanto para o homem.

– E terá o homem para a mulher?

Constance considerou o outro lado da questão e respondeu com sinceridade:

– Não muito...

– Nesse caso, não falemos mais disso. Limitemo-nos a ser simples e honestos uns com os outros, como boas criaturas humanas. E quanto à obrigação de parodiar o amor, rejeito-a completamente.

Constance deu-lhe razão – mas aquela troca de impressões deixava-a tão abandonada, tão ilhada na vida... Sentia-se como um detrito na praia de um lago deserto.

Era a sua juventude que se revoltava. Aqueles homens pareciam-lhe tão velhos, tão frios... Tudo tão velho e frio. Michaelis a decepcionara; não valia nada. Os homens já não tinham desejo. Não sentiam nenhuma necessidade da mulher. Até Michaelis...

E os audaciosos que fingiam o jogo do sexo eram os piores de todos. Que miséria! Era forçoso concordar com isso. Nada mais evidente; os homens não tinham nenhum prestígio verdadeiro, nenhum encanto para as mulheres. O melhor que a mulher poderia fazer era enganar-se a ponto de dar-lhes valor, como ela poderia fazer com Michaelis. Compreendia agora a razão dos coquetéis, do jazz, do charleston, de todo esse turbilhão moderno. Era preciso contentar a juventude, do contrário ela nos devoraria – mas que coisa abominável essa juventude! Sentimo-nos tão velhos quanto Matusalém; entretanto, a juventude queima e nos envenena. Que existência sem nobreza! Nada mais a esperar dela. Constance quase lamentou não ter seguido Mick e feito de sua existência um longo coquetel, uma longa noite de jazz. Seria bem melhor do que passá-la bocejando e esperando a morte.

Num daqueles dias chuvosos, em que fora sozinha passear pelo bosque, caminhando sem destino, despreocupadamente, o ruído de um tiro bastante próximo sobressaltou-a – e irritou-a.

Quando caminhava na direção do som, ouviu vozes; parou. Gente! Não desejava encontrar-se com ninguém. Mas seu bom ouvido distinguiu também um choro. Ficou à escuta. Alguém maltratava uma criança. Constance desceu rapidamente a avenida molhada, impelida pelo mau humor e pela cólera. Sentia-se disposta a fazer uma cena.

Ao dobrar uma curva, viu diante de si, na avenida, duas criaturas: o guarda-caça e uma menina vestida com um casaquinho vermelho e capuz impermeável. A criança chorava.

– Fecha essa boca, praguinha! – gritava o homem, colérico.

Mas suas palavras fizeram aumentar o choro da menina. Constance aproximou-se, com os olhos chispando. O homem voltou-se e saudou-a calmamente – mas mostrando no rosto a palidez da raiva.

– Que houve? Por que ela está chorando? – interpelou Constance em tom autoritário, quase sem fôlego.

Um leve sorriso irônico iluminou o rosto do homem, que respondeu de modo quase grosseiro, naquele seu jeito de falar:

– O diabo sabe.

Constance sentiu essa resposta bater em seu rosto como pancada. Empalideceu.

– É ao senhor que eu dirijo a palavra – vibrou ela, palpitante.

O guarda-caça fez-lhe um pequeno cumprimento com o chapéu.

– Perfeitamente, minha senhora – disse-lhe com mais cortesia; depois, retomando a sua entonação, acrescentou: – Mas nada lhe posso dizer.

E voltou à atitude de soldado, impenetrável, embora conservando o ar contrariado.

Constance voltou-se para a criança, uma menininha de 9 para 10 anos, de rosto corado e cabelos negros.

– O que aconteceu, meu bem? Diga por que está chorando – falou-lhe com a doçura que a circunstância requeria.

Os soluços da criança aumentaram. Também aumentou a ternura de Constance.

– Vamos, vamos, não chore mais. Conte o que houve – disse ela, pondo todo o carinho na entonação da voz, ao mesmo tempo que procurava qualquer coisa no bolso de sua jaqueta de tricô. – Não chore – insistiu, curvando-se para a criança. – Veja o que tenho aqui para você.

A menina foi diminuindo os soluços e as fungadelas e, afastando a mão do rosto lavado de lágrimas, fixou os olhinhos na moeda.

Soluços ainda. Soluços mais fracos.

– Vamos, diga o que aconteceu – tornou Constance, pondo-lhe o dinheiro na mãozinha rechonchuda, que se fechou avidamente.

– Foi... foi o gatinho! – respondeu a menina já com os soluços abrandados.

– Que gatinho, meu bem?

Depois de um momento de indecisão, o punho tímido, fechado sobre a moedinha, indicou uma moita de espinheiros.

– Lá!

Constance olhou, e furtivamente viu um gato morto, manchado de sangue.

– Oh! – fez ela com desagrado.

– Um ladrão, minha senhora – explicou o guarda-caça ironicamente.

Constance lançou-lhe um olhar colérico e censurou-o.

– É natural que a criança tenha chorado, já que o senhor o matou diante da coitadinha.

Mellors encarou-a nos olhos, friamente, desdenhoso, não procurando esconder os seus sentimentos. Essa atitude fez Constance corar. Percebeu que havia feito uma cena e aquele homem não a respeitava.

– Como se chama? – perguntou à menina. – Não quer dizer o seu nome?

A criança fungou; depois respondeu com voz afetada e cantante:

– Connie Mellors.

– Connie Mellors? Muito bem. É um lindo nome. Saiu com o papai e ele atirou no gatinho, não foi? Mas lembre-se de que era um gato malvado.

A criança olhou-a com olhos atrevidos que a escrutavam – a ela e à sua simpatia.

– Eu queria ficar com a vovó.

– Mas onde está sua avó?

A criança estendeu o braço, mostrando a avenida.

– Lá na casa.

– Venha, então! Quer que a leve a sua avozinha? Assim seu pai poderá ocupar-se livremente de sua obrigação.

A menina, num soluço, respondeu que sim.

– É sua filhinha, não é?

O homem respondeu com um breve sinal de cabeça.

– Posso levá-la?

– Como quiser, minha senhora – e encarou-a de novo, com um olhar indiferente, olhar de homem solitário, todo entregue aos seus afazeres.

– Quer ir comigo à casa da vovó?

– Quero – respondeu a menina.

Constance não estava gostando dos modos daquela menina cheia de vontades e dissimulada. Apesar disso enxugou-lhe o rosto e tomou-a pela mão. O guarda-caça fez uma saudação de despedida, sem nada dizer.

– Até logo – retribuiu Constance.

A cabana ficava a uma milha dali e, antes de chegar à pitoresca residência do guarda-caça, Constance teve tempo de se cansar da menina. Era maliciosa como um macaco, e atrevida.

A porta da cabana estava aberta; havia rumor lá dentro.

Constance diminuiu o passo. A criança soltou sua mão e correu para a casa, gritando:

– Vovó, vovó!

A velha acabava de limpar o fogão de ferro. Era uma manhã de sábado. Apareceu à porta de avental de pano grosso, escova negra em punho e a ponta do nariz suja de carvão. Uma mulherzinha seca.

– Meu Deus – exclamou, enxugando o rosto com as costas da mão, ao ver Constance de pé diante da cabana.

– Bom dia! – saudou esta. – Encontrei sua netinha em prantos e trouxe-a para cá.

A avó lançou um rápido olhar à criança.

– Onde está seu pai?

A menina agarrou-se às saias da avó, toda dengosa.

– Estava com ela – explicou Constance. – Mas matou um gato ladrão, e a menina teve medo.

– Oh, mas a senhora não devia ter-se incomodado, Lady Chatterley! Foi muita bondade sua. Onde já se viu isso? – disse a velha, e, voltando-se para a criança: – Então deu todo esse trabalho a Lady Chatterley?

– Não me deu trabalho nenhum; foi um passeio – respondeu Constance rindo.

– Como a senhora é bondosa! Então ela chorava? Bem me pareceu que alguma coisa aconteceria antes de irem muito longe. Esta menina tem medo do pai, eis tudo. Oliver para ela é como um estranho, e não creio que um dia venham a se entender. É um homem de maneiras tão esquisitas...

Constance estava sem saber o que dizer.

– Olhe aqui, vovó – murmurou a criança.

A velha viu em sua mão os 6 *pence*.

– E ainda por cima ganhou 6 *pence*! Não merecia nada. Vê como Lady Chatterley é bondosa?

Pronunciava o nome Chatterley como a gente do povo: "Chat'ley".

Constance não tirava os olhos do nariz da velha, que de novo enxugara o rosto distraidamente com as costas da mão sem alcançar a mancha negra.

A castelã fez menção de afastar-se.

– Obrigada, Lady Chat'ley. Diga obrigada a Lady Chat'ley, menina.

– Obrigada – repetiu a criança.

– Não há de quê – disse rindo Constance, e retirou-se muito contente de escapar dali. Parecia-lhe curioso que aquele homem estranho e tão altivo tivesse como mãe aquela pequenina mulher tão seca.

Assim que Constance se afastou, a velha correu ao espelhinho da cozinha para espiar o rosto – e sapateou de raiva.

– Ora veja! Vir a lady me encontrar deste jeito, de avental de serviço e cara suja. Bom juízo ficará fazendo de mim...

Constance entrou lentamente em casa. Casa! Casa é um nome muito doce e reconfortante para ser aplicado àquela triste mansão. "Lar" – esse nome já tivera sua época. Estava agora sem significado. Todas as "grandes palavras" pareciam ter perdido o sentido para a sua geração: amor, alegria, felicidade, casa, pai, mãe, marido – todas essas "grandes palavras" estavam semimortas e cada dia morrendo mais. A casa já era apenas o lugar material onde a gente vive; o amor, um sentimento que não engana ninguém; alegria, uma palavra aplicável a um bom charleston; felicidade, um termo hipócrita empregado para iludir os outros; pai, uma pessoa que goza a vida; marido, o homem com quem vivemos e que procuramos manter de bom humor. Quanto ao amor, a última das "grandes palavras", não passa de um nome de coquetel aplicado a uma pequena excitação que nos faz estremecer por um instante e nos deixa em pior estado do que antes. Coisa usada! Gasta! Um tecido já esgarçado e reduzido a pó.

Só uma coisa subsistia: um estoicismo teimoso e o prazer de ostentá-lo. Da própria experiência do nada da vida – desse nada que se desenvolve de fase em fase, de etapa em etapa – emergia uma obscura satisfação. "Pois é só isso mesmo!" Em tudo – amor, lar, casamento, Michaelis – sempre a fatal conclusão: "Pois é só isso mesmo!" E no fim de tudo, quando a morte chega, a última expressão da vida é esta: "Pois é só isso mesmo!"

Dinheiro? Talvez disso não possamos dizer o mesmo. Temos sempre necessidade de dinheiro. O dinheiro, o sucesso – a deusa-cadela, como Tommy Dukes, repetindo Henry James, insistia em chamá-lo – era necessidade permanente. Impossível gastarmos o nosso último níquel e dizer: "Pois é só isso mesmo!" Não, porque dez minutos depois teríamos necessidade de mais alguns níqueis para isto ou aquilo. A máquina da vida não roda sem o dinheiro. Temos de ter dinheiro. Na realidade, não necessitamos de nada mais. "É só isso mesmo."

Não é culpa nossa o fato de que vivemos; mas a partir do momento em que começamos a viver, o dinheiro se torna uma necessidade, a única necessidade absoluta. Podemos abster-nos de tudo, menos do dinheiro.

Ao fazer estas reflexões Constance pensou em Michaelis e no dinheiro que teria com ele – mas nem isso a interessava. Preferia o pouco dinheiro que ela ajudava Clifford a ganhar por meio da literatura. Porque verdadeiramente ela o ajudava a ganhar. "Clifford e eu ganhamos 1.200 libras por ano, escrevendo", pensava Constance. Ganhar dinheiro! Tirá-lo de algum lugar! Arrancá-lo do espaço! Era o que ainda a interessava. O restante...

Assim raciocinando, Constance voltou-se para Clifford a fim de somar suas forças às dele e produzir mais um conto cheio de nada, mas que significasse dinheiro. A Clifford importava imensamente que esses contos fossem considerados literatura de primeira ordem. Mas a Constance não. "Não há nada dentro", dissera-lhe seu pai. "Como? Se nos renderam 12 mil libras no ano passado?" – fora a resposta pronta e esmagadora de Constance.

Quando somos jovens, temos de cerrar os dentes, morder os lábios e manter-nos inexoráveis até que o dinheiro comece a afluir do invisível. É uma manifestação da força; é uma questão de vontade; uma emanação sutil, poderosa da vontade; emanação saída de nós e que nos faz sentir o misterioso nada do dinheiro: números sobre um pedaço de papel. Uma espécie de sortilégio, mas, certamente, triunfo. A deusa-cadela. Restar-nos-á o consolo de desprezá-la até mesmo no momento da prostituição.

Clifford estava amarrado a muitos tabus e fetiches. Queria passar por um "verdadeiro escritor", o que é uma refinada tolice. Verdadeiro escritor é o que encontra leitores. De que vale um "verdadeiro escritor" sem público? A maior parte dos "verdadeiros escritores" lembra criaturas que perderam o ônibus e permanecem na calçada, junto a outros que também perderam o ônibus.

Constance acalentava a idéia de passar um inverno em Londres com Clifford – o próximo inverno. Haviam conseguido lugar no ônibus. Nada de mais que se pavoneassem por um momento.

O pior era a crescente tendência de Clifford para o vago, o longínquo – as suas crises de vazio e depressão. A ferida de sua alma reabria. Esse fato desesperava Constance. Deus do céu! Se o mecanismo da consciência de Clifford também se ordenasse, o que fazer? Ora, o que fosse possível! Ninguém cai de um modo absoluto.

Por vezes Constance chorava com amargor, mas mesmo entre as lágrimas dizia a si mesma: "Idiota! Molhar lenços! Como se isso pudesse remediar alguma coisa!"

Depois da aventura com Michaelis, decidiu não desejar mais coisa alguma. Pareceu-lhe a melhor resolução para um problema insolúvel. Resolveu satisfazer-se com o que tinha, e desempenhar a contento o seu papel. Clifford, os contos, Wragby, sua posição social de Lady, o dinheiro, a celebridade – queria conduzir tudo isso muito bem. Amor, sexo – águas paradas, coisas para provar e esquecer. Se não lhes damos importância excessiva, nada valem. Sobretudo o sexo... Nada! Forme-se um bom juízo a respeito e estará resolvido o problema. O sexo é como um coquetel: dura o mesmo tempo, tem o mesmo efeito e quase que a mesma significação.

Mas um filho? Um filho, sim! Era uma sensação a ser

 experimentada, mas a que Constance só se aventuraria

com muita cautela. Em primeiro lugar, tinha de descobrir o homem – e, coisa curiosa, não havia no mundo um único homem de quem desejasse um filho. Um filho de Mick? Pensamento repugnante. O mesmo que ter um coelho. De Tommy Dukes? Encantador, mas impossível desejá-lo para formar uma nova geração. Tommy tinha o seu fim em si mesmo. E entre as relações bastante numerosas de Clifford não via um homem que não lhe provocasse desprezo, ao pensar nele para fins procriativos. Alguns dariam amantes bem aceitáveis, mesmo Mick. Mas procriar com eles? Argh! Humilhante e abominável.

Pois é só isso mesmo.

E, entretanto, ter um filho era uma idéia fixa de Constance. Esperava! Faria passar pelo crivo gerações de homens, para ver se encontraria entre eles algum. "Correi as ruas e vielas de Jerusalém, para ver se encontrais um homem." Foi impossível encontrar um homem na Jerusalém do profeta, embora lá houvesse milhares de seres do sexo masculino. Mas um *homem?* Isso é outra coisa!

Constance pensou em procurar um estrangeiro, não um inglês, e menos ainda um irlandês. Um estrangeiro puro.

Esperar! Esperar! No próximo inverno levaria Clifford a Londres. No seguinte o levaria ao sul da França ou à Itália. Esperar! Constance não tinha pressa em ter um filho. Era um negócio só seu, que não importava a ninguém, mas que do seu ponto de vista feminino a interessava tremendamente. Não se fiaria da sorte. É possível arranjarmos um amante que não sabemos quem é; mas o homem que nos dará um filho, isso é outra coisa. "Correi as ruas e vielas de Jerusalém..." Não era uma questão de amor, mas de *homem*. Poderia até odiá-lo pessoalmente. Mas, se fosse um *homem*, que importância teria o ódio pessoal?

Chovia com freqüência, como era próprio da estação, e os caminhos estavam muito encharcados para que a cadeira de Clifford pudesse sair. Constance não dispensava os passeios. Saía sozinha todos os dias, dando preferência ao bosque, onde se encontrava verdadeiramente só. Nunca havia ninguém por ali.

Certo dia Clifford teve de mandar um recado ao guarda-caça, e, como o mensageiro estava gripado (havia sempre alguém gripado em Wragby), Constance ofereceu-se para a incumbência.

Havia um ar parado, de mundo que morre lentamente. Tudo cinza, viscoso, silente. Não se ouvia sequer o barulho das minas, naquele dia de serviço parado. Um fim de todas as coisas.

Vida nenhuma no bosque, nenhum movimento. Só grossas gotas que caíam de galhos esparsos com um ruidozinho oco. No mais, por entre as velhas árvores, um tom de inércia desesperador, de silêncio, de nada.

Constance avançava. Do velho bosque lhe vinha uma antiga melancolia que acalmava um pouco, que valia mais que a dura insensibilidade do mundo exterior. Era-lhe agradável tudo o que havia de *interior* nesse remanescente de floresta, na indizível reticência das velhas árvores. Um poder emanava do silêncio dali, entretanto, uma presença vital. Também as árvores esperavam; esperavam obstinadamente, estoicamente, exalando de si um poder de silêncio. Talvez só esperassem o fim – serem abatidas e levadas: o fim da floresta; para elas, o fim de todas as coisas! Mas talvez seu forte e aristocrático silêncio, o silêncio das árvores fortes, significasse algo mais.

Afinal, saiu da floresta pelo lado norte. Lá estava a cabana do guarda-caça, sombria, de pedra escura, com telhado de várias águas. Pareceu-lhe desabitada, tal o silêncio e a solidão reinantes. Uma ligeira fumaça, entretanto, saía pela chaminé, e o jardinzinho, com a terra recentemente revolvida, mostrava-se cuidadosamente tratado. A porta estava fechada.

Constance sentiu-se de súbito intimidada à lembrança do homem de olhos perspicazes que ali morava. Desagradou-lhe ter de procurá-lo e sentiu ímpetos de fugir. Não obstante, bateu de leve à porta. Ninguém apareceu. Bateu de novo, sempre de leve. Nenhuma resposta. Olhou pela janela: uma saleta escura, de intimidade quase sinistra, parecia repelir qualquer invasor.

Ficou à escuta: pareceu-lhe ouvir sons nos fundos da casa. Como não conseguisse fazer-se atender, sentiu a curiosidade desafiada. Contornou a casa. Na parte detrás, o terreno se elevava em encosta, de modo que o pequeno quintal ficava afundado, e fechado por um muro de pedra. Constance parou. A pouca distância o guarda-caça tomava banho ao ar livre, a mil léguas de supor uma presença estranha. Tinha o tronco nu; e o culote de veludo, desabotoado, descia-lhe pelas cadeiras finas. Suas costas muito brancas curvavam-se sobre uma bacia de água espumarenta, na qual mergulhava a cabeça e a retirava com sacudidelas rápidas, esfregando depois a água de sabão nas orelhas e na nuca, ágil como a doninha que brinca no riacho acreditando estar completamente só. Constance deu meia-volta, na ponta dos pés, e entrou novamente no bosque. Sentia-se, sem saber por quê, vivamente emocionada. O que vira? Apenas um homem fazendo sua higiene. Nada mais comum. Esse quadro, entretanto, valeu-lhe por curiosa experiência, e sentia-se como se houvesse recebido uma pancada no meio do corpo. Relembrava o grosso culote escorregando por aquele corpo alvo e delicado, onde se viam ligeiramente os ossos; e o senso de solidão absoluta em que ele se julgava a sacudia. Nudez perfeita, pura, solitária, de um ser que vive só e sempre consigo mesmo. Além disso, uma certa beleza pura. Beleza, talvez não, mas a irradiação, a chama quente, branca, de uma vida solitária revelando-se em contornos que podiam ser tocados: um corpo!

Essa visão penetrou-lhe como um golpe nas entranhas, e previu que tal quadro jamais a abandonaria. Seu espírito sempre inclinado ao sarcasmo, entretanto, zombou: "Oh! Apenas um homem a lavar-se num pátio! E, sem dúvida, com sabão amarelo, malcheiroso!" Essa observação deixou-a contrariada consigo mesma. Por que fora presenciar intimidades tão vulgares?

Pôs-se a andar – andar distante de si mesma – e, logo depois, sentou-se num tronco. Estava perturbada demais para refletir. Mas, no meio dessa perturbação, decidiu-se a levar ao guarda-caça o recado de Clifford. Desta vez não desistiria no meio do caminho. Tinha de dar-lhe tempo para vestir-se, mas não o suficiente para deixá-lo sair. Evidentemente se preparava para sair.

Voltou-se lentamente para a casa do guarda-caça, de ouvido alerta. Tudo na mesma. Um cão ladrou. Ela bateu à porta e sentiu o coração em tumulto.

Ouviu passos ligeiros na escada e, quando o viu abrir vivamente a porta, sobressaltou-se. Ele também pareceu-lhe pouco à vontade – mas, rapidamente dominado, sorriu.

– Lady Chatterley! – exclamou. – Quer entrar?

Seu tom era franco e tão à vontade que ela não vacilou um segundo – entrou para a saleta em penumbra.

– Vim apenas trazer-lhe um recado de Sir Clifford – disse Constance na sua voz macia e um tanto cansada.

Ele a olhou com aqueles olhos azuis que tudo viam e que a obrigaram a desviar um pouco a cabeça. Achou-a encantadora, quase bonita na sua timidez. Fez-se desde logo dono da situação.

– Não quer se sentar? – perguntou por formalidade.

A porta ficara aberta.

– Não, obrigada, Sir Clifford queria saber se... – e deu-lhe o recado com os olhos novamente fixos nele, e os olhos daquele homem pareceram-lhe quentes e bons, de uma beleza sensível, sobretudo às mulheres, maravilhosamente cálidos, bons e cheios de segurança.

– Muito bem, minha senhora. Cuidarei disso sem demora.

O fato de receber uma ordem fê-lo mudar inteiramente e cobrir-se de uma espécie de verniz de dureza e distância. Constance hesitava. Nada mais tinha a fazer ali – mas foi ficando, passeando os olhos pela salinha modesta, triste na sua limpeza e ordem.

– Vive aqui? – perguntou-lhe.

– Completamente só, minha senhora.

– E sua mãe?

– Mora na vila.

– Com a criança?

– Sim, com a menina.

E em seu rosto franco, levemente gasto, reapareceu aquele indefinível ar escarninho que ela já observara. A contínua mudança de sua expressão era desorientadora.

– Não – disse ele, vendo a perplexidade de Constance. – Minha mãe vem aos sábados cuidar da limpeza. Faço o resto.

Constance ficou olhando-o ainda – olhando para aqueles olhos que novamente sorriam, um pouco travessos, mas quentes e azuis, e bons, apesar de tudo. Ele a interessava inexplicavelmente. Vestia calças e camisa de flanela e gravata cinzenta; tinha os cabelos ainda úmidos, o rosto pálido e gasto. Quando seus olhos paravam de sorrir, revelavam-se sofredores – mas nunca frios. Subitamente o senso da sua solidão o fez despertar. Aquela mulher não se achava ali por sua causa.

Constance sentia vontade de dizer-lhe muitas coisas, mas não se animava. Ergueu os olhos para ele e murmurou:

– Espero que não tenha vindo perturbá-lo.

O ligeiro sorriso travesso tornou a apertar os olhos do guarda-caça.

– Estava me penteando. Peço-lhe desculpas de ter aparecido sem paletó, não podia adivinhar a sua vinda. Ninguém me procura nunca, e qualquer batida na porta me faz correr como estou. O inesperado é sempre uma ameaça.

Ele encaminhou-se ao jardim para abrir-lhe o portão. Vendo-o de camisa, sem a grossa veste de veludo, ela de novo notou como era magro, esguio e um pouco recurvo. Apesar disso, seus cabelos louros e seus olhos inteligentes denotavam uma vitalidade jovial. Teria uns 37 anos.

Constance caminhou constrangida até o bosque, certa de que ele a estava olhando. Aquele homem perturbava-a estranhamente sem que soubesse por quê.

Na cabana Mellors ficara pensando: "É encantadora, mais ainda do que se julga..."

Aquele homem a preocupava. Tinha muito pouco de guarda-caça e ainda menos de operário, apesar de algo comum com a gente do lugarejo; mas o que tinha de incomum a espantava.

– Mellors, o guarda-caça, é um tipo interessante – disse Constance a Clifford, logo que entrou no solar. – Parece um homem gentil.

– Acha? – perguntou-lhe Clifford. – Não notei nada.

– Não percebe nele qualquer coisa de especial? – insistiu Constance.

– Acho-o um guarda-caça excelente, mas quase nada sei a seu respeito. Deixou o Exército só no ano passado, há menos de um ano. Veio das Índias, creio. Talvez lá tenha adquirido maneiras como ordenança de algum oficial. Tirou um pouco da casca. Tem acontecido isso a muitos soldados. Mas de nada lhes serve. São obrigados a retornar às antigas posições, quando voltam para o mundo.

Constance mirava Clifford. Viu nele antipatia mesquinha, comum aos de sua classe, por todo homem do povo que tem ensejo de subir.

– Mas não percebe nele qualquer coisa de especial? – repetiu.

– Francamente, não. Nunca notei nada.

Clifford olhou-a, curioso, pouco à vontade e meio desconfiado. E Constance sentiu que ele não lhe dizia toda a verdade. Ou talvez fosse a si mesmo que não confessasse toda a verdade. Clifford detestava a idéia da criatura de exceção. Todos tinham de ser mais ou menos do seu nível, ou abaixo desse nível.

Constance sentiu novamente a estreiteza, a pobreza dos homens da sua geração. Tão pequenos, tão medrosos da vida!

## 7

Quando Constance subiu ao seu quarto, fez o que havia muito não fazia: despiu-se diante do espelho grande. Não saberia dizer o que a levava a isso, entretanto mudou a posição da lâmpada para que a luz batesse em cheio sobre sua carne.

E pensou no que sempre pensara: na delicadeza de um corpo humano em estado de nudez... na fragilidade, na vulnerabilidade do corpo nu: algo inacabado, incompleto! Outrora gabavam-lhe as linhas esbeltas; hoje a considerariam fora de moda, mulher demais, sem nada da jovialidade tão desejada. Não era muito alta; ao contrário, um tanto escocesa, atarracada, mas possuía uma graça fugidia que pode ser chamada de beleza.

Pele ligeiramente amorenada, membros suaves – um corpo de certa riqueza, mas onde faltava qualquer coisa.

Em vez de amadurecer as curvas firmes e ondulantes, seu corpo ia-se tornando maciço e, como se não houvera recebido bastante sol e calor, lembrava algo terroso, de seiva fraca.

Decepcionada na sua feminilidade, seu corpo não alcançara a jovialidade quase transparente – fizera-se, ao contrário, opaco.

Seios pequenos, levemente caídos, na forma de pêra, dando ar de imaturos e tristes por falta de significação. Seu ventre perdera o arredondado fresco e brilhante da juventude, do tempo do jovem alemão que a havia amado verdadeiramente. Seu corpo era naquele tempo jovem e cheio de promessas de personalidade. Agora afrouxava. As coxas também, outrora tão ágeis e móveis em suas curvas femininas, perdiam a graça.

Um corpo que ia perdendo a significação, tornando-se pesado, opaco. Essa observação a deprimia. Que esperança poderia acalentar? Estava velha, velha aos 27 anos, sem brilho, sem faísca na carne. Velha por negligência de renúncia, sim, renúncia! As mulheres da moda cuidam do corpo como de uma porcelana delicada, e mantêm-lhe o brilho à força de cuidados exteriores, embora dentro da porcelana nada exista. Mas nem sequer esse brilho de empréstimo ela possuía. A vida mental! Subitamente, Constance odiou-a, de um ódio feroz – um logro, uma fraude!

Observou no reflexo do outro espelho as suas costas, a sua cintura, as suas ancas. Estava magra e essa magreza não lhe caía bem. Quando torcia o corpo, notava cansaço nas dobras da pele da cintura – dobras que outrora haviam sido tão gentis! E o descair das ancas e das nádegas tinha perdido o brilho, o esplendor de outrora. Tudo passado! Somente o alemãozinho a amara – e estava morto havia dez anos. Como passa o tempo! Morto havia dez anos, e ela com 27! Aquele rapaz cheio de saúde, estabanado na sua sensualidade inexperiente, que ela havia tratado de modo superior! Onde encontrar isso agora? Os homens haviam mudado. Criaturas com espasmos de dois segundos como Michaelis... Sem nenhuma sensualidade verdadeiramente humana, do tipo que aquece o sangue e refresca todo o ser.

A parte mais bela do seu corpo ainda era a queda das ancas, a partir do começo das costas, e o contorno plácido, suave, das nádegas. Dunas de areia, como dizem os árabes, em doce e recurvo declive. Ainda havia ali alguma esperança de vida – mas sempre com o ar do que fenece sem amadurecer.

A parte da frente do corpo, porém, a desesperava. Via-o todo a afrouxar-se com falta de flexibilidade, bambo, quase estiolado. Velha, velha, antes de ter verdadeiramente vivido. Nesse momento pensou no filho que ainda poderia conceber. Não perdera tudo ainda.

Vestiu a camisola e atirou-se na cama, chorando amargamente. Do fundo desse amargor emergia uma forte indignação contra Clifford, sua literatura, sua conversação; contra todos os homens dessa espécie, que defraudavam as mulheres até mesmo em seus corpos.

Injusto! O sentimento de uma profunda injustiça física queimava-lhe a alma.

Não obstante, no outro dia pela manhã, levantou-se às sete horas e desceu para junto de Clifford. Tinha de ajudá-lo na higiene íntima, já que não possuía criado de quarto, nem queria a assistência das criadas. O marido da governanta, que o seguia desde pequeno, ajudava a erguê-lo, mas em seguida Constance assumia os pequenos cuidados íntimos, e com prazer, embora não fosse coisa agradável.

Constance nunca se afastava de Wragby por mais de um dia, no máximo dois, e nessas ocasiões era a governanta quem se encarregava do serviço.

Por força do hábito, Clifford achava natural tudo o que Constance fazia para ele – e era também natural que assim pensasse.

Em seu foro íntimo, entretanto, Constance começava a sentir-se vítima de uma injustiça, como o sentimento de frustração. O senso físico da injustiça torna-se algo perigoso quando se revela. Se não encontrar um derivativo, devora aquele que o nutre. Pobre Clifford! A culpa não era sua. Bem mais digno de piedade era ele do que Constance; ele um simples átomo da imensa catástrofe geral.

Mas tinha sua culpa também. Aquela falta de calor, aquela ausência do "leite da simpatia humana", não seria ele responsável por isso? Clifford jamais fora carinhoso, ou mesmo gentil; apenas cortês, calculista, sempre educado e frio. Mas nunca houve o calor que um homem pode ter para com uma mulher – como até o pai de Constance tinha para com ela; o calor de um homem que só pensa em si, mas que o faz irradiar até uma mulher.

Clifford não o possuía. Sua raça não o possuía. Era daqueles seres interiormente duros e distantes, para os quais o "calor humano" não passa de mau gosto. Tinham de abster-se disso para conservarem-se em seu lugar. A perfeição dos da sua classe residia nisso. Podiam permanecer sempre frios e gabarem-se do feito. Mas, para quem pertence a outra classe, essa atitude não se revela operante. Não passa de mera atitude – farsa – repulsa da natureza.

Um sentimento de fria rebelião brotava em Constance. Qual a utilidade de tudo isso? Qual a utilidade do seu sacrifício, do sacrifício de toda a sua vida de devotamento a Clifford? Para quê? Clifford! Um espírito friamente vaidoso, desprovido de calor humano, de simpatia para com os homens, tão corrompido quanto o mais vil judeu na sua irredutível ânsia de prostituir-se à deusa-cadela do triunfo. Apesar de tão frio, tão indiferente, tão seguro de pertencer à classe suprema, Clifford não podia abster-se de pôr a língua de fora, de cansaço, na sua corrida atrás da deusa-cadela. A despeito de tudo, Michaelis tinha mais dignidade e sua vitória fora muito maior. Visto de perto, Clifford não passava de um bufão – e um bufão é algo mais humilhante que um pretensioso.

E, desses dois homens, era a Michaelis que ela poderia ser mais útil. Tinha mais necessidade dela do que Clifford. Uma enfermeira qualquer poderia cuidar das pernas paralisadas do marido. E, quanto ao heroísmo, Michaelis era um rato heróico, enquanto Clifford não passava de um simples cãozinho que quer se mostrar.

Havia entre os convidados de Wragby uma tia de Clifford, Lady Bennerley, a tia Eva. Mulherzinha seca, magra, sessentona de nariz vermelho, viúva, grande dama bastante apresentável ainda. Pertencia a uma das melhores famílias inglesas, e seu caráter equiparava-se à sua situação social. Constance queria-lhe muito bem, por vê-la tão natural, simples e franca, e superficialmente boa. No fundo, era mestra em guardar as distâncias, e de guardá-las com ampla margem. Muito segura de si para mostrar-se esnobe, era forte no jogo de manter as conveniências e de obrigar os outros a ceder-lhe o passo.

Mostrava-se muito boa para Constance, cuja alma vivia alertada pela navalha de suas observações de bom-tom.

– Acho-a admirável, minha filha! – disse-lhe ela uma vez. – Você operou milagres em Clifford. Nunca esperei a eclosão de um gênio na família. Clifford anda fazendo furor!

Tia Eva não cabia em si de orgulho ante o sucesso do sobrinho. Uma pena a mais no penacho da família! Entretanto, não dava a mínima importância aos livros de Clifford. Nunca os lera.

– Oh! Eu não creio que tenha contribuído em nada – respondeu Constance.

– Como não? Mais do que ninguém. E acho que você não tem recebido a merecida recompensa.

– Como?

– Vive tão presa! Eu já disse a Clifford: "Se essa menina algum dia se revolta, você não terá tido senão o que merece!"

– Mas Clifford nunca me nega o que quero – disse Constance.

– Ouça, minha filha – e Lady Bennerley pousou a mão fina sobre o braço de Constance. – Uma mulher deve viver a sua vida; do contrário, haverá o tempo em que se arrependerá muito. Creia-me.

E tomou mais um gole de conhaque, o que talvez fosse para ela uma forma de arrependimento.

– Mas será que não vivo a minha?

– Não; a meu ver, não. Clifford devia levá-la para Londres e proporcionar-lhe passeios. Dar-lhe liberdade. O gênero de amigos que tem é muito bom para ele, não para você. Se eu fosse você, procuraria outra coisa. Vai deixar passar a juventude, e passará a velhice, e a idade madura também, lamentando-se.

E a grande dama recaiu num silêncio contemplativo, acalmada pelo gole de conhaque.

Mas Constance não tinha nenhum desejo de ir a Londres para ser introduzida nas rodas elegantes por Lady Bennerley. Sentia-se pouco dotada para as elegâncias sociais. Nada disso a interessava. Conhecia muito bem a frieza aniquilante que há nesse alto mundo. O solo do lavrador floresce na superfície, mas é gelado a um pé de profundidade.

Tommy Dukes estava em Wragby, com Harry Winterslow, Jack Strangeways e Olive, a mulher deste. A conversação arrastava-se muito menos animada do que quando lá se reuniam os velhos companheiros de Clifford. Todos se aborreciam e disfarçavam os bocejos fastidiosos. O tempo ruim não os deixava sair. As únicas distrações eram o bilhar e a dança ao som da pianola.

Olive lia um livro sobre o futuro, quando as crianças serão cultivadas em garrafas e as mulheres, "imunizadas".

– Muito bom negócio – comentou ela. – Poderemos então viver nossa própria vida.

Strangeways desejava um filho, e ela não.

– Gostaria de ser imunizada? – perguntou Strangeways, com um feio sorriso.

– Creio que já o sou, "naturalmente" – confessou Olive. – De todo modo, o futuro será mais razoável que o presente, uma vez que as mulheres não serão mais estragadas pelas suas "funções".

– Talvez se evaporem completamente no espaço – disse Tommy Dukes.

– Acho que uma civilização digna desse nome deve eliminar todas as nossas fraquezas físicas – comentou Clifford. – Toda a maquinaria do amor, por exemplo, poderia desaparecer; e desaparecerá, quando cultivarmos as crianças em garrafas.

– Não! – gritou Olive. – Esse sistema apenas deixaria mais lugar para o divertimento.

– A mim me parece – disse Lady Bennerley com ar distante – que se o amor desaparecesse, qualquer outra coisa tomaria seu lugar. Morfina, por exemplo! Um pouco de morfina espalhada no ar. Seria maravilhosamente refrescante para todo mundo.

– O governo espalhando éter no ar, aos sábados, para assegurar alegres domingos! – sugeriu Jack. – Muito bem; mas onde estaríamos nas quartas-feiras?

– Todos somos felizes quando podemos esquecer nosso próprio corpo – atalhou Lady Bennerley –, mas quem tem consciência do corpo é infeliz. Se a civilização vai servir para alguma coisa, terá de nos ajudar a esquecer o nosso corpo, e o tempo passará agradavelmente.

– Livaremo-nos inteiramente de nosso corpo! – gritou Winterslow. – É tempo de o homem aperfeiçoar a sua natureza, sobretudo na parte física.

– Ah! Se pudéssemos flutuar como a fumaça do cigarro! – suspirou Constance.

– Não há perigo – disse Dukes. – A velha comédia está no fim; nossa civilização vai cair. Está caindo num poço sem fundo, num abismo. Podem acreditar: a única ponte sobre esse abismo será o falo!

– Vamos, general! Mais! Mais! – gritou Olive.

– Sim, também creio que a nossa civilização vai ruir – concordou tia Eva.

– E o que virá depois? – indagou Clifford.

– Não faço a menor idéia, mas sobreviverá qualquer coisa, penso eu – disse a velha dama.

– Constance sugere seres semelhantes a espirais de fumaça; Olive quer mulheres imunizadas e crianças em garrafas; e Dukes acha que o falo é a ponte para o futuro. Em que ficamos, afinal de contas?

– Oh! Não se preocupe – respondeu Olive. – Instituam a criação de crianças em garrafas e deixem-nos em paz, a nós, pobres mulheres.

– Haverá verdadeiros homens no futuro – afirmou Tommy. – Homens reais, inteligentes e sãos; e mulheres sãs e gentis! Não será isso uma mudança, uma grande mudança? Nós não somos homens, e as mulheres de hoje não são mulheres. Não passamos de provas, de experiências mecânicas e intelectuais. Poderá advir uma civilização de verdadeiros homens e de verdadeiras mulheres que substitua este nosso grupo de bonecos sem maior desenvolvimento mental que uma criança de 7 anos. Seria ainda mais surpreendente do que homens-fumaça e bebês em garrafas.

– Oh! Quando começar a falar em verdadeiras mulheres, abandonarei a partida – protestou Olive.

– Certamente, a única coisa de algum valor em nós é o espírito – disse Winterslow.

– Espírito! – zombou Jack, erguendo intencionalmente o copo e bebendo o seu uísque com soda.

– Julga assim? Sou pela ressurreição do corpo! – disse Dukes. – E isso virá, quando sacudirmos de nós todo o peso do espírito, do dinheiro e do resto. Teremos, então, a democracia do contato, em vez da nossa democracia do bolso.

Alguma coisa vibrou no coração de Constance: "Eu sou pela democracia do contato, pela ressurreição do corpo!" Embora não soubesse o que isso queria dizer, fez-lhe bem a frase, como acontece com muitas coisas incompreensíveis!

Não obstante, achava tudo aquilo terrivelmente idiota e estava saturada de tudo – de Clifford, de tia Eva, de Olive, de Jack, de Winterslow e do próprio Dukes. Palavras. Que inferno aquele contínuo matraquear de sons!

Depois, quando todos se retiravam, sua situação não melhorava. Prosseguia em seus tristes passeios, mas já presa de crescente exasperação. Os dias passavam sem que nada mudasse. Ela, porém, emagrecia; a própria governanta o percebera e lhe perguntara a causa. Também Tommy Dukes não achava boa a sua aparência. Constance começara a sentir um estranho medo das sinistras pedras tumulares – de uma repugnante brancura peculiar ao mármore de Carrara, abominável como a dos dentes postiços – que se erguiam sobre a colina, aos pés da igreja de Tevershall, e podiam ser nitidamente avistadas do parque. Essas odiosas tumbas semelhantes a dentes falsos, no alto da colina, causavam-lhe uma espécie de horror, fazendo-a sentir que se aproximava o dia em que também seria fincada lá.

Ansiosa por um amparo qualquer, Constance soltou o S.O.S. como um grito de alma endereçado à sua irmã Hilda. "Não me sinto bem há algum tempo e não sei o que tenho."

Hilda veio sem demora da Escócia, onde havia se instalado. Veio em março, sozinha, conduzindo ela própria um carro de dois lugares. Subiu a avenida de Wragby buzinando e contornou o grande oval que duas grandes faias ladeavam.

Constance correu ao seu encontro. Hilda parou o carro, desceu e, depois de abraçar a irmã, afastou-a um pouco para vê-la melhor.

– Mas, Constance, o que está havendo?

– Nada – respondeu-lhe esta, um tanto confusa, notando o aspecto de saúde da irmã, em chocante contraste com o seu. As duas tinham a mesma cútis dourada, luminosa, os mesmos cabelos castanhos, o mesmo calor, o mesmo viço natural. Constance, porém, estava magra e o pescoço alongado se sobressaía.

– Mas você está doente, criança! – disse Hilda na sua doce voz cansada, igual à de Constance. Hilda era quase dois anos mais velha.

– Não estou doente, não. Talvez um pouco chateada, isso sim – respondeu Constance em tom patético.

A excitação da batalha brilhou no rosto de Hilda. De aspecto calmo e tranqüilo, era entretanto uma mulher do velho tipo amazônico, incapaz de acomodar-se aos homens.

– Que horrível desterro é este lugar! – exclamou docemente, lançando um olhar de ódio ao solar.

Foi tranqüilamente ao encontro de Clifford, que notou a sua beleza, mas sentiu medo. Os parentes de sua mulher não cultivavam o mesmo gênero de maneiras e etiquetas que ele. Eram pessoas do "outro lado" – mas tinha de contar com eles.

Estava em sua cadeira de rodas, muito bem cuidado, os louros cabelos reluzentes, a face fresca, os claros olhos azuis, algo proeminentes, com uma expressão indecifrável e nada amistosa. Hilda, entretanto, achou estúpida essa expressão. Clifford manteve-se em guarda, aprumado; mas a irmã de sua mulher pouca atenção lhe deu. Estava pronta para a guerra, fosse contra o papa ou o imperador.

– Constance está com aparência doentia – começou na sua voz doce, pousando fixamente no cunhado os magníficos olhos brilhantes. Tinha o mesmo ar virginal de Constance, mas Clifford sabia da rude obstinação oculta sob tal aparência.

– Está um pouco magra, de fato – concordou ele.

– E você não faz nada?

– Acha que é preciso? – replicou Clifford, com o seu mais suave empertigamento britânico.

Hilda olhava-o fixamente, sem responder, tal qual Constance: a resposta pronta não era o seu forte. Limitava-se a encará-lo, o que punha Clifford menos à vontade do que se ouvisse tudo quanto ela poderia lhe dizer.

– Preciso levá-la a um médico. Conhece algum, bom, nas vizinhanças?

– Não, e tenho medo.

– Então vou levá-la a Londres, onde temos um da maior confiança.

Apesar de irritadíssimo, Clifford nada objetou.

– Acho melhor que eu passe a noite aqui – continuou Hilda tirando as luvas. Pretendo levá-la a Londres amanhã cedo.

Clifford empalideceu de raiva; e, à noite, a córnea de seus olhos mostrava-se amarela. Seu fígado entrara em cena. Hilda, porém, mantinha-se no seu tom virginal.

– Você deveria contratar uma enfermeira, ou, então, um criado de quarto – sugeriu Hilda calmamente depois do jantar, à hora do café. Falava com uma voz quase doce, mas o efeito das suas palavras em Clifford era de golpes no crânio.

– Acha? – disse ele friamente.

– Estou certa disso! É preciso, sim. Do contrário, teremos, papai ou eu, de levar Constance por alguns meses. As coisas não podem continuar assim.

– Que é que não pode continuar?

– Não vê como está essa pobre criança? – disse Hilda com os olhos cravados nele, e naquele momento Clifford deu-lhe a idéia de um enorme caranguejo cozido.

– Constance e eu trataremos desse assunto – retrucou ele.

– Já está tudo acertado – declarou a cunhada.

Clifford estivera muito tempo em mãos de enfermeiras. Detestava-as, porque não lhe permitiam nenhuma intimidade. Quanto a um criado de quarto, jamais poderia suportar a presença de um homem junto a si. Antes qualquer mulher. Mas por que não mais Constance?

As duas irmãs partiram na manhã seguinte. Constance com ar de cordeirinho pascal, encolhida ao lado da outra. Sir Malcolm não se achava em Londres, mas a casa de Kensington estava aberta.

O doutor auscultou Constance cuidadosamente, indagando vários pormenores da sua vida.

– Eu vejo às vezes a sua fotografia e a de Clifford nos jornais ilustrados – disse ele. – Celebridades, ambos, não é? A que ponto chegam as meninas modestas, embora eu veja que guarda a mesma modéstia, apesar dos jornais! Não, não há em você nenhum mal orgânico, mas isso não pode continuar assim. É necessário falar a Sir Clifford sobre a necessidade de trazê-la para Londres, ou levá-la para o estrangeiro, a fim de que se distraia. É preciso divertir-se, menina, é preciso! Está muito debilitada e sem reservas orgânicas. Vejo os "nervos do coração" fora do normal. Sim, sim, nada mais que nervos. Um mês de Cannes ou de Biarritz a deixará bem. Mas assim não pode continuar; do contrário, não poderei responder pelo seu futuro. Precisa de distrações, distrações convenientes e sãs! Está despendendo vitalidade sem refazer-se. Isso não pode continuar assim. É preciso evitar a depressão.

Hilda cerrou os dentes, o que nela não era um bom sinal.

Michaelis, ao saber que estavam em Londres, correu para visitá-las, levando rosas.

– Como? O que aconteceu? – gritou ao ver Constance. – Parece a sombra do que foi. Nunca vi tamanha mudança! Por que não me disse nada? Venha a Nice comigo! Vamos à Sicília... à Sicília, sim! Está necessitada de sol! De vida! Venha comigo. Vamos à África! Para o diabo Sir Clifford. Largue-o lá e venha comigo. Desposo-a logo que se tenha divorciado. Venha experimentar a vida. Santo Deus, não há o que Wragby não mate. Sinistro! Venha comigo para o sol! É de sol que você precisa... de sol e de um pouco de vida normal.

Mas Constance não podia admitir o pensamento de abandonar Clifford tão repentinamente. Não podia, de maneira alguma. Impossível. Tinha de retornar a Wragby.

Michaelis enfureceu-se. Hilda não gostava dele, mas quase o preferia a Clifford. As duas irmãs voltaram para os Midlands.

Hilda falou a Clifford, cujos olhos ainda se conservavam amarelos. Teve de ouvir tudo o que lhe disse a cunhada, e o que dissera o doutor – nada, porém, a respeito das propostas de Michaelis. E por fim teve de receber o ultimato sem murmurar uma palavra.

– Aqui está o endereço de um bom criado de quarto que esteve a serviço de um doente morto há pouco. Uma ótima aquisição.

– Mas eu não sou doente e não quero criado de quarto nenhum – reagiu Clifford.

– E aqui tem o endereço de duas mulheres. Vi uma delas; é bem hábil. Mais ou menos 50 anos, sossegada, robusta, gentil... e culta, a seu modo...

Clifford não deu resposta.

– Muito bem, Clifford. Se nada for decidido até amanhã, vou telegrafar a papai e levaremos Constance.

– E acha que ela irá?

– Ela não está com vontade, mas sabe que irá se for preciso. Nossa mãe morreu de um câncer, em conseqüência de desordens nervosas. Não deixarei que minha irmã tenha o mesmo fim.

No dia seguinte, Clifford optou por Mrs. Bolton, a enfermeira da paróquia de Tevershall. Foi a governanta quem se lembrou dela. Mrs. Bolton ia abandonar suas ocupações paroquiais para fazer-se enfermeira particular. Clifford tinha um medo invencível de colocar-se em mãos de uma estranha. Mas Mrs. Bolton já o havia tratado certa vez, quando teve escarlatina.

As duas irmãs foram imediatamente ver Mrs. Bolton, que morava numa boa casa da melhor rua de Tevershall. Encontraram uma bela quarentona vestida de enfermeira, colarinho e avental branco, preparando o chá numa saleta entulhada de móveis.

Mrs. Bolton era uma criatura muito atenciosa, que falava com bastante sotaque um inglês pesadamente correto e, pelo hábito de tratar dos mineiros doentes, durante anos adquirira ótima opinião sobre si mesma e muita convicção. Uma respeitabilíssima representante da classe dirigente da aldeia.

– Sim, é verdade, não estou gostando do aspecto de Lady Chatterley – disse ela. – Como foi isso? Tinha no começo tão boa disposição... Foi este último inverno? Pobre Sir Clifford! Ah! A guerra é responsável por muitos males!

Mrs. Bolton garantiu que iria a Wragby imediatamente, se o Dr. Shardlow a dispensasse. Tinha ainda na paróquia trabalho para uma quinzena, mas eles poderiam conseguir uma substituta provisória.

Hilda correu à procura do Dr. Shardlow, com quem arranjou tudo, e, no domingo seguinte, Mrs. Bolton apareceu em Wragby de carro, com duas grandes malas. Hilda entendeu-se logo com ela. Mrs. Bolton gostava de conversar. E como parecia moça apesar de seus 47 anos! Volta e meia corava.

Seu marido, Ted Bolton, morrera num acidente na mina, há 22 anos, deixando-a só com duas crianças, sendo uma de peito, chamada Edith, agora casada com um farmacêutico de Sheffield. A outra, professora em Chesterfield, sempre que podia passava com ela os finais de semana.

– Ah! As moças de hoje sabem levar a vida. Não é como no meu tempo!

Ted Bolton, explicou a viúva, estava com 28 anos quando morreu em conseqüência de uma explosão. O encarregado percebeu a ameaça e mandou todos se deitarem. Todos se deitaram, menos Ted; essa imprudência custou-lhe a vida. No inquérito os patrões alegaram que Ted teve medo, quis fugir, não obedecendo à voz de comando – e por isso morreu por sua própria culpa. Em conseqüência, só pagaram à viúva 300 libras de indenização – em parcelas, o que lhe permitiria abrir uma lojinha. Alegaram que ela iria esbanjar o dinheiro, talvez em bebidas! Teve de contentar-se em receber o dinheiro parcelado em 30 xelins por semana. Durante quatro anos teve de ir toda segunda-feira ao escritório e ficar de pé duas horas à espera de sua vez de receber. Como se arranjou com duas crianças tão pequenas? A mãe de Ted fora-lhe muito útil e boa. Logo que as crianças começaram a engatinhar, ficava com elas em sua casa durante o dia, de modo que a nora pudesse seguir o curso de enfermagem no qual se diplomou. Mrs. Bolton decidiu então que não dependeria de mais ninguém e que ficaria com as filhas. Fora durante alguns meses assistente no hospital de Uthwaite, e, quando a Companhia de Minas de Tevershall – na realidade, Sir Geoffrey – verificou que era esforçada e auto-suficiente, foi-lhe oferecido um lugar na paróquia. Trabalhou anos lá. Mas ultimamente foi se cansando. Necessitava de serviços mais leves.

– Sim, a Companhia foi muito boa para comigo e eu nunca neguei isso. Mas não esquecerei nunca o que disseram de Ted: que tentou fugir; pois não há ninguém mais corajoso e mais seguro de si do que Ted. Acusaram-no de medroso porque já não estava aqui para se defender.

Uma curiosa mescla de sentimentos transcorria as palavras de Mrs. Bolton. Gostava dos mineiros, dos quais tratara por tanto tempo; mas sentia-se muito superior a eles. Sentia-se quase da classe dirigente – embora deixasse transparecer certo rancor. Patrões! Nas contendas entre operários e patrões, ficava sempre com os primeiros, mas, quando tudo corria bem, bandeava-se para o outro lado. As classes dirigentes fascinavam-na, inspiravam-lhe essa paixão tão britânica pelas grandezas sociais. Encantou-a o fato de vir para Wragby, de falar com Lady Chatterley.

Mrs. Bolton aparecia no quarto de Clifford silenciosamente, com o seu comprido e belo rosto e os olhos baixos. E perguntava com humildade: "Devo fazer isto ou aquilo, Sir Clifford?"

– Não – respondia ele. – Fica para depois.

– Muito bem, Sir Clifford.

– Volte dentro de meia hora.

– Perfeitamente, Sir Clifford.

– E leve daqui estes papéis.

– Perfeitamente, Sir Clifford.

Ela discretamente saía para voltar meia hora depois com a mesma discrição. Era tratada como peteca, sem que isso a ofendesse. Estava fazendo um estudo da classe alta e nem se revoltava; Sir Clifford fazia parte de um fenômeno chamado "classes altas", que ela só agora estava estudando – e conhecendo. Já com Lady Chatterley sentia-se muito mais à vontade.

Mrs. Bolton ajudava a passar o inválido para a cama, todas as noites, e dormia no cômodo vizinho para atendê-lo, caso fosse chamada de madrugada. Também o ajudava de manhã, servindo-lhe de criada de quarto, e até barbeando-o, delicada e canhestramente. Revelou-se uma enfermeira de muita competência, das que acabam se impondo. Porque, afinal de contas, Sir Clifford não diferia dos mineiros que ela já tratara – sobretudo quando lhe entregava o rosto para barbear. Os ares distantes e a falta de franqueza dele de nenhum modo a incomodavam. Era uma experiência que fazia, e ponto final.

Intimamente, entretanto, Clifford jamais perdoou Constance por entregá-lo aos cuidados de uma profissional contratada. Aquilo matava, dizia ele a si mesmo, a flor da intimidade que sempre havia cultivado. Mas Constance não se importava. A tal flor da intimidade, afinal de contas, não passava duma orquídea, um bulbo parasitário sobre a árvore da sua vida e da qual saíam pétalas bem pobres.

Tinha agora mais tempo para cuidar de si, tocar piano em sua saleta e cantar o "Não toques nos espinhos porque os laços de amor são difíceis de desatar". Só ultimamente compreendera quão difícil era desatar esses laços de amor, mas graças a Deus já os havia afrouxado! Sentia-se tão satisfeita de ficar consigo mesma, de não ter de estar sempre conversando com ele... Quando se via só, Clifford batia sem cessar na sua máquina de escrever. Mas, se ela aparecia, largava tudo para falar – e falava sempre; pequeninas análises de caracteres humanos, coisinhas –, falava até Constance retirar-se. Durante anos ela gostou disso, mas por fim saturou-se e não quis mais. Antes só do que ouvindo aquilo.

Era como se milhares de raízes e lianas se houvessem desenvolvido misturadas, entrelaçadas, ligando aquelas duas criaturas de modo que o resultado começasse a definhar. Constance ia-se desfazendo daquelas radículas e lianas agarradas à sua personalidade, o que era um trabalho de paciência. Mas essas lianas nascidas do amor e da intimidade são mais rijas de desprender-se do que quaisquer outras – apesar do auxílio que Mrs. Bolton vinha prestando.

Clifford ainda insistia, todas as noites, por um pouco da vida antiga, por Constance ao seu lado para conversa e leitura. Mas Constance agora arranjava as coisas de modo que Mrs. Bolton viesse pôr fim à reunião – e subia para o sossego da sua saleta, deixando Clifford aos bons cuidados da enfermeira.

Mrs. Bolton fazia as refeições com Mrs. Betts nos aposentos desta. Davam-se bem. Era curioso como a zona dos serviçais se ia aproximando da zona de Clifford, zonas essas outrora tão afastadas entre si. Mrs. Betts freqüentemente vinha para o quarto de Mrs. Bolton, e Constance ouvia as vozes das duas conversando em tom baixo. E quando ficava a sós com Clifford, notava que os demais criados também afluíam para o interior da casa. De modo que Wragby começou a mudar muito, depois da vinda de Mrs. Bolton.

Constance sentia-se libertada, como que já em outro mundo, e até respirava de modo diferente. Mas também sentia que muitas raízes e lianas ainda a amarravam a Clifford. Em todo caso, uma nova fase de vida começara para ela.

## 8

Mrs. Bolton tinha para Constance olhos maternais, feminina e profissionalmente protetores. Vivia insistindo para que saísse de casa, fosse de carro até Uthwaite, respirasse ar puro. Constance viciara-se no hábito de ficar muito tempo sentada diante do fogo, lendo ou fingindo ler, ou costurando – e raramente passeava.

Num dia ventoso, logo depois da partida de Hilda, Mrs. Bolton sugeriu-lhe:

– Por que não vai ver o recanto dos narcisos, atrás do casebre do guarda-caça? É a mais bela imagem que podemos ver nesta estação. E pode colher uma braçada de flores para enfeitar a sua saleta.

A sugestão seduziu Constance. Narcisos silvestres. Melhor lidar com eles do que ficar ali chocando a si própria. A primavera voltava. "As estações voltam, mas para mim não volta o dia, a suavidade da manhã e da tarde."

E o guarda-caça? De corpo tão fino, tão branco, semelhante ao pistilo solitário de uma flor invisível! Por força da depressão em que caíra, Constance esquecera-se dele. Mas agora sua imagem surgia. Vieram-lhe à memória os versos de Swinburne sobre pórticos e portais. Atravessar os pórticos e os portais...

Constance sentia-se forte, podia caminhar bastante e na floresta o vento castigava menos que ali pelo parque. Ela queria esquecer – esquecer o mundo e os seus habitantes tão desagradáveis. "Precisas nascer de novo! Creio na ressurreição do corpo! A não ser que o grão do trigo caia em terra e morra, germinará. Quando o açafrão florir também emergirei e verei o sol!" Os ventos de março faziam-lhe vir à memória fragmentos de poemas como este.

Raios de sol estranhamente varejavam pelo arvoredo da fímbria da floresta silenciosa, porém sacudida de frêmitos. As primeiras flores apareciam, e o chão estava coberto de uma branca camada de pequeninas anêmonas. "O mundo empalideceu ao teu sopro.* Mas ali empalidecera ao sopro de Perséfona, saída dos antros infernais numa

*Parafraseado do poema "Hymn to Proserpine", de Swinburne. Esta passagem refere-se a Jesus Cristo.

manhã glacial. Sopros gélidos por entre as árvores, e lá por cima das copas o furor do vento – um vento que ficava agarrado aos galhos. Vento agarrado às árvores, como Absalão pelos cabelos – e, como ele, debatendo-se para arrancar-se dali. Como pareciam geladas as anêmonas, tiritando os ombros nus emersos das crinolinas verdes! Mas resistiam. Também se viam "primaveras", as primeiras, e havia botõezinhos por todos os lados.

A fúria do vento rugindo lá em cima; embaixo Constance só sentia o frio das correntes. Aquilo a excitava de modo estranho, pondo-lhe muita cor nas faces e muito azul nos olhos. Caminhava com dificuldade em meio à abundância vegetal, colhendo aqui uma "primavera", ali uma violeta de perfume gelado. E ia-se encaminhando não sabia em que direção.

Afinal saiu numa clareira de onde avistou a cabana do guarda-caça, cujas pedras sombrias os últimos raios do sol avivavam de tons róseos. A porta estava fechada. Nenhum rumor vinha de lá, nenhuma fumaça na chaminé, nenhum latido.

Constance dirigiu-se para os fundos, onde começava a encosta; tinha a desculpa dos narcisos acumulados naquele ponto.

E lá estavam elas, pequenas flores de caule curto, brilhantemente vivas, retorcidas de frio, com as corolas no sentido contrário ao vento.

Os narcisos palpitavam as suas pétalas, castigados pelo vento. Mas talvez gostassem daquilo. Talvez se sentissem contentes de serem assim maltratados.

Constance sentou-se de costas para um tronco de pinheiro novo que estremecia cheio de força elástica, sustentando lá em cima a copa açoitada pelo vento. Aquela coisa viva e ereta apontando para o céu! E ela viu os narcisos se dourarem sob a réstia de sol que batia em seu colo. E sentia-se, naquele silêncio e naquela solidão, livre em plena corrente do seu próprio destino. Não mais atada com corda, como o bote às amarras da âncora. Livre, sim – e derivando ao léu.

O sol desapareceu; os narcisos apagaram-se na penumbra, silenciosamente; passariam a noite assim apagados, até a ressurreição do sol no dia seguinte. Tão fortes na sua fragilidade!

Constance ergueu-se, colheu algumas flores e retomou o caminho. Não gostava de arrancar flores, mas tinha de levar algumas para casa. Para aquela casa! Voltar para aquela casa detestável, rever aquelas paredes grossas de prisão! Paredes! Sempre paredes! Em todo caso, num dia ventoso como aquele, sempre valiam algo.

Ao entrar no solar, Clifford perguntou-lhe:

– De onde vem?

– Da floresta. Veja estes narcisos tão lindos! Parece incrível que saiam de uma terra tão feia.

– Saem também do ar e do sol – disse ele.

– Mas são modelados pela terra – replicou Constance, contradizendo-o de um modo que o surpreendeu um pouco.

Na tarde do dia seguinte ela voltou à floresta. Seguiu pela ampla alameda que dava voltas e subia até a pequena fonte batizada de John's Well. Estava muito frio ali e não havia flor nenhuma. Parou junto à fonte. A água corria sobre as pedras. O som dominante era o murmúrio da fonte.

Havia muita friagem naquele ponto, e nenhuma nota colorida de flor para alegrar os tons sombrios. Mas a água murmurejava por entre as pedrinhas cor-de-rosa. Como era clara, gelada e brilhante! E lá descia pela encosta abaixo a bisbilhar.

Aquele lugar tinha algo de sinistro – gélido, úmido. Apesar disso, fora bebedouro público durante séculos. Fora, não era mais. O chão ainda se mostrava batido.

Constance ergueu-se e encaminhou-se lentamente para o solar. Umas pancadas distantes fizeram-na parar. Pica-pau ou martelo? Martelo, sem dúvida.

Continuou a andar, de ouvido alerta, até que alcançou uma trilha entre moitas de jovens abetos. Havia pegadas recentes. Constance enveredou por ali e foi ouvindo o martelo cada vez mais próximo.

Subitamente, numa pequena clareira, avistou uma cabana rústica que jamais vira. Era onde o guarda-caça criava os faisões. E lá estava ele, ajoelhado, martelando. O cachorro, que sempre o acompanhava, latiu. O homem parou, voltando o rosto.

Constance aproximou-se, enquanto Mellors se erguia e a saudava, recaindo em silêncio. Seu ar era de quem não gostara de vê-la surgir por ali. Adorava a solidão como o último refúgio da liberdade na vida.

– Ouvi as marteladas e vim ver o que era – disse Constance levemente arquejante e tímida diante de quem a olhava tão a fito.

– Estou preparando isto aqui para uma nova ninhada – explicou ele.

Constance nada mais achou que dizer e sentiu fraqueza nas pernas.

– Vou descansar um pouco – murmurou por fim.

– Sente-se aqui – disse ele, entrando e trazendo um tamborete rústico. E depois: – Quer que acenda o fogo?

– Oh! Não se incomode.

Mas o guarda-caça, que notara suas mãos azuis de frio, rapidamente juntou galhos secos e na lareira que havia a um canto da cabana fez fogo. Depois arranjou-lhe um lugar bem defronte.

– Sente-se aqui e aqueça-se.

Constance obedeceu. Aquela autoridade protetora não admitia resistência. Sentou-se e aqueceu as mãos ao fogo, alimentando-o com mais lenha, enquanto Mellors voltava a martelar. Não estava querendo ficar ali naquele canto se aquecendo ao fogo; preferia assistir ao trabalho que ele executava – mas tivera de obedecer.

A cabana tinha algum conforto, apesar de ser muito elementar. Além do tamborete em que se sentara, havia outros do mesmo tipo, um banco de carpinteiro, uma grande caixa, tábuas novas, pregos e uma porção de coisas penduradas às paredes: um machado, armadilha, sacos e um capote – o do acompanhante. Não tinha janela. A luz vinha pela porta.

De mãos espichadas para o fogo, Constance escutava o bater do martelo – um bater triste. O homem estava apreensivo. Haviam invadido a sua solidão – e logo quem: uma mulher! Mellors chegara ao ponto de colocar a solidão acima de tudo – e apesar disso sentia-se agora impotente para defender sua privacidade. Era um homem alugado àquela intrusa, a patroa.

Mellors não desejava de maneira alguma entrar em contato com uma mulher, de tal modo os contatos anteriores lhe abriram na alma feridas difíceis de fechar. Se não pudesse ficar completamente só no mundo, certamente morreria. Desligara-se em absoluto do mundo exterior. Seu último refúgio era a floresta – era aquele esconder-se dentro das árvores.

Constance atiçou demais o fogo e logo se sentiu afogueada. Afastou então o tamborete para perto da porta, de onde podia vê-lo trabalhando. Mellors fingiu não perceber. Continuou a trabalhar atentamente, absorvido no que fazia, com o cão sentado nas patas traseiras, montando guarda.

Constance observava-o fixamente. Aquela mesma solidão que notara nele quando o viu nu sentia nele agora vestido. Era o homem solitário, aplicado, que se absorve no que faz, mas ao mesmo tempo medita, com a alma afastada de todo contato humano. Silenciosamente, pacientemente, isolava-se dela – e foi justamente essa tranqüilidade, essa espécie de paciência infinita o que mais emocionou Constance. Via sua cabeça inclinada, suas mãos ágeis e calmas, o desenho delgado e sensível de seu corpo – algo tão paciente e distante... Ela percebia que a experiência desse homem era mais profunda que a sua – muito mais profunda e ampla, e isso a aliviava de si mesma, livrando-a da responsabilidade pela atração que sentia.

E assim ficou Lady Chatterley sentada à porta da cabana por um longo tempo, completamente alheia a tudo. Tão ausente de si mesma ficou que a um volver de olhos Mellors a notou, e se surpreendeu com seu ar calmo de espera. Sim, era a mulher à espera do homem – e, ao sentir isso, uma eletricidade lhe correu pelo corpo – mas o espírito reagiu. A Mellors repugnava qualquer contato humano. Só queria uma coisa – que ela se retirasse e o deixasse em paz, restituído à solidão. Receava a vontade daquela mulher moderna. E acima de tudo a imprudência da classe superior quando empolgada por um capricho. Sim, porque afinal de contas ele não era mais que um homem alugado. A lembrança disso fez com que Mellors odiasse ainda mais a presença de Lady Chatterley por ali.

Constance afinal voltou a si, com um súbito mal-estar. Pôs-se de pé. A tarde avançava – e no entanto não tinha ânimo de partir. Aproximou-se do guarda-caça, que havia assumido a sua rígida atitude militar, e disse:

– É tão agradável este lugar, tão calmo! Eu não o conhecia ainda.

– Não?

– Creio que voltarei mais vezes.

– Certo?

– Costuma fechar a cabana quando não está aqui?

– Sim, senhora.

– Não poderia arranjar-me uma chave, para que eu venha descansar de vez em quando?

– Creio que não – foi a resposta de Mellors no seu dialeto.

Constance vacilou: ele se opunha – mas, afinal de contas, a cabana era dela, não dele.

– Não poderíamos conseguir outra chave? – disse numa voz cuja mansidão escondia o tom decidido de uma mulher resolvida a querer.

– Outra? – repetiu ele com uma chispa nos olhos.

– Sim, outra, uma cópia – insistiu ela, corando.

– Suponho que Sir Clifford tem uma – lembrou afinal o guarda-caça.

– É verdade! Ele deve ter uma, mas, se não tiver, podemos mandar fazer uma. Não pode ceder sua chave por um dia, para servir de modelo?

– Não sei dizer, minha senhora. Não conheço ninguém por aqui que possa fazer outra chave.

– Muito bem – tornou Constance em tom colérico. – Eu mesma me encarregarei disso.

– Perfeitamente, minha senhora.

Os olhos de ambos se cruzaram – os do guarda-caça, frios e maus, cheios de antipatia, de desprezo e de indiferença pelo que pudesse ocorrer; e os de Constance, rancorosos e encolerizados.

Mas seu coração sofreu de ver como ele a detestava sempre que ela lhe resistia – em que desespero ficava.

– Até logo!

– Até logo, minha senhora! – respondeu Mellors numa saudação seca, e afastou-se.

Ela havia despertado nele uma fera – a velha cólera contra a obstinação feminina. E naquele caso sentia-se completamente sem forças, impotente. Estava diante da patroa.

Também Constance se foi dali enfurecida contra aquela obstinação masculina. Um empregado! Que topete! E com a alma perturbada encaminhou-se para o solar.

Encontrou Mrs. Bolton à sua espera no parque.

– Já estava inquieta com a sua demora – exclamou jovialmente a enfermeira.

– Demorei-me tanto assim?

– Sir Clifford está esperando o chá.

– E por que não lhe preparou o chá?

– Oh! Não é meu papel. Sir Clifford não havia de gostar...

– Não consigo entender por quê – murmurou Constance, encaminhando-se para o estúdio de Clifford, onde a velha chaleira de cobre fervia na bandeja.

– Estou muito atrasada, Clifford?

Largou as poucas flores que trouxera e pegou a lata de chá, ainda de chapéu na cabeça e o véu enrolado ao pescoço.

– Estou desolada – continuou, enquanto preparava a bebida. – Por que não pediu a Mrs. Bolton que preparasse o chá?

– Foi algo que não me passou pela cabeça – respondeu ele. – Não quero vê-la preparar o meu chá...

– Oh! Não há nada de sacrossanto neste bule, nem nesta bandeja de prata...

Clifford olhou-a com curiosidade.

– Por onde andou?

– Pela floresta. Encontrei um refúgio bem abrigado, uma cabana de faisões.

Constance tirou o véu, conservou o chapéu – e sentou-se para preparar o chá. As torradas deviam estar prontas. Colocou o abafador sobre o bule e foi buscar um vaso para as suas violetas. As pobres flores penderam as corolas no hastil abatido.

– Vão ressuscitar – disse Constance, pondo as violetas diante de Clifford para que aspirasse seu perfume.

– "Mais doces que as pálpebras de Juno" – citou ele lembrando-se de uma imagem de Shakespeare.

– Não vejo relação nenhuma entre as pálpebras de Juno e as violetas – murmurou Constance. – Esses poetas dos tempos de Isabel enxergavam coisas demais. – E serviu o chá. Em seguida indagou: – Não sabe se há por aqui uma segunda chave da cabana dos faisões, perto de John's Well?

– É possível. Por quê?

– Descobri essa cabana por acaso. Um lugar encantador. Gostaria de sentar-me lá de vez em quando.

– E viu Mellors?

– Sim. Foi justamente o barulho do seu martelo que me fez descobrir a cabana. Estava fazendo reparos. Não gostou nada da minha presença. Mostrou-se até grosseiro quando lhe perguntei se tinha uma segunda chave.

– Que lhe disse ele?

– Nada. Falo dos modos dele. Disse que isso da segunda chave só aqui com você.

– Talvez esteja no escritório do meu pai... há muitas lá. Betts as conhece todas. Falarei com ela. Quer dizer então que o Mellors mostrou-se grosseiro?

– Oh! Não vale a pena falar nisso, mas creio que não lhe agrada que eu tenha acesso livre àquela fortaleza.

– Há de ser isso.

– Mas por quê? A cabana não é dele, não é sua casa particular. Não vejo por que eu não possa ir lá de vez em quando.

– Claro. Aquele homem se acha muito importante.

– É mesmo?

– De fato. Julga-se qualquer coisa de excepcional. Foi casado com uma mulher com a qual nunca se entendeu, e por isso foi parar nas Índias, em 1915, acho. Andou como ferreiro da cavalaria egípcia durante algum tempo; entende muito de cavalos. Um coronel do Exército gostou dele e o fez subtenente. Sim, chegou a oficial. Depois caiu doente e voltou. Foi reformado. Deixou o Exército há cerca de um ano, e, para um homem como ele, não é fácil voltar ao nível de onde saiu. Faz bem a sua obrigação, mas não consigo ver nele o Tenente Mellors.

– Como o elevaram a oficial? Ele ainda fala em dialeto...

– Oh! Só fala em dialeto quando quer, conhece muito bem o inglês. É que, tendo voltado ao lugar de onde saiu, achou melhor adotar o dialeto dos seus iguais.

– E por que não me contou isso antes?

– Oh! Estas histórias romanescas entediam-me. Constituem a ruína da ordem. Era mil vezes preferível que não existissem.

Constance mostrou-se disposta a pensar da mesma maneira. Para que servem esses descontentes que não se acomodam bem em parte alguma?

O tempo continuava firme. Clifford resolveu dar também seu passeio pelo bosque. Ventava frio, mas era suportável, pois o sol estava cheio de vida.

– É extraordinário como mudamos com um tempo destes – observou Constance. – Em geral, o ar daqui parece morto. A maldade das pessoas mata o próprio ar.

– Acha?

– Sim. A onda de tédio, de descontentamento, de cólera que sai das criaturas destrói a vitalidade do ar. Eu o sinto.

– Ou é o estudo do ar que mata a vitalidade das pessoas?

– Não. Quem envenena o universo é o homem.

– Envenena seu próprio ninho – concluiu Clifford.

A cadeira avançava. No bosque de aveleiras cachos de ouro velho pendiam, e nas manchas de sol as anêmonas desabrochavam, como extasiadas da alegria de viver – como outrora os homens, quando se extasiavam com elas. Havia um leve perfume da flor das macieiras no ar.

Constance colheu algumas para Clifford, que as pegou com curiosidade e citou um verso de Keats:

– "Oh, tu, esposa inviolada da quietude..." Este verso se aplica muito mais a estas flores do que aos vasos gregos.

– Violar: palavra horrível – observou Constance. – São os homens que violam as coisas.

– Não sei. Os caramujinhos...

– Os caramujinhos comem as flores, e nem mesmo as abelhas as violam.

Ela se irritava com aquela maneira de reduzir tudo a palavras. As violetas eram as pálpebras de Juno; as anêmonas eram esposas invioladas. Constance detestava essas frases que sempre se interpunham entre ela e a vida. As palavras, sim, eram as violadoras de tudo, essas frases feitas que sugavam a seiva das coisas vivas.

Aquele passeio com Clifford não melhorou a situação. Havia entre ambos um constrangimento que procuravam ignorar.

De súbito, com toda a força do seu instinto de mulher, Constance o repeliu. Queria libertar-se dele e sobretudo do seu "eu", das suas frases, da obsessão que tinha por si mesmo, aquela obsessão infinita, monótona, mecânica.

A chuva recomeçara. Dois dias depois, no entanto, apesar do chuvisco intermitente, Constance saiu de novo para a floresta. E dirigiu-se à cabana. Não estava frio apesar da chuva, e da mata silenciosa fluía a impressão do inacessível.

Constance chegou à clareira. Ninguém! A cabana estava trancada. Sentou-se à soleira, sob o pórtico, e ficou aquecendo-se com o seu próprio calor. Olhava a chuva cair, escutando o som abafado das gotas e os estranhos suspiros do vento na folhagem – um vento que não ventava. Carvalheiras veneráveis erguiam seus troncos enegrecidos pelas chuvas, lançando para todos os lados galhos audaciosos. O chão, quase limpo, apresentava anêmonas e moitas espacejadas. As samambaias de folhas enferrujadas pelo tempo mal apareciam sob as cordas das anêmonas. Talvez aquele lugar fosse um lugar inviolado. Inviolado! O mundo inteiro está inviolado.

Há coisas que não podem ser violadas – uma lata de sardinhas, por exemplo. E há tantas mulheres assim. E tantos homens também. Mas a terra...

A chuva estiou. Surgiu mais claridade entre as carvalheiras. Constance queria ir embora, mas deixava-se ficar. Tinha frio. A invencível inércia do seu ressentimento íntimo a mantinha paralisada.

Inviolada! Ah! Uma criatura podia ser violada sem nunca ter sido tocada. Violada pelas frases mortais, que se tornam ignóbeis; e por idéias mortais, que se tornam obsedantes.

Um cachorro encharcado chegou correndo, sem latir, apenas com a cauda em riste. Vestido num capote impermeável negro, brilhante, o guarda-caça o seguia, de rosto ligeiramente afogueado. Constance notou uma leve vacilação em seus passos no momento em que a percebeu – e ergueu-se de pé no pequenino espaço enxuto do pórtico.

Mellors cumprimentou-a sem nada dizer e foi-se aproximando. Constance fez menção de retirar-se.

– Eu já ia indo – disse.

Mellors falou em dialeto, olhando mais para a cabana do que para ela.

– Não quis entrar?

– Não. Abriguei-me aqui por um instante – respondeu Constance com serena dignidade.

Olhou-a. Pareceu-lhe que estava com frio.

– Então Sir Clifford não tem outra chave?

– Não, mas isso não faz diferença. Este pórtico já me basta. Até logo.

Constance teve ódio àquele excesso de dialeto.

Mellors ficou observando-a atentamente enquanto a castelã se afastava. Depois abriu o capote e tirou do bolso a chave da cabana.

– Talvez seja melhor que a senhora fique com esta – gritou-lhe ele. – Eu arranjarei outro lugar para os faisões.

Constance voltou-se.

– Que quer dizer com isso?

– Quero dizer que arranjarei outra acomodação para os faisões. E quando a senhora vier aqui, não me verá rondando todo o tempo.

Constance olhou-o nos olhos, procurando compreender o que ele dizia naquele nevoeiro de dialeto.

– Por que não fala inglês como toda a gente?

– Eu? Julgo que falo o inglês de toda a gente.

A moça calou-se por um instante, irritada.

– Pois se quer a chave, leve-a hoje. Ou melhor, amanhã, depois que eu tirar tudo daqui. Não acha bom assim?

Constance irritava-se cada vez mais.

– Não quero a sua chave – respondeu. – Não quero que tire nada. Não tenho nenhuma vontade de utilizar-me da cabana. Obrigada! Só quero sentar-me aqui por uns momentos, como hoje, mas tenho o pórtico e isso me basta. Não falemos mais nisso.

Mellors olhou-a com um ar malicioso e disse ainda em dialeto:

– A senhora sempre será bem-vinda nesta cabana, que é sua, como também a chave. O que há é que durante a estação tenho de viver sempre às voltas com os faisõezinhos. No inverno raramente apareço aqui. Mas estamos na primavera e Sir Clifford quer faisões... A senhora há de aborrecer-se de ver-me sempre que vier descansar.

Constance escutava-o numa espécie de vago estupor.

– E que diferença faz para mim que o senhor esteja ou não aqui cuidando do seu serviço quando eu vier?

Mellors olhou-a de modo curioso e disse:

– Faz a mim. Incomoda-me.

A moça corou.

– Muito bem – disse ela. – Não o aborrecerei mais, apesar de que a mim pouco importa que eu esteja sentada aqui e o senhor lidando com os filhotes. Até acharia divertido. Mas já que considera isto uma invasão, deixarei de vir, não se aflija. O senhor é o guarda-caça de Sir Clifford, não meu.

Aquela frase soou estranha à própria Constance, sem que soubesse por quê.

– Não, minha senhora, a cabana é sua. Mas faça lá como for do seu agrado. Poderá devolver-me a chave depois de uns dias. Porque...

– Por que o quê?

O guarda-caça tombou para trás o chapéu, comicamente.

– Porque pode precisar da cabana para qualquer coisa, quando vier, e pode não querer que eu ande rondando por aqui.

– Que história é essa? – gritou Constance irritada. – Não é o senhor um homem civilizado? Acha que devo ter medo do senhor? O que tenho com o senhor? Que importância tem para mim que o senhor esteja ou não rondando por aqui?

Um sorriso brilhou no rosto de Mellors.

– Não tem importância nenhuma, minha senhora.

– Então?

– Quer que mande fazer outra chave?

– Não, muito obrigada, não quero.

– Apesar disso, mandarei fazer outra chave. Sempre é bom que haja duas.

– Que insolência! – exclamou Constance, rubra e sem fôlego.

– De modo nenhum, minha senhora – apressou-se a dizer o guarda-caça. – Não diga isso. Não, não. Interpretou-me mal. Julguei que, vindo aqui descansar, a minha presença a incomodasse; mas se a senhora não dá importância a isso, está tudo bem, contanto que a senhora não dê atenção a todas as tarefas que tenho a fazer.

Constance afastou-se completamente desorientada. Não sabia se fora ou não cruelmente insultada. Talvez não quisesse dizer o que havia dito; talvez quisesse... Como se ela jamais pensasse em dar à cabana o fim que sugeriu! Como se a presença daquele homem significasse qualquer coisa para ela!

Entrou no solar com o espírito atrapalhado, sem saber o que pensava nem sentia.

# 9

Constance assustava-se com o sentimento de aversão que tinha agora para com o marido. Verdade que ele sempre lhe havia sido antipático. Mas não chegava a ter-lhe ódio; apenas uma profunda antipatia física. Parecia-lhe até que o desposara justamente porque ele lhe desagradava de uma maneira misteriosa. Casou-se levada apenas pela sua forma intelectual, que no começo a atraía e excitava. Clifford revelava-se o seu mestre, dono do seu cérebro.

Agora, porém, que essa excitação intelectual morrera, só subsistia a aversão física que brotava no íntimo do seu ser e lhe vinha roendo a vida.

Constance sentia-se fraca e abandonada, sem remissão. Ansiava por um socorro de fora. Mas nenhum socorro lhe chegava. A sociedade é terrível na sua insensatez. A sociedade dos civilizados é louca. O dinheiro e isso a que chamam amor constituem suas grandes manias; dinheiro principalmente. O indivíduo, na sua loucura desordenada, afirma-se de dois modos: pelo dinheiro ou pelo amor. Veja Michaelis! Sua vida, sua atividade, o que era senão loucura? Seu amor, outra loucura.

E o próprio Clifford. Todas aquelas conversações! Toda aquela literatura! Todos aqueles terríveis esforços para "vencer"! Loucura. E isso piorava cada vez mais, tornava-se mania.

Constance sentia-se paralisada pelo medo. Felizmente a tirania de Clifford voltava-se pouco a pouco contra Mrs. Bolton, sem que ele notasse. Como ocorria com muitos insensatos, era possível medir-se a sua loucura pelo número de coisas de que não tinha consciência – pelos grandes espaços desérticos da sua consciência.

Mrs. Bolton, sob muitos aspectos, era admirável. Mas tinha esse curioso gosto pela dominação, essa infinita urgência de afirmar-se, que é um dos signos da loucura nas mulheres modernas. Julgava-se devotada de corpo e alma aos outros. Clifford a encantava porque sempre, ou quase sempre, e como que por instinto, impedia-a de agir de acordo com ela mesma; Clifford revelava uma necessidade de afirmação ainda mais delicada, mais sutil que a de Mrs. Bolton. E isso a encantava.

Talvez fosse também o que encantou Constance.

– Que lindo dia! – exclamava Mrs. Bolton. – Um passeio viria a calhar.

– Sim? Traga-me aquele livro lá, o amarelo. Quero que tire do quarto esses jacintos!

– Oh! Tão belos, tão ricos de perfume!

– É justamente do perfume que não gosto. Acho-o funéreo.

– Acha? – admirava-se ela, surpresa, um pouco ofendida, mas impressionada. E ela saía com os jacintos, admirada de tanta sensibilidade. – Deseja que o barbeie hoje ou prefere fazê-lo o senhor mesmo?

Sempre a mesma voz suave, carinhosa e subserviente, mas, apesar disso, autoritária.

– Não sei. Quer esperar um pouco? Tocarei a campainha quando estiver pronto.

– Muito bem, Sir Clifford – dizia ela, suave e submissa, afastando-se com serenidade. Mas cada gesto de repulsa fazia crescer nela a provisão de boa vontade.

Se Clifford tocava a campainha, surgia imediatamente.

– Creio que prefiro que a senhora me barbeie esta manhã.

Mrs. Bolton, com um tremor no coração, respondia com doçura ainda maior:

– Muito bem, Sir Clifford.

Muito jeitosa, com muito tato, lentamente. No começo, ele irritava-se de tanta suavidade, da maciez de seus dedos a lhe tocarem a pele do rosto. Agora, porém, gozava aquilo com volúpia cada vez maior. Clifford fazia-se barbear por ela quase todos os dias. Exageradamente, Mrs. Bolton aproximava o rosto do dele, com os olhos muito atentos ao que fazia. E, pouco a pouco, seus dedos foram aprendendo a conhecer a fundo todas as minúcias da pele de Clifford, nas faces, nos lábios, no queixo, no pescoço. Estava ele bem nutrido; o rosto e o pescoço eram bastante belos; um cavalheiro.

Mrs. Bolton também tinha beleza; era pálida, de rosto alongado e muito sereno, de olhos brilhantes que nada revelavam. Pouco a pouco, numa suavidade infinita, ela ia dominando, e ele cedendo.

Mrs. Bolton fazia tudo para Clifford, que se sentia mais à vontade com ela do que com a esposa; já não se acanhava de aceitar os seus pequenos serviços domésticos. Mrs. Bolton gostava de manejá-lo. Gostava de encarregar-se do seu corpo e de lhe prestar os mais humildes cuidados. Certo dia declarou a Constance:

– Todos os homens não passam de bebês, quando a gente penetra no fundo deles. Já tratei dos mais duros mineiros das minas de Tevershall. Quando sofrem qualquer coisa e têm necessidade de cuidados, tornam-se bebês, nada mais do que grandes bebês. Oh! São todos iguais!

No começo, Mrs. Bolton julgou que com um cavalheiro, um *verdadeiro*, da marca de Sir Clifford, fosse diferente. Isso deu grandes vantagens a Clifford. Mas, pouco a pouco, à medida que lhe foi penetrando no fundo, percebeu que ele era como os demais, um bebê em corpo de homem – mas um bebê de humor especial, estranho, dotado de belas maneiras, de poder e de toda sorte de conhecimentos curiosos que ela ignorava e de que ele se servia para dominá-la.

Constance tinha às vezes vontade de dizer ao marido:

– Pelo amor de Deus, Clifford, não se entregue tanto nas mãos dessa mulher.

O casal ainda conservava o hábito de passar a noite junto até às dez horas. Conversavam, liam, examinavam trabalhos de literatura. Mas o encanto já se fora. As novas composições de Clifford entediavam Constance. Apenas por dever ela as passava a limpo na máquina – serviço que afinal também passou para Mrs. Bolton.

Porque Constance havia sugerido a Mrs. Bolton a conveniência de praticar a datilografia, e Mrs. Bolton, sempre pronta para tudo, imediatamente aceitou a idéia e pôs-se a trabalhar com assiduidade. Em pouco tempo estava Clifford a lhe ditar cartas, que ela batia lentamente, mas sem erros. Clifford, paciente, soletrava as palavras difíceis ou as citações em francês, quando as havia. Mrs. Bolton encantava-se com aquilo, com o fato de ele estar educando-a.

Ultimamente Constance passou a inventar umas enxaquecas para fugir às noitadas; subia ao seu quarto logo depois do jantar.

– Mrs. Bolton pode jogar com você uma partida de besigue – sugeria ao marido.

– Oh! Não há necessidade. Vá para o seu quarto, querida.

Mas, assim que Constance subia, ele chamava Mrs. Bolton para uma partida de *piquet*, de besigue ou mesmo de xadrez. Havia-lhe ensinado todos esses jogos. Constance não suportava ver Mrs. Bolton, corada e excitada como uma donzela, pegar na dama com os dedos incertos e depois recolher a mão, enquanto Clifford, com um sorriso vago, lhe dizia em tom de superioridade zombeteira:

– Errou. Se tocou na pedra e largou, tem de dizer "*J'adoube*"*.

Mrs. Bolton olhava-o com os seus olhos brilhantes, surpresos, e repetia timidamente:

– *J'adoube*!

Sim, ele a educava, ele tirava disso uma agradável sensação de poder. E Mrs. Bolton sentia-se cativa. Pouco a pouco apropriava-se de tudo o que a alta sociedade sabe, tudo o que, além do dinheiro, diz respeito à superioridade. E, ao mesmo tempo, Clifford gostava que ela estivesse com ele: o arrebatamento de Mrs. Bolton era-lhe uma sutil lisonja – aquele arrebatamento tão sincero.

Para Constance, Clifford ia tomando a sua verdadeira cor: um pouco vulgar, um tanto comum, um tanto gordo, bastante sem gênio. As manobras de Mrs. Bolton, sua humilde tirania também se revelavam transparentes. Mas o que mais espantava Constance era o prazer que aquela mulher experimentava com Clifford. Não se podia dizer que estivesse apaixonada; mas mostrava-se eternamente perturbada, enlevada pelo contato daquele homem da sociedade, um cavalheiro com título de nobreza, um autor que escrevia livros e poemas e cujo retrato figurava nos jornais. Tudo isso provocava nela uma estranha paixão; a "instrução" que lhe dava produzia nela um arrebatamento, uma elevação que a conduzia mais longe do que uma ligação amorosa. Na realidade, o fato de não poder existir entre ambos nenhum ligação amorosa deixava-a livre para vibrar até à medula movida dessa outra paixão, a curiosa paixão de saber – de saber tudo que ele sabia.

---

**J'adoube*: expressão francesa usada pelo jogador de xadrez quando este quer apenas arrumar suas peças no tabuleiro, e não fazer uma jogada.

Nesse sentido Mrs. Bolton sentia-se amorosa para com Clifford, qualquer que seja a força que dermos à palavra "amorosa". Tinha um ar belo, muito jovial, e, às vezes, seus olhos cinzentos mostravam-se admiráveis. E dela irradiava uma doce satisfação triunfante, bem íntima. Ah! Essa satisfação íntima, como era odiosa a Constance!

Não é de surpreender, portanto, que Clifford se empolgasse com aquela mulher. Mrs. Bolton o adorava à sua maneira, com persistência, e punha-se totalmente a seu serviço para ser usada como a ele lhe aprouvesse. Nada de estranho que isso o lisonjeasse.

Constance observava as longas conversas dos dois, nas quais era Mrs. Bolton quem mais falava. Já havia desfiado todas as contas dò rosário do "diz-que-diz" de Tevershall. E não era só isso. Também romances à moda de Gaskell, George Eliot e Miss Mitford, com muitas coisas que essas nobres damas omitiram em suas obras. Mrs. Bolton punha no chinelo todos os livros que pintam a vida popular. Conhecia intimamente toda a população da aldeia e interessava-se calorosamente pelas suas pequenas aventuras. Era maravilhoso ouvi-la, embora um tanto humilhante. No começo não se animava a falar sobre o "tema Tevershall", como ela dizia. Mas, depois que penetrava no assunto, que ímpeto! Clifford, sempre à cata de "material", tinha-o com fartura. Constance notara que a pretensa genialidade do marido consistia exatamente nisso – no talento perspicaz dos que sabem tirar partido dos falatórios ouvidos. Mrs. Bolton dava tudo de si quando o assunto era Tevershall: "embalava". Quanta coisa lá se passava! E tudo ela sabia! Matéria para uma dúzia de volumes.

Constance escutava-a com profundo interesse, embora depois sentisse vergonha daquilo – vergonha de ouvir aquilo com tão furiosa curiosidade. Porque, afinal de contas, podemos ouvir a história íntima dos outros, mas com espírito de respeito, de delicada e compreensiva simpatia por aquilo que luta e sofre – a alma humana. A própria sátira não passa de uma forma de simpatia. O modo como a nossa simpatia se espalha ou se encolhe é que realmente determina nossas vidas. Daí o imenso valor do romance quando bem empregado. Pode canalizar a onda da nossa simpatia para este ou aquele rumo, ou retirá-la daquilo que se tornou caduco. O romance bem empregado pode revelar os mais íntimos segredos da vida. É sobretudo nos desvãos secretos da *paixão* que a onda de sensibilidade deve ser revigorante.

Já o romance como simples mexerico também pode excitar simpatias e desdéns insinceros, mecânicos, mortais para a alma. Pode glorificar os sentimentos mais corrompidos, contanto que eles permaneçam *convencionalmente* puros. E então, o romance, como o mexerico, torna-se vicioso, e tanto mais vicioso quanto mais finge estar do lado dos anjos. O mexerico de Mrs. Bolton estava sempre do lado dos anjos. "E ele não era *sério* e ela era tão *direita*", dizia; mas, ao contrário disso, e mesmo com base nas próprias histórias de Mrs. Bolton, Constance via que a heroína não passava de uma melosa e o herói de um bruto. A questão era que uma honestidade brutal tornava o homem "não sério" e umas falas melosas tornavam a mulher "direita" – isso no canal vicioso para onde Mrs. Bolton desviava as suas simpatias.

Por isso é que esse mexerico é vergonhoso, e a maioria dos romances, sobretudo os de sucesso, é uma vergonha: o público gosta apenas do que lisonjeia os seus vícios.

O mexerico de Mrs. Bolton, entretanto, dava uma nova visão de Tevershall. Que horrível caldeirão de vida sórdida! Nada da chatice grisalha que a gente imagina ao ver a aldeia de longe. Clifford conhecia de vista quase todos os heróis daquelas narrativas, e Constance apenas alguns. Mas a impressão era de ser aquilo muito mais uma floresta africana do que uma aldeia da Inglaterra.

– Creio que já sabem que Miss Allsopp casou-se na semana passada. Imaginem só! Miss Allsopp, a filha do velho James Allsopp, o sapateiro. Tinham construído uma casa em Pye Croft. O velho morreu no ano passado de uma queda; 80 anos e lépido como um rapaz! Escorregou numa encosta de Bestwood, numa trilha de neve que as crianças tinham feito no último inverno, e foi o fim. Pobre velho! Não é triste? Pois bem, deixou todo o seu dinheiro para Tattie e nem um vintém para os filhos homens. E Tattie, eu sei, fez 53 anos no outono. E como eram religiosos, meu Deus! Tattle freqüentou a escola dominical durante trinta anos, isto é, até à morte do pai. Depois começou a andar com um homem de Kinbrook, não sei se o conhecem, já velho, com pretensões a bonitão, chamado Willcock, que trabalha na serraria do Harrison. Homem de uns 65 anos, no mínimo, mas quem os visse juntos os tomaria por um casal de pombinhos; abraçavam-se na sacada, ela sobre os seus joelhos, à janela, sem a mínima consideração por quem passasse pela estrada de Pye Croft. E esse homem tem filhos de quarenta e tantos, e perdeu a esposa há menos de dois anos! Se o velho Allsopp não saiu da cova foi porque não pôde, ele que educara os filhos com tanto rigor. Agora casaram-se e foram viver em Kinbrook, e dizem que ela anda de robe de manhã à noite, um verdadeiro escândalo! Imaginem só a conduta desses dois velhos! São bem piores que os jovens. Para mim, a culpa é do cinema. Digo sempre: vão ver as fitas instrutivas, mas, pelo amor de Deus, fujam desses melodramas de amor. Em todo caso, não deixem que as crianças os assistam. Mas, vejamos: os adultos são piores que as crianças, e os velhos são os piores de todos. Fale-se em moral. Ninguém escuta, todos fazem o que querem e nada acontece. Mas terão de mudar de rumo, agora que as minas estão em crise e não há dinheiro. E como se queixam! O pior é com as mulheres. Os homens são mais pacientes. Que podem fazer, os coitados? Mas as mulheres! Tudo por causa da figuração. Elas contribuem com donativos para um presente à princesa Mary e, quando sabem dos presentes magníficos do casamento da princesa Mary, ficam loucas. "Ela não vale mais que nós. Por que Swan & Edgar* não dão a mim um manto de peles em vez de darem seis à princesa? Eu o que sinto é ter contribuído com os meus 10 xelins. O que é que ela me vai dar, digam-me? Não posso nem comprar um casaco de primavera, por falta de dinheiro, e ela recebe mantos de pele aos montes. É tempo de os pobres terem dinheiro para gastar. Os ricos já o estão gastando há muito tempo. Preciso de um casaco novo para a primavera: e como hei de consegui-lo?"

"Eu lhes respondo – continuou ela: – "Contentai-vos com estardes bem alimentadas e decentemente vestidas, sem nenhuma dessas inutilidades que tanto ambicionais". E se voltam contra mim: "Por que a princesa Mary não se contenta com os seus trapos velhos? Criaturas como ela recebem carregamentos de vestidos e eu não posso ter um capote de primavera! É vergonhoso! Uma princesa! História! Só o dinheiro conta, e, como tem dinheiro aos montes, dão-lhe ainda mais. A mim ninguém me dá nada, e, no entanto, tenho direito como ela. Não me falem em educação. Só o dinheiro é que conta. Preciso de um capote de primavera e em casa não há dinheiro." É só no que pensam, nas roupas. Acham naturalíssimo darem 7 ou 8 guinéus por

*Loja de departamento londrina.

um capote de peles... elas, simples filhas de mineiros; e 2 guinéus por um gorro de criança. E vão à igreja metodista com chapéus de 3 guinéus, essas moças que no meu tempo se mostrariam orgulhosas de ter um chapéu de 3 xelins*! Este ano vão comemorar o aniversário da igreja medotista; haverá uma espécie de grande tribuna, quase da altura do teto, para uso das crianças da escola dominical. Pois bem, ouvi Miss Thompson dizer (ela é quem dirige a primeira classe de meninas da escola) que veremos nessa tribuna mais de 1.000 libras em roupas novas. E os tempos são os que sabemos! Mas ninguém pode detê-las. Roupas e mais roupas. E os rapazes também. Gastam com roupas tudo quanto ganham. Roupas, cigarros e bebidas, e corridas em Sheffield. Ah! O mundo está bem mudado! E não há medo de ninguém, nem respeito por ninguém, da parte dos rapazes. Os velhos são mais prudentes e mais pacientes, deixam que as mulheres lhes tomem tudo. Mulheres! Verdadeiros demônios. Mas os rapazes não são como os pais. Não se privam de nada. Tudo há de ser para eles. Se alguém os aconselha a guardarem suas economias para o casamento, respondem: "O casamento que espere. Quero divertir-me o quanto puder." Ah! Como são brutos e egoístas!

Clifford começava a ver sua aldeia sob novas luzes. Sempre tivera medo dela, mas julgava-a em adormecido repouso. Agora...

– Há muito socialismo e bolchevismo em Tevershall? – perguntou.

– Oh! – respondeu Mrs. Bolton. – Só falam nisso alguns petulantes. Mas as mulheres fazem dívidas e se revoltam. Creio que os homens de Tevershall nunca virarão comunistas. São honestos demais para tanto. Os rapazes

---

 *Um guinéu equivale a 21 xelins. (*N. da R.*)

inclinam-se um pouco, mas só na superfície. Tudo o que querem é dinheiro para o cabaré e as corridas. Só quando não têm dinheiro é que vão ouvir os belos discursos dos vermelhos. Mas, no fundo, ninguém acredita nisso.

– A senhora então acha que não existe perigo?

– Oh, não! Enquanto os negócios prosperarem, não haverá perigo; mas, se tudo correr mal por muito tempo, os rapazes virarão a cabeça. É o que digo: egoístas e mimados. Não levam nada a sério, exceto os carros e os bailes de Sheffield. Os melhores vestem o smoking e vão aos salões de dança de Sheffield exibirem-se diante das moças e pularem novos charlestons e não sei mais o quê. Não levam nada a sério, salvo o jogo nas corridas. E o futebol! Mas mesmo o futebol já não é o que era, degenerou. Muito pesado, dizem eles. Não; aos domingos preferem ir de carro a Sheffield ou a Nottingham.

– E o que fazem lá?

– Passeiam, tomam chá nas casas chiques, como o Micado, vão ao Palácio das Danças, ou ao cinema, ou ao Empire, sempre com meninas. As moças são tão livres como os rapazes. Fazem tudo o que querem.

– E quando não há dinheiro para isso?

– Arranjam. De um modo ou de outro, arranjam. Por isso não vejo como possa vir o bolchevismo, porque tudo o que os rapazes querem é dinheiro para diversões e roupas, e o mesmo se dá com as moças. Não são bastante inteligentes para serem socialistas. Não levam nada a sério.

Ouvindo isso, Constance refletia que as classes baixas se assemelhavam imensamente às altas. A mesma coisa sempre: Tevershall, Mayfair ou Kensington. Só existe realmente uma classe: a dos que têm dinheiro. A diferença está só numa coisa: na quantidade de dinheiro.

As minas de Tevershall já tinham tido o seu apogeu. Deram muito dinheiro. Estavam agora morrendo. Os homens abandonaram-nas.

– Muitos de Tevershall se foram para Stacks Gate – disse Mrs. Bolton. – Sabe das usinas de Stacks Gate, Sir Clifford, abertas depois da guerra? Oh! Valia a pena ir vê-las. Usinas químicas na boca dos poços, sem nada que lembre as velhas minas de carvão. Dizem que sai mais dinheiro dos produtos químicos do que do carvão. E as novas casas para os mineiros, verdadeiros palácios! Ora, isso atrai gente. Muitos homens de Tevershall lá ganham hoje a vida, e a levam bem melhor que os que não foram. Tevershall está no fim. Mais uns anos e as minas fecham. No meu tempo de menina, tudo era prosperidade. A melhor mina do país. Hoje só se fala que aquilo é um navio que afunda e que é tempo de fugir dali! Uma mina de carvão que morre lembra a própria morte. Meu Deus, o que será de nós se a mina fechar? Nem quero pensar nisso...

Foi essa conversa de Mrs. Bolton que despertou em Clifford novo espírito de luta. Sua renda era considerável e segura, não dependia das minas. O que no fundo o interessava não eram essas minas, porém o mundo da literatura e da glória. O mundo do sucesso, não o do trabalho.

Agora, porém, começava a compreender a diferença entre o êxito da popularidade e o do trabalho; como também a diferença entre a ralé do prazer e a do trabalho. Ele, Clifford, só havia agido para satisfazer as necessidades da ralé do prazer – e tinha-o conseguido. Mas sob esta ralé do prazer estava a do trabalho – sinistra, negra, terrível. Era preciso que alguém lhe satisfizesse as necessidades – tarefa muito mais dura que a outra. Enquanto ele escrevia contos e "vencia", Tevershall ia ao diabo.

Clifford percebera que a deusa-cadela do êxito tinha dois grandes apetites: o da lisonja, da adulação, da carícia –

algo que os artistas e os escritores lhe davam – e o apetite por carne e osso. E a carne e o osso destinados à deusa-cadela só eram conseguidos pelos homens que ganhavam dinheiro na indústria.

Sim, havia duas grandes matilhas que perseguiam a deusa-cadela: o grupo dos bajuladores que oferece entretenimento – contos, filmes, peças de teatro –, e outro, em menos evidência e mais cruel, que fornece a carne – a substância real do dinheiro. Os enfeitados e vistosos cães do prazer arreganham os dentes e disputam entre si os favores da deusa-cadela; mas isso não é nada diante da silenciosa guerra mortal entre os fornecedores de carne.

Sob a influência de Mrs. Bolton, Clifford sentia ímpetos de entrar nessa luta, para ele nova, de apoderar-se da deusa-cadela pelo meio violento da luta industrial. Mrs. Bolton estava fazendo dele um homem, coisa que Constance não conseguira. Constance o conservava à parte, o tornava sensível e cônscio de si mesmo e de seus estados de alma. Mrs. Bolton chamava-o para o mundo exterior. Por dentro Clifford começava a amolecer, mas, por fora, começava a existir.

Forçou-se mesmo a uma visita à mina, e lá fez-se descer e percorrer todas as galerias. Coisas que vira antes da guerra e esquecera ressurgiram ante seus olhos. Lá estava ele, numa cadeira de inválido, examinando os filões que o diretor da mina lhe mostrava à luz de poderosa lâmpada. Clifford pouco falava, mas seu cérebro fervia.

De volta, começou a ler obras técnicas sobre a indústria hulheira; estudou os relatórios do governo e leu as últimas publicações alemãs sobre a química do carvão e do xisto. Muito naturalmente, as descobertas de maior valor eram mantidas sob segredo do engenho e da habilidade quase doentia do espírito técnico moderno, que nos surge como coisa do diabo. Muito mais interessante essa ciência industrial do que a literatura e a arte, pobres atividades sujeitas às emoções e boas apenas para os fracos de espírito. No domínio industrial os homens assemelham-se aos deuses, ou a demônios tomados de inspiração – a inspiração das descobertas.

Tanto pior. Que nos aspectos espiritual e emotivo a humanidade houvesse caído no último grau de estupidez era coisa que Clifford não podia remediar. Que fosse tudo para o diabo! O que lhe interessava agora eram a indústria do carvão e o reerguimento de Tevershall.

Passou a visitar diariamente os poços, a estudá-los, a pôr os diretores em apertos que eles nunca julgaram possíveis. Um sentimento novo, de poder, o animava: poder sobre todos aqueles homens – centenas e centenas. Clifford investigava e pouco a pouco ia tomando tudo na mão.

Parecia na verdade renascer. Sentia em si, *agora*, a vida. Com Constance sentira-se morrer aos poucos no ambiente recluso do artista. Já agora deixava que tudo isso se fosse. Sentia-se tomado de vida – da vida do carvão, da vida dos poços. O próprio ar maléfico das minas deixava-o melhor que o oxigênio: dava-lhe uma estranha sensação de poder.

Sim, pusera-se a *fazer* – a fazer coisas. Ia vencer – vencer! Não como vencera na literatura, mesquinha vitória de uma publicidade esgotadora das energias e da malícia, mas uma verdadeira vitória de homem.

A princípio admitiu que acharia a solução na eletricidade: converter o carvão em força elétrica. Teve depois outra idéia. Os alemães haviam inventado a locomotiva que dispensa o foguista, alimentada por um novo combustível de lento consumo e grande energia. Essa idéia do novo combustível concentrado dominou-lhe a atenção. Começou a fazer experiências com a colaboração de um jovem de brilhantes credenciais no estudo da química.

Clifford triunfava. Havia, afinal, saído de si mesmo. Havia, afinal, realizado o secreto desejo de sair de si mesmo. A arte de nada lhe servia; só contribuía para piorar as coisas. Agora, sim, ia realizar seus desejos.

Mas Clifford ignorava quanto Mrs. Bolton o sustinha e quanto dependia dela. Ao lado da enfermeira, sua voz se tornava íntima e quase vulgar.

Com a esposa lidava com mais rigidez. Reconhecia dever tudo a Constance e testemunhava-lhe o maior respeito, em reciprocidade ao que recebia dela – mas tudo exterioridades. Era evidente que, lá no íntimo, a receava. O Aquiles existente nele tinha um calcanhar vulnerável, e nesse calcanhar a mulher, uma mulher como Constance, poderia feri-lo mortalmente. Tratavam-se com extrema amabilidade, mas diante dela sua voz trazia tensão. E muitas vezes silenciava quando pressentia a sua presença.

Unicamente com Mrs. Bolton Clifford sentia-se verdadeiramente senhor, conversando com ela com a mesma facilidade com que a enfermeira se introduzira no solar. E permitia-lhe que o barbeasse, e lhe passasse a esponja pelo corpo, como se ele realmente fosse criança.

## 10

Constance vivia agora mais solitária do que nunca. Diminuíram as visitas a Wragby – Clifford já não as desejava. Preferia o rádio, que instalara com todos os aperfeiçoamentos. Madri e Frankfurt chegavam até ali apesar da má atmosfera da região.

Ficava horas ouvindo as irradiações com grande tormento para Constance. Plantava-se diante do aparelho como que em alucinação, o olhar vazio de quem perde a consciência, escutando aquela coisa prodigiosa.

Será que ele estava mesmo escutando? Ou era uma espécie de soporífero em que imergia enquanto outra coisa se passava nele? Constance não o saberia dizer. Refugiava-se em seu quarto ou na floresta. Uma espécie de terror a invadia às vezes – o pânico dessa demência invasora da civilização.

Depois que Clifford pegou a doença da atividade industrial e se tornou um ser de dura carapaça utilitária por fora e de polpa mole por dentro, um desses extraordinários moluscos do mundo industrial e financeiro, Constance viu-se completamente perdida.

Perdera até a liberdade, porque Clifford a queria sempre perto dele. A idéia de Constance abandoná-lo produzia-lhe terror. A polpa mole interna tinha necessidade dela. Uma necessidade infantil, quase idiota. Era preciso que em Wragby figurasse Lady Chatterley, sua mulher. Do contrário, sentiria-se perdido como um idiota no deserto.

Com verdadeiro horror Constance compreendeu tudo. Via o marido falar aos diretores das minas, ao conselho administrativo, a jovens sábios e sentia-se consternada diante da perspicácia de Clifford e do seu estranho poder sobre os homens que o mundo chama de práticos. Tornara-se ele mesmo um homem prático, extraordinariamente perspicaz e poderoso – um dominador. E Constance via a influência de Mrs. Bolton nessa mudança do marido.

Mas esse homem prático e perspicaz tornava-se um idiota quando se via diante de sua vida emotiva. Adorava Constance como a uma divindade, um ser superior, e lhe votava uma curiosa e abjeta idolatria de selvagem, um culto baseado no medo imenso e também no ódio que lhe inspirava o poder do ídolo. Tudo o que pedia era que Constance não o abandonasse.

– Clifford – disse-lhe ela (depois de ter obtido a chave da cabana) –, você quer mesmo que eu tenha um filho?

Ele a encarou com os olhos pálidos um pouco salientes que traíram inquietação.

– Isso me seria indiferente, caso nada mudasse entre nós.

– Como nada? – indagou ela.

– Nada mudasse entre nós, em nosso afeto de um pelo outro. Se for para haver mudança, já não é a mesma coisa que venha um filho. Além do que eu mesmo poderei ter um filho, um dia...

Ela o encarou espantada.

– Um dia, eu disse – repetiu ele.

Diante da persistência do olhar da esposa, Clifford sentiu-se mal.

– Então não ficaria satisfeito que eu tivesse um filho? – continuou ela.

– Repito que não quero outra coisa – volveu ele precipitadamente –, contanto que seu amor por mim não seja atingido. Caso contrário, oponho-me veementemente a isso.

Constance, fria de terror e desprezo, nada achou que dizer. Aquelas palavras eram de um idiota. Positivamente ele já estava perturbado.

– Oh! Isso não mudaria em nada os meus sentimentos por você –, disse ela por fim com certa ironia.

– Está muito bem. Nesse caso, não vejo nenhum inconveniente. Seria encantador termos aqui uma criança brincando pela casa, uma criança a quem pudéssemos assegurar o futuro. Meus esforços teriam um fim. E como seria o filho de minha mulher, seu filho, eu o consideraria meu também. Porque em tais assuntos quem conta é você. Não tenho voz no caso; sou zero. Em questão de vida, o

Grande Ser é você. Não é assim? Quero dizer que só por você sou alguma coisa. Vivo para você e seu futuro. Por mim não sou nada.

Constance o ouvia com repulsa e contrariedade crescentes. O que ele dizia era uma dessas horrendas semiverdades que envenenam a existência humana. Poderia um homem de bom senso propor aquilo à sua mulher? Que homem dotado de alguma honra lançaria às costas de sua mulher esse abominável fardo de responsabilidade, deixando-a no vácuo?

Ademais, meia hora depois Constance viu Clifford conversar com Mrs. Bolton numa voz calorosa que revelava aquela espécie de paixão sem paixão que ele experimentava para com a enfermeira, como se ela fosse metade amante, metade ama-de-leite. Mrs. Bolton o vestia cuidadosamente para receber os convidados importantes, homens de negócios que vinham à noite.

Constance andava a ponto de morrer, fatalmente esmagada pelas mentiras maléficas e pela crueldade da idiotia. A habilidade de Clifford para negociar apavorava-a, e aquele pretenso culto da pessoa dela a aterrorizava. Porque não havia mais nada entre ambos. Um já não tocava no outro. Nem na mão. Estando assim completamente separados, aquelas declarações de idolatria a torturavam. Era a crueldade da impotência. Constance sentia-se perto de perder a razão.

Refugiou-se cada vez mais na floresta. Uma tarde em que estava ouvindo o murmúrio da fonte, Mellors, o guarda-caça, lhe apareceu.

– Já arranjei outra chave, minha senhora – disse ele fazendo a habitual saudação militar.

– Ah! Obrigada.

– A cabana não está muito em ordem, mas fiz o que pude – acrescentou ele.

– Mas não queria que se incomodasse.

– Não foi incômodo nenhum. Dentro de uma semana arrumarei lá as ninhadas, mas as galinhas não terão medo da senhora. Terei de vir cuidar delas com freqüência, mas procurarei não incomodá-la em nada.

O guarda-caça pousou nela os seus vivos olhos azuis, com ar distante. Tossiu.

– Está doente? – indagou Constance.

– Não é nada, um resfriado. Minha última pneumonia me deixou esta tosse que vem e vai.

Mellors conservava-se distante, evitando aproximar-se dela.

Constance passou a visitar a cabana com freqüência, pela manhã e à tarde, mas raramente o encontrava lá. Não havia dúvida que ele a evitava. Mellors insistiu na sua solidão.

Arrumara como pôde a cabana; colocou a mesinha e a cadeira junto à chaminé, amontoou lenha e gravetos e afastou os demais objetos de modo a apagar os seus vestígios daquele lugar.

Do lado de fora, perto da clareira, construiu um pequeno rancho de palha para abrigo dos faisõezinhos, e arrumou lá as gaiolas. Um dia, ao chegar, Constance encontrou duas galinhas sobre os ovos dos faisões, arrepiadas e orgulhosas da importante tarefa. Aquilo abateu-a. Sentiu-se inútil, sem função na vida, nem mesmo era fêmea como aquelas aves. – Que era ela senão um pobre canteiro de terrores?

As cinco gaiolas foram ocupadas por três galinhas vermelhas, uma cinzenta e uma negra. Todas se ajeitavam sobre os ovos no seu pesado e doce papel de fêmeas, e com os olhos brilhantes fiscalizavam a intrusa, com cacarejos de cólera, quando a viam aproximar-se demais.

Constance achou trigo na cabana e trouxe-o às galinhas na palma da mão. Todas recusaram e uma delas a bicou num dedo. Mas Constance insistiu em fazer qualquer coisa para aquelas mães chocadeiras que não comiam nem bebiam. Trouxe-lhes água numa vasilha. O fato de uma delas beber um gole deixou-a radiante.

Todos os dias vinha agora visitar as aves, única coisa no mundo que lhe reconfortava o coração. Os protestos idólatras de Clifford gelavam-na dos pés à cabeça. A voz de Mrs. Bolton e também aquele ir e vir de homens de negócios igualmente a gelavam. Gelavam-na ainda as cartas que recebia de Michaelis. E, certamente, estaria a ponto de morrer, se algo novo não ocorresse.

A natureza, entretanto, estava em plena primavera, com as campânulas florescendo nos bosques e os rebentos das árvores explodindo como uma chuva de gotas verdes. Não era terrível aquele fulgor da primavera em tudo, menos em seu coração gelado?

Constance sentia-se à beira do fim.

Certa tarde em que havia um delicioso sol ela foi à cabana; e diante de um dos ninhos viu um pinto para fora, o que provocou na mãe cacarejos aflitos. Constance abaixou para observá-lo e saiu em êxtase. A vida, a vida! A vida nova, pura, brilhante, sem medo. O pintinho não mostrava medo; passeou por ali e, retornando à gaiola, desapareceu sob as asas da galinha alvoroçada. E por entre a plumagem materna a sua cabecinha ficou espiando o cosmos.

Constance sentia-se encantada, mas nunca, como naquele momento, foi maior o seu desespero de mulher sem dono – desespero já intolerável.

Passou a ter um só desejo na alma: ir à clareira dos faisões. O restante não passava de sonho penoso. Mas muitas vezes tinha de ficar retida em Wragby pelos seus deveres de dona de casa.

Um dia, sem preocupar-se com a vinda de hóspedes, escapou depois do chá. Era já bem tarde. Atravessou o parque correndo, como se temesse algum chamado! O sol desaparecia quando penetrou na floresta.

Alcançou a clareira suando e quase inconsciente. Lá estava o guarda-caça de camisa, fechando as gaiolas dos faisõezinhos para o sono da noite. Três pintos ainda estavam de fora, desatentos aos apelos da galinha alarmada.

– Não pude evitar de vir ver estes amores – disse ela arquejante, com um tímido olhar para Mellors e quase inconsciente da sua presença. – Há novos?

– Ao todo, 36 – respondeu Mellors. – Não está mau.

Constance acocorou-se diante da última gaiola. Os três pintos retardatários vieram e sumiram-se sob a galinha. Por um momento suas cabecinhas reapareceram para espiar por entre as penas; por fim recolheram-se.

– Eu queria tanto pegá-los – disse Constance, e enfiou a mão, timidamente, através das grades. Mas recolheu-a logo, tal foi a bicada da mãe ciumenta.

– Como é brava! Esta galinha me odeia, a mim que nunca lhe fiz nada.

O guarda-caça ali perto começou a rir; depois acocorou-se ao lado dela e correu a mão pelo dorso da galinha, e lentamente deu um jeito de furtar um dos pintinhos.

– Aqui o tem – disse apresentando-o a Constance.

Ela pegou com carinho aquele átomo de vida palpitante; mas, mesmo assim, o pinto lançou um olhar agudo em redor, e pôs-se a piar.

– Como é adorável – disse ela – e impertinente!

O guarda-caça, de cócoras ao seu lado, tinha os olhos na cena; quando viu uma lágrima cair sobre o punho da moça. Levantou-se e foi para a outra gaiola. É que sentira reacender a velha chama, a chama que julgara para sempre extinta. E lutou contra ela, de costas voltadas para Constance. Mas a chama não esmoreceu.

Mellors voltou a olhar para Constance. Via-a ainda de joelhos, estendendo as duas mãos espalmadas para que o pintinho voltasse à sua mão. Havia nela qualquer coisa de tão mudo, de tão desolado, que suas entranhas de homem se comoveram. Sem saber o que fazia, aproximou-se de súbito, ajoelhou-se de novo ao seu lado, tomou o pintinho e o recolocou sob a galinha. No seu interior o fogo rebentou incoercível.

Olhou para Constance, que desviara o rosto e chorava copiosamente na agonia da sua geração perdida. E o coração do macho fundiu-se de repente. Mellors apoiou a mão no joelho de Constance.

Ela escondeu o rosto, o coração partido, indiferente a tudo.

A mão do guarda-caça pousou sobre o seu ombro e de leve deslizou-lhe pelas costas até a cintura num movimento carinhoso e inconsciente. Acariciou-a docemente, numa carícia instintiva e cega.

Constance havia apanhado o lenço e enxugava o rosto.

– Venha para a cabana – disse Mellors tranqüilamente.

E, segurando-a pelo braço, ergueu-a do chão e levou-a sem pressa para a cabana, só a largando quando a viu dentro dela. Afastou a mesa e a cadeira; tirou da caixa um cobertor militar escuro e o estendeu por terra. De pé, imóvel, Constance o olhava nos olhos.

Mellors tinha o rosto pálido e sem expressão, como o de um homem que se submetesse ao destino.

– Deite-se – disse ele, e fechou a porta, deixando o recinto em completa escuridão.

Com estranha obediência, Constance deitou-se, e sentiu a suave mão errante que a apalpava à procura do rosto, mão que acariciou docemente, com infinita calma. Depois sentiu o contato de um beijo na face.

Constance ficou estendida, completamente imóvel, numa espécie de sono. Estremeceu ao sentir a mão suave que, hesitantemente desajeitada, se metia entre suas roupas. Mão que soube despi-la como convinha. Sua leve calça de seda foi descida até os tornozelos. Depois, com um frêmito intenso de prazer, aquele homem tocou em seu corpo macio e lhe arrepiou o ventre com um beijo. Ia entrar, ia penetrar nela, na paz que era o seu corpo suave e imóvel. Foi um momento de paz perfeita essa penetração em corpo de mulher.

Constance permaneceu imóvel, numa espécie de sono, sempre numa espécie de sono. Atividade, orgasmo, só da parte dele; ela não fazia nada por si mesma. O aperto dos seus braços em torno dela, o vivo momento do seu corpo, o jato de sêmen dentro dela, tudo não passou para Constance de uma espécie de sono, do qual só começou a sair quando ele acabou e imobilizou-se sobre a sua carne.

Constance então espantou-se e vagamente interrogou-se por que motivo era aquilo necessário. Por que razão aquilo lhe tirara um grande peso e lhe dera paz? Então é assim?

Seu espírito atormentado de mulher moderna não se acalmava. Era verdade então? Sabia que, se ela se entregasse àquele homem, era verdade; mas, se contivesse a si mesma, não era verdade, não era nada. Constance sentia-se velha de milhões de anos. Não podia suportar o peso de si mesma. Ele que a tomasse.

O homem continuou deitado, em misteriosa imobilidade. Que experimentava? Em que pensava? Impossível saber. Era um estranho; não o conhecia. Não podia senão esperar, pois não ousava perturbar a sua misteriosa imobilidade. E ali estava ele, com os braços ao redor do seu corpo; ali estava aquele corpo sobre a sua carne úmida, tão próximo.

E completamente desconhecido. E, no entanto, não era inquietante. Sua própria imobilidade era tranqüilizante.

Constance compreendeu tudo isso quando ele despertou e saiu de cima dela. Foi como se a houvesse abandonado. Depois de recobrir-lhe as pernas com as saias, o homem ficou um instante de pé, abotoando-se. Abriu tranqüilamente a porta e saiu.

Aberta a porta, os olhos de Constance viram a lua brilhando por cima das carvalheiras. Ergueu-se rapidamente e se recompôs. Saiu da cabana. Havia sombras na terra, mas um céu de cristal. A claridade era mínima. Mellors, emergindo da sombra, aproximou-se dela.

– Quer ir? – indagou.

– Para onde?

– Eu a acompanharei até o portão do solar.

Ele arranjava as coisas a seu modo. Fechou a porta e seguiu-a.

– Não está arrependida? – perguntou no caminho.

– Não, não. E você?

– Arrepender-me disto? Oh! Nunca.

E depois de uma pausa:

– Mas há outras pessoas...

– Que outras pessoas?

– Sir Clifford. Os outros. Complicações.

– Que complicações? – interpelou Constance, levemente desapontada.

– É sempre assim. Tanto para a senhora como para mim. Há sempre complicações.

Mellors caminhava na sombra com passos firmes.

– Está arrependido? – perguntou ela.

– De certo modo – respondeu o guarda-caça, pondo os olhos no céu. – Eu julgava já estar livre de todas essas coisas. Agora recomecei...

– Recomeçou o quê?

– A vida.

– A vida! – repetiu Constance como um eco.

– É a vida – disse ele. – Não há meios de evitá-la. E evitar a vida significa morrer.

Constance não via as coisas assim. Entretanto...

– É o amor! – disse com alegria.

– Seja lá o que for – concluiu Mellors.

Caminharam em silêncio pela floresta imersa em sombras até o portão do parque.

– Mas você não me odeia, não é? – disse ela tristonhamente.

– Não, não – respondeu o guarda-caça, e subitamente apertou-a nos braços com a velha paixão que une os seres. – Não; para mim foi bom, foi bom. E para você?

– Para mim também – respondeu Constance, sem muita sinceridade, porque não havia sentido grande coisa.

Mellors abraçou-a de novo, calorosamente, dizendo:

– Se não houvesse tantos "outros" no mundo...

Ela riu. Pararam no portão, que foi aberto.

– Vou deixá-la aqui – disse ele.

– Sim.

Constance estendeu-lhe a mão que o guarda-caça tomou entre as suas.

– Quer que eu volte? – indagou ela.

– Claro! Claro!

Separaram-se; enquanto Constance atravessava o parque, Mellors seguia-a com os olhos, quase amargurado. Aquela criatura o tinha de novo ligado à humanidade, ele que tanto desejava a solidão. Custara-lhe, pois, a sua independência de homem que quer viver só.

Mellors mergulhou na floresta imersa na sombra. Tranqüilidade. A lua já desaparecera. Vinham de longe os rumores das usinas de Stacks Gate e as vozes do tráfego na estrada real. Lentamente subiu pela colina desnuda, de cujo topo podia ver a região – as fileiras de luzes de Stacks Gate, as luzinhas da mina de Tevershall, as luzes amarelas da aldeia –, luzes por toda parte, e lá adiante os clarões dos altos-fornos, a luz elétrica de Stacks Gate, intensa e má. Que indefinível brilho de malignidade havia naquelas lâmpadas! O mal-estar, o eterno temor das noites industriais do Midlands.

Desceu na sombra para o retiro do bosque, mas sabia que ainda o retiro do bosque era ilusão. Os ruídos industriais perturbavam seu isolamento. Não havia isolamento para ninguém, nem esconderijo. O mundo proíbe os anacoretas. E a dama do solar, agora, a lhe abrir um novo ciclo de dor e condenação... Porque Mellors sabia, por experiência, o que aquela aventura significava.

A culpa não era da mulher, nem do amor, nem do contato sexual; a culpa vinha lá de baixo, daquelas luzes maléficas, do diabólico ruído das máquinas. Lá, naquele mundo de máquinas ávidas, luzes e vômitos de metal em fusão, lá jazia o grande mal, sempre pronto para destruir tudo que não se adaptasse. Breve destruiria também a floresta – e nunca mais as campânulas floridas! Todas as coisas vulneráveis tinham de ceder diante da onda do ferro em marcha.

Mellors sentiu uma infinita ternura pela mulher que o chamara à vida. Podia ser que valesse bem mais do que supunha; e valesse muito mais do que o meio em que vivia. Pobre criatura! Tinha um pouco da delicadeza vulnerável dos jacintos silvestres; era toda flexível e reluzente como a mulher moderna. E eles a esmagariam, era certo, como esmagam toda vida natural e terna. Terna! Havia nela qualquer coisa de terno, de ternura dos jacintos – qualquer coisa que já não existe nas mulheres de papel de hoje. Ele a protegeria por algum tempo com o seu coração. Por pouco tempo – enquanto o insensível mundo do ferro e o Mammon* da avidez mecanizada não os esmagassem a ambos, tanto a ela como a ele.

Mellors entrou em seu casebre escuro, acendeu a lâmpada, fez fogo e devorou a sopa de pão e queijo acompanhada de cebolas e cerveja. Estava só naquele silêncio que lhe era tão caro. Seu quarto, em ordem e asseado, era frio, apesar do fogo que brilhava na lareira e no lampião suspenso sobre a mesa. Tentou ler um livro sobre a Índia; não conseguiu. Sentou-se junto ao fogo, sem fumar, a caneca de cerveja ao alcance da mão. Seu pensamento estava em Constance.

Para dizer a verdade, lamentava o ocorrido, menos por ele do que por ela. Tinha um mau pressentimento, mas nenhuma sensação de mal ou de pecado; sua consciência não o acusava de nada. Sabia que na maioria das vezes a consciência não passava de medo – medo da sociedade ou de si mesmo. Mellors não tinha medo de si mesmo, mas sim da sociedade, esse monstro malévolo e semilouco.

Ela! Se Constance pudesse estar ali com ele e sem mais ninguém no mundo! A chama do desejo reavivou-lhe novamente. Seu pênis fremiu como um pássaro. Ao mesmo tempo sentia-se acabrunhado pelo medo de expor-se, a si e a ela, a essa coisa exterior que brilhava maleficamente nas luzes industriais. Constance, a pobrezinha, não era para ele mais que uma jovem criatura fêmea – uma jovem criatura fêmea que ele havia penetrado e já a desejava de novo.

Mellors estirou-se, com um curioso bocejar de desejo; ergueu-se, pegou a espingarda, baixou a luz do lampião e saiu

---

*Mammon: A reverência a Mammon é a reverência ao dinheiro (Mateus 6:24: "Não podemos servir a Deus e a mammon"). (*N. da R.*)

com o cachorro para a noite estrelada. Impelido pelo desejo e pelo medo do Coisa Ruim, deu lentamente uma volta pela floresta. Adorava as trevas e nelas se envolvia. As trevas convinham à dureza tímida do seu desejo – desejo que, apesar de tudo, era uma riqueza; a palpitante inquietação do seu pênis, o fogo de suas entranhas! Oh! Se pudesse aliar-se a outros homens no combate da Coisa Ruim, a fim de preservar a terna doçura da vida, a terna doçura da mulher, a riqueza natural do desejo! Mas estavam lá embaixo os homens, ébrios da Coisa, triunfantes ou abatidos pela onda de avidez mecanizada.

Constance atravessara com rapidez o parque, sem pensar em nada. Ainda chegara a tempo para o jantar. Mas aborreceu-se de encontrar a porta trancada e de ter de tocar a campainha. Mrs. Bolton veio abrir.

– Ah! Chegou! Já estava com medo que se tivesse perdido no bosque – disse ela, com um pouco de malícia. Mas Sir Clifford não reclamou. Está com Mr. Linley, falando não sei de quê. Acho que ele janta aqui, não acha, Madame?

– Provavelmente – disse Constance.

– Será o caso de atrasar de 15 minutos o jantar? A senhora terá folga para vestir-se tranqüilamente.

– É o melhor.

Mr. Linley era o diretor-geral das minas, um homem do norte, já idoso, sem a energia necessária para acompanhar Clifford, mal adaptado às condições do pós-guerra e igualmente hostil aos mineiros do pós-guerra.

Linley ficou para jantar, e Constance mostrou-se a dona de casa que os homens querem, modesta e cheia de atenções e cuidados, com seus grandes olhos azuis e o ar de tranqüilidade que tão bem escondiam seus pensamentos secretos. Tanto representara aquele papel que o assimilara como segunda natureza. Enquanto o representava perdia a consciência de tudo.

Foi com paciência que esperou a hora de subir e entregar-se às suas cogitações. Sabia esperar: aparentemente, era este o forte de Constance.

Fechada no quarto, sentiu-se sob uma vaga confusão de espírito. Não sabia o que pensar. Que espécie de homem era Mellors no fundo? Teria realmente amor por ela? Não acreditava nisso. No entanto fora gentil. Havia nele qualquer coisa, uma espécie de gentileza quente e ingênua, estranha e súbita, que lhe forçava o sexo.

Mas Constance estava certa de que essa gentileza ele a demonstraria a qualquer outra. Entretanto, mesmo pensando assim, Mellors a apaziguava e reconfortava. E, depois, era apaixonado – são e apaixonado. Talvez não muito pessoal; com qualquer mulher teria sido o que fora com ela. Nada de pessoal nele. Para esse homem ela não passava de uma fêmea.

Talvez fosse melhor assim. Porque a fêmea nela subsistente nunca fora tomada por nenhum homem. Os que a amaram, amaram-lhe a personalidade, não a fêmea – que cruelmente desprezaram ou ignoraram. Os homens cortejavam Constance ou Lady Chatterley, mas desdenhavam o seu sexo. Já Mellors desdenhava Lady Chatterley para lhe acariciar docemente os seios de fêmea.

No dia seguinte, ela voltou à floresta. Era uma tarde cinzenta e quieta. Todas as árvores se encontravam no esforço silencioso de expandir rebentos. Constance sentiu no sangue o impulso forte da seiva subindo pelas árvores macias, mais alto, sempre mais alto, até os menores ramos, para aí abrir-se em folhas, como maré montante que ascende os céus.

Chegando à clareira, não encontrou lá o guarda-caça. Não contava muito com isso. Leves como insetos, os pintos corriam para longe das gaiolas em que as galinhas-mães cacarejavam, aflitas. Constance esperou. Nem mesmo dava atenção aos pintos. Esperava.

O tempo corria com lentidão, como em sonho, e ele não vinha. Nunca vinha àquela hora. Era necessário que ela voltasse para o chá, mas teve de se esforçar para sair dali.

Ao transpor o portão do castelo, uma chuva fina começou a cair.

– Chovendo outra vez? – disse Clifford vendo-a sacudir o chapéu.

– Um chuvisco leve.

Constance preparou o chá em silêncio, absorvida numa espécie de obstinação. Queria ainda naquela tarde rever o guarda-caça para verificar se era mesmo verdade. Se era mesmo verdade que amara a fêmea e não a lady.

– Pode ler para mim depois do chá? – perguntou Clifford.

Ela o encarou. Suspeitaria de algo?

– A primavera me deixa esquisita. Quero repousar um pouco.

– Está bem. Mas está sentindo alguma coisa?

– Não. Cansada, apenas. É a primavera. Quer que chame Mrs. Bolton para uma partida?

– Não. Prefiro o rádio.

Constance notou um leve tom de satisfação em sua voz. Subiu. Chegava até seus aposentos o berreiro do rádio. Vestiu o capote de chuva e esgueirou-se por uma porta lateral.

A garoa parecia velar o mundo, misteriosa, abafada. Não fazia frio. Constance afogueou-se com a pressa a ponto de ter de desabotoar o capote.

Ninguém na clareira. Os pintinhos já estavam recolhidos sob as asas das mães solícitas; um ou dois apenas ainda piavam lá.

Sim, ele não viera. Teimava em não vir, ou então... E se ela o fosse procurar em casa?

Mas Constance nascera para esperar. Abriu a cabana com a sua chave. Tudo em ordem, o trigo na caixa, as cobertas dobradas, a palha bem arrumada a um canto. A mesa e a cadeira haviam sido repostas lá onde se deitara.

Sentou-se no tamborete, perto da porta. Como tudo estava tranqüilo! A chuva miudinha caía suavemente no ar parado. As árvores eretas como seres poderosos, vagos, crepusculares e vivos. Como tudo estava tão vivo!

A noite vinha chegando e ele a evitava! Tinha de regressar! Súbito, Mellors apareceu na clareira, encapotado como um motorista, todo brilhante de umidade. Lançou um rápido olhar à cabana, fez uma saudação e aproximou-se das gaiolas. Fechou-as, depois de recolhidos os dois pintinhos retardatários. E por fim:

– Então veio? – disse-lhe em dialeto.

– Vim – respondeu ela. – Mas você se atrasou.

– É verdade – e seus olhos se desviaram para a floresta.

Constance ergueu-se vagarosamente, afastando de si o tamborete.

– Quer entrar? – indagou.

Mellors olhou-a penetrantemente.

– Não irão achar estranho, se a senhora vier aqui todas as tardes?

– Por quê? – perguntou sem compreender. – Eu disse que vinha. Ninguém sabe de nada.

– Logo saberão, e então como será?

Constance não soube o que responder.

– Por que saberão? – disse por fim.

– Sabe-se sempre – afirmou ele em tom decisivo.

Ela hesitava, com um leve tremor nos lábios.

– Que hei de fazer?

– Poderá não vir, se quiser.

– Mas quero vir.

Mellors calou-se, com os olhos desviados para a floresta.

– Mas o que fará quando souberem? Pense nisso. Pense na humilhação. Um criado do seu marido...

Constance pôs os olhos em seu rosto desviado para a floresta.

– Será que... será que não me quer?

– Pense. O que vai fazer se souberem, Sir Clifford e todos...

– Poderei ir-me embora.

– Para onde?

– Não importa para onde. Tenho o meu dinheiro. De minha mãe herdei 20 mil libras em que Clifford não pode tocar. Poderei deixar o solar.

– Mas se por acaso não quiser sair?

– Sim, vou querer. Pouco me importo com o que possa acontecer.

– Pensa que é assim? Há de se importar. Ninguém escapa disso. Não esqueça que é Lady Chatterley e eu um guarda-caça. Seria outra coisa se fosse um fidalgo. Não, não; a senhora não terá coragem de ir-se.

– Sim, irei. Não dou importância ao fato de ser Lady Chatterley. Tenho até horror disso. Não levo a fidalguia a sério. Você mesmo não leva a sério o meu título.

– Eu?

Pela primeira vez ela o fitou nos olhos.

– Eu de nenhum modo deixo de levá-la a sério.

Seus olhos tornaram-se sombrios, as pupilas dilatadas.

– Despreza os riscos? – disse ele com voz rouca. – Não devia desprezá-los. Depois poderá ser tarde.

Havia em seu tom algo de prece, de advertência.

– Mas nada tenho a perder – disse ela com despeito. – Se soubesse da minha vida, compreenderia que não perderei nada. Mas quem sabe você tem medo?

– Sim, tenho medo. Tenho medo, tenho medo de coisas...

– Que coisas?

Mellors virou o rosto para indicar o mundo exterior.

– As coisas, o mundo. Todos, tudo.

Depois inclinou-se e de súbito beijou-a.

– Mas também não me importo. Aproveitemos o momento. Tanto pior para os outros. Mas se algum dia a senhora vier a arrepender-se...

– Não me repita isso – implorou ela.

Mellors tomou-lhe o rosto e beijou-a novamente.

– Entremos – disse. – Tire a capa.

Pendurou a espingarda, tirou o capote impermeável e desdobrou as cobertas de cima da mesa.

– Trouxe outro cobertor para o caso de querermos nos cobrir.

– Não posso ficar muito tempo – disse ela, – o jantar é às sete e meia.

Mellors consultou o relógio.

– Está bem.

Fechou a porta e acendeu a lanterna. Em seguida dispôs cuidadosamente os cobertores, dobrando um à guisa de travesseiro. Sentou-se no tamborete e atraiu-a para si; com uma das mãos a segurava e com a outra procurava a sua nudez. Ela ouviu-o reter o fôlego, quando a encontrou. Constance viera nua dentro do vestido leve.

– Ah! Como é bom apalpá-la! – disse-lhe ele acariciando a pele delicada, quente, secreta, da cintura e das ancas. Baixando a cabeça, esfregou o rosto em seu ventre e nas coxas, insistente. E, ainda uma vez, Constance espantou-se dessa espécie de arrebatamento que o empolgava. Não percebia a beleza que aquele homem achava nela ao tocar o seu corpo nu. Só a paixão compreende isso. Quando está morta a paixão, ou não existe, o magnífico choque que a beleza produz torna-se incompreensível, e até um tanto desprezível. Constance sentia nas coxas, no ventre, nas nádegas, o doce atrito do rosto daquele homem, a aspereza do seu bigode; e seus joelhos puseram-se a tremer. Longe, muito longe, no fundo de si mesma, ela sentiu palpitar algo novo, como o emergir de uma beleza nova. E quase teve medo. Quase não desejou que ele a acariciasse assim. Sentia-se empolgada, agarrada. E entretanto esperava, esperava.

E quando ele a penetrou, num deleite de pura paz, continuou a esperar. Sentia-se como posta de lado – e em parte por culpa sua. Sempre quis a separação do gozo – e talvez agora estivesse para sempre condenada a isso... E permaneceu imóvel, sentindo os movimentos do macho dentro de si, a concentração e, depois, o súbito espasmo que a inundou de sêmen. Depois, a lenta lassidão. Mas aquele arranque das nádegas, por certo, era um tanto ridículo. Para uma mulher que assiste ao ato, o jogo das nádegas masculinas devia ser supremamente ridículo. Sim, o homem é profundamente ridículo na postura e no ato do amor.

Mas Constance permaneceu imóvel, sem recuar. Mesmo depois que ele terminou , não teve ânimo de procurar obter a sua própria satisfação, como fazia com Michaelis. Permaneceu imóvel, com lágrimas a lhe correrem dos olhos.

Também ele se imobilizara, mas apertava-a firme, procurando aquecer-lhe as pernas, aquelas pobres pernas ao léu, cobrindo-as com as suas. Estava deitado em cima dela, aquecendo-a com o seu calor.

– Está com frio? – perguntou com voz doce, sentindo-a tão próxima de si, ela que se sentia tão distante.

– Não! Mas tenho de ir-me embora – respondeu Constance com doçura.

Ele suspirou, apertou-a ainda mais, depois soltou-a. Não adivinhava suas lágrimas. Julgava-a ali como ele.

– Tenho de ir já – disse ela ainda.

Seus olhos tornaram-se sombrios, as pupilas dilatadas.

– Tenho de ir já – repetiu ela.

Mellors ergueu-se, ajoelhou-se ao seu lado por um momento, beijou-lhe o vão das coxas, desceu suas saias e arrumou a si próprio, sem nada pensar, sem mesmo afastar-se de junto dela.

– É preciso que vá um dia à minha casa – propôs-lhe, olhando-a com um olhar quente, seguro, à vontade.

Mas Constance permanecia inerte, olhando-o e meditando. Um estranho! Um estranho! E revoltava-se.

Vestindo a capa de motorista, Mellors pegou o chapéu e lançou a espingarda ao ombro.

– Venha! – disse-lhe, sempre a olhá-la daquele modo quente e sereno.

Constance ergueu-se lentamente. Não tinha vontade de partir. Também não desejava ficar. Ele a ajudou a pôr a capa e a compor-se.

Depois abriu a porta. Estava completamente escuro lá fora. O cachorro, que pacientemente esperava na varanda, ergueu-se com alegria ao vê-lo. A garoa continuava. Tudo escuro lá fora.

– É preciso levar a lanterna – disse Mellors. – Não encontrará ninguém.

Seguiu adiante dela pela trilha estreita, com a lanterna oscilando rente ao chão. A luz clareava as ervas úmidas, as raízes brilhantes como serpentes, as flores pálidas. Tudo mais era névoa e escuridão.

– Venha um dia à minha casa – propôs de novo. – Você vem? Perdido por um, perdido por mil.

Constance surpreendia-se de que ele a desejasse com tanta persistência; nada havia de comum entre ambos; nunca sequer conversaram e ela detestava o seu dialeto. Mellors fez o convite numa fala grosseira, como se estivesse se dirigindo a uma mulher do povo. Uma ramagem bem conhecida de Constance, no caminho, assinalava o lugar onde estavam.

– São sete e quinze – disse ele. – Vai chegar a tempo.

Mellors mudara de voz, como se estivesse distante. Na última curva da trilha, já perto do portão, apagou a luz.

– Não precisamos mais da lanterna – disse ele, dando-lhe o braço.

Não era fácil caminhar sem a luz, mas o guarda-caça ia achando o caminho pelo tato. Já estava habituado. No portão deu a ela a lanterna de bolso.

– Está um pouco mais claro no parque, mas leve a lanterna para não se perder.

Sim, havia no parque como que uma névoa funérea. De súbito ele a atraiu para si e insinuou sob suas saias a mão fria e úmida. Apalpou sua carne quente.

– Tocar uma mulher como você é de matar um homem – disse com voz rouca. – Se pudesse ficar mais um pouco...

Constance afastou-se, mas na mesma hora voltou-se para ele.

– Beije-me – pediu.

Mellors beijou-a nos olhos. Constance apresentou-lhe os lábios que ele também beijou – mas retraiu-se imediatamente. Não gostava de beijar na boca.

– Voltarei amanhã – disse ela, afastando-se. E acrescentou: – Se puder.

– Sim, mas não venha tarde – pediu ele do fundo das trevas, já quase invisível.

– Boa noite – disse Constance.

– Boa noite, madame.

Ela parou, com os olhos voltados para o escuro onde o guarda-caça desaparecera. Ainda distinguia a sua silhueta.

 – Por que fala assim? – indagou.

– Nada. Boa noite! Corra!

Encontrando a porta lateral aberta, Constance entrou no solar. Mal se viu dentro, soou o gongo chamando para o jantar. Mas tinha de tomar um banho antes. Era-lhe necessário o banho. "É a primeira vez que vou me atrasar", pensou consigo. "Que droga..."

Não foi no dia seguinte à floresta por ter de acompanhar Clifford a Uthwaite. Ele já saía de carro. Arranjara um motorista musculoso que, em caso de necessidade, o tiraria do carro nos braços. Clifford ia visitar seu padrinho Leslie Winter, que morava em Shipley Hall, perto de Uthwaite. Um velho cavalheiro que enriqueceu com o carvão no reinado de Eduardo VII, o qual viera mais de uma vez caçar ali. Solteirão, vivia em Winter num esplêndido castelo muito bem-tratado, mas sitiado pelas minas. Gostava de Clifford, embora se envergonhasse de vê-lo na literatura, com o retrato nos jornais. Um *dandy* da escola do rei Eduardo, para quem a vida e a arte de escrever eram tudo... enfim, uma tolice. Muito galanteador de Lady Chatterley. Achava-a encantadora, virginal, reservada, excelente para um homem que não era homem. Pena que não tivesse chance de ter um filho, já que necessitava de um herdeiro para Wragby. Também ele não tinha herdeiro.

Constance pensou consigo sobre o que diria esse homem se soubesse que o guarda-caça de Clifford a penetrava e lhe dizia em grosseiro dialeto: "É preciso que venha um dia à minha casa." Certamente passaria a detestá-la e a desprezá-la, porque Winter não admitia o avanço da classe operária. Se ela escolhesse um amante na alta sociedade, estaria perdoada, porque o seu ar virginal e submisso talvez não fosse reflexo do temperamento. Ele a tratava de "minha filha" e lhe deu, contra sua vontade, uma miniatura de uma dama do século XVIII.

Mas Constance continuava preocupada com sua ligação com Mellors. Mr. Winter, por exemplo, homem de sociedade que era, a trataria como a uma personalidade, e de nenhum modo a misturaria com o rebanho de fêmeas humanas, tratando-a por "você" ou por "tu".

Constance não voltou à floresta nem no segundo nem no terceiro dia. Não foi enquanto sentiu, ou imaginou sentir, que o homem a desejava e esperava. Mas no quarto dia amanheceu terrivelmente agitada. Entretanto ainda recusou-se a ir abrir as pernas àquele homem. Pôs-se a calcular tudo o que poderia fazer: ir a Sheffield, visitar os vizinhos, mas tais pensamentos causaram-lhe horror. Decidiu por fim dar um passeio na direção oposta à da floresta. Iria a Marehay, saindo pelos fundos do parque. Era um dia tranqüilo de primavera, quase quente, e ela caminhava sem nada ver, absorvida em suas reflexões. Tiraram-na desse estado os latidos de um cão de guarda em Marehay. Marehay Farm! Suas terras emendavam com as de Wragby, de modo que os proprietários eram vizinhos. Já havia algum tempo que Constance não aparecia ali de visita.

– Bell! – gritou ela para o grande *bull-terrier* baio. – Já se esqueceu de mim? Não me reconhece mais?

Tinha medo de cachorro. Bell recuava, latindo. Nisto apareceu Mrs. Flint, uma mulher da idade de Lady Chatterley. Havia sido professora e Constance a considerava uma criatura muito falsa.

– Como?! Lady Chatterley aqui!...

Seus olhos brilharam e ela corou como uma menina.

– Quieto, Bell! Onde já se viu latir para Lady Chatterley? Quieto!

Afastou o cachorro com um pano que tinha na mão e aproximou-se de Constance.

– Bell conhecia-me outrora – disse ela, estendendo-lhe a mão. Os Flints haviam sido arrendatários dos Chatterleys.

– Claro que conhece a madame, mas quer se exibir – observou Mrs. Flint, toda confusa e agitada ao receber a Lady. – Faz muito tempo que não a vê. Está melhor de saúde?

– Obrigada.

– Não nos vimos durante todo o inverno. Quer entrar para ver o bebê?

– Sim, mas... – Constance hesitou.

Mrs. Flint precipitou-se na frente para dar ordem à casa e Constance a seguia lenta, hesitante; entrou pela cozinha escura, onde panelas ferviam no fogo. Mrs. Flint reapareceu.

– Por favor, desculpe-me. Quer vir por aqui?

Entraram na sala de visitas, onde o bebê brincava no tapete, junto à lareira. O chá estava servido. Uma criadinha toda atrapalhada sumiu-se de costas pelo corredor.

O bebê era uma criança de um ano, bastante esperta, de cabelos ruivos como os do pai e olhos azulados. Menina. Estava entre travesseiros, rodeada de bonecas de pano e uma quantidade de brinquedos.

– Que amor! – explodiu Constance. – E como está desenvolvida! Uma meninona!

– Então, Josefina? Sabe quem veio te ver? Lady Chatterley! Conhece Lady Chatterley?

A criança olhava tranqüilamente para Constance, cuja fidalguia não lhe causava a menor impressão.

– Venha! Não quer vir comigo? – disse Constance.

Como a menina continuasse na sua completa indiferença, Constance pegou-a no colo. Como era agradável e quente uma criança no colo! Aqueles bracinhos macios e roliços, as perninhas inconscientes e atrevidas!

– Estava tomando o meu chazinho caseiro – disse Mrs. Flint. – Lue foi ao mercado, de modo que o tomo sozinha. Aceita uma xícara? Não é lá como o seu, mas...

Constance aceitou apesar de aquilo lhe recordar a vida em Wragby. Vieram para a mesa as mais belas xícaras e o bule de luxo.

– Oh! Não precisa se incomodar! – protestou ela.

Mas, se Mrs. Flint não fizesse aquilo, onde estaria o seu prazer? Constance mimou a criança, divertiu-se com aquela teimosia de projeto de mulher e sentiu nisso uma forte volúpia. Aquela pequena vida! E tão sem medo de nada! Sem medo porque não tinha defesa. Os adultos vivem em estado de tensão por causa do medo.

Constance tomou uma xícara de chá com torradas e ameixas secas. Mrs. Flint irradiava satisfação, como se tivesse diante de si um galante cavalheiro. E conversaram à moda feminina, com recíproco encanto.

– Um chazinho bem modesto – disse Mrs. Flint.

– Muito melhor que o do solar – respondeu Constance com sinceridade.

– Oh! – exclamou a outra, que não acreditava nisso.

– Tenho de ir. Meu marido não sabe onde estou. Vai imaginar coisas.

– Não seria capaz de pensar que a senhora está aqui – disse Mrs. Flint radiante.

– Adeus, Josefina!

Constance beijou a pequena, com uma festinha em seus cabelos ruivos.

Mrs. Flint fez questão de abrir a porta principal fechada a chave e a visitante atravessou o jardim da frente onde havia duas aléias de lindas e aveludadas orelhas-de-urso.

– Que bonitas flores – elogiou Constance, e Mrs. Flint correu para colhê-las avidamente.

– Basta! Basta!

Chegaram por fim ao portão.

– De que lado? – perguntou Mrs. Flint.

– Pela tapada dos coelhos.

– Espere! Quero ver se as vacas estão soltas... Não. Mas a porteira está trancada a chave. Tem de pular.

– Posso pular a porteira.

– Creio que posso ir com a madame até lá.

Atravessaram o pasto pobre, tosado pelos coelhos. No bosque os pássaros entoavam triunfalmente os seus cantos vespertinos. Um homem recolhia as vacas retardatárias.

– Veja isso! Como Lue não está, eles se atrasam na tirada do leite – observou Mrs. Flint com severidade.

Chegaram à cerca, atrás da qual começava o bosque de pinheiros. Uma garrafa de boca larga atraiu a atenção delas.

– A garrafa do guarda-caça; é para o leite que leva daqui. Nós a deixamos aqui e ele a pega.

– Quando?

– Quando passa por essas bandas, às vezes de manhã. Pois bem, Lady Chatterley, adeus. Volte outra vez. Tive imenso prazer em vê-la.

Constance pulou a cerca e meteu-se pelo pinhal eriçado de agulhas, enquanto Mrs. Flint voltava correndo com sua touca de sol. Constance não gostava daquele bosque; achava-o muito sinistro e abafado. Apressou o passo, de cabeça muito baixa, o pensamento no bebê de Mrs. Flint. Que amor! Mas ia ter as pernas curtas como as do pai. Percebia-se já, mas talvez consertasse. Que bom deve ser ter um bebê, e como Mrs. Flint ostentava o seu! Pelo menos tinha uma coisa que Constance talvez nunca pudesse ter. E Lady Chatterley sentia uma ponta de ciúme daquela ostentação da maternidade.

De repente deu um grito. Um homem!

Era Mellors, plantado no caminho, como a besta de Balaão, barrando-lhe o passo.

– Como? Você por aqui! – exclamou ele, admirado.

– E você também não está por aqui? – respondeu ela, arquejante.

– Mas... Ia à cabana?

– Não. Estou vindo de Marehay.

Ele a olhou inquisitorialmente e baixou a cabeça como se houvesse cometido uma falta.

– E vai à cabana agora? – indagou em tom quase severo.

– Não. Não posso. Parei aqui em casa de Mrs. Flint. Ninguém sabe onde estou. Atrasei-me. Tenho de ir correndo.

– Já me abandonou? – disse-lhe com um sorriso vagamente irônico.

– Não! Não! Só que...

– Que o quê?

E, chegando-se, abraçou-a, fazendo Constance sentir o contato terrivelmente próximo do seu corpo vivo.

– Oh! Agora não! Agora não! – e tentava repeli-lo.

– Por que não? São seis horas. Temos trinta minutos. Sim, sim. Eu quero.

Mellors a agarrara firme, revelando a Constance a urgência do seu desejo. Um velho instinto a levava a lutar pela liberdade, mas também havia nela alguma coisa inerte, pesada. O corpo do homem comprimia-se contra o seu, desejando-a, e ela não tinha coragem de resistir.

– Venha por aqui – disse-lhe ele olhando para um maciço de pinheiros novos.

Depois recuou para contemplá-la melhor. Constance viu seus olhos intensos, brilhantes, selvagens, sem ternura

– mas já perdera toda a liberdade. Sentia um peso no corpo. Cedia. Abandonava-se a ele.

O guarda-caça a conduziu para um recesso recamado de folhas secas, que amontoou e forrou com o seu casaco. Aí a fez deitar-se, como um animal. E de pé diante dela, de blusa e culote, Mellors a contemplou com os olhos dilatados de desejo. Desceu-lhe, em seguida, a roupa de baixo – arrebentando o que não podia desatar, porque Constance, imóvel, não o ajudava.

E como ele também se despira na frente, houve perfeito contato das epidermes ao dar-se a penetração. Mellors penetrou-a e ficou parado dentro dela, túrgido e palpitante, até perceber o começo do orgasmo de Constance – e não ritmou os movimentos de vaivém. Frementes, como o palpitar de uma leve chama, leve e macia como pluma, as entranhas de Constance começaram a derreter-se lá dentro. Era como o som de um sino que, de vibração em vibração, sobe do vago ao apogeu. E Lady Chatterley não teve consciência dos gemidos e gritinhos selvagens que dava – que deu até o fim. Fim da parte dele, apressado demais, ejaculando antes que ela acabasse – e Constance não podia acabar sozinha. Daquela vez tudo era diferente, diferente. Por si só nada podia fazer – como com Michaelis. Não podia retesar-se para mantê-lo dentro de si até que o gozo sobreviesse. Só podia uma coisa, esperar – esperar e mentalmente gemer ao sentir que ele se contraía, se retraía, já próximo a escapar à sua sucção. E como a anêmona do mar flutuante sob a onda, suas entranhas abertas e macias clamavam por ele outra vez – que viesse satisfazê-la. E a ele agarrava-se, no delírio da paixão inconsciente, e não o deixava arrancar-se de si; finalmente sentiu que o membro do homem estremecia de novo dentro de sua carne, e recrescia em ritmos estranhos até ocupar todo o vácuo da sua consciência. E o inefável movimento recomeçou – movimento que não era movimento, mas puro e profundo turbilhão de sensações que vibravam e mergulhavam mais e mais no interior da sua carne fundida, até torná-la um turbilhão concêntrico de sensações a emitir instintivos urros inarticulados. Foi com terror que nas trevas do recesso o homem ouviu aquele grito da vida ressoante debaixo dele – e dentro dela derramou em jatos sucessivos a sua semente cálida. Fim. Foram esmorecendo os gritos, as convulsões de Constance, e ele também esmoreceu – e quedou-se perfeitamente imóvel em cima dela. Sem nada pensar, sem nada saber. Constance relaxou o aprisionamento da carne masculina e também caiu inerte. E lá ficaram os dois, perdidos, largados, sem saber de nada – sem sequer ter consciência um do outro. Por fim Mellors voltou a si; viu sua nudez; viu que ela o largara. Ergueu-se. Nesse momento o coração de Lady Chatterley sentiu que não poderia suportar nunca mais que ele a deixasse descoberta. Doravante Mellors tinha de a cobrir sempre, sempre.

Por fim, afastou-se dela, beijou-a, recobriu-a e compôs a si mesmo. Constance ficou largada, de olhos na copa dos pinheiros, incapaz de se mover. Mellors de pé, arrumando as calças, corria os olhos em torno. Silêncio completo e morte; vida só na cadela Flossie, que a tudo assistira de focinho entre as patas. Mellors sentou-se na erva seca e calmamente pegou a mão de Constance.

– Acabamos juntos desta vez – disse-lhe.

Ela nada respondeu.

– É bom quando acontece isso. A maior parte das criaturas passa a vida sem conseguir – murmurou ele, como se falasse em sonho.

– Verdade? Sente-se feliz?

Mellors voltou para ela os olhos.

– Feliz, sim, mas não diga mais nada.

Não queria falar. Inclinou-se sobre Constance e beijou-a – e ela teve a sensação de que ele iria beijá-la sempre assim.

– É raro isso de acabar juntos? – perguntou com ingênua curiosidade.

– É raro, sim. Daí o ar duro e seco das pessoas.

Ele falava a contragosto, como que lamentando ter começado.

– Já gozou assim com outras mulheres?

Mellors olhou-a com ar divertido.

– Não sei, não sei.

Constance compreendeu que ele não diria nunca o que não desejasse dizer. Olhou-a no rosto, e a paixão estremeceu em suas entranhas. Havia resistido o mais que pôde, porque dar-se daquele modo era perder o domínio de si mesma.

Mellors vestiu o casaco e abriu caminho através dos pinheiros até à trilha. Os últimos raios de sol iluminavam as árvores.

– Não vou acompanhá-la – disse ele. – É melhor.

Constance olhou-o ardentemente, antes que ele se fosse. Não tinha mais nada a dizer.

Lady Chatterley seguiu caminho pensando no que levava dentro de si. Um outro "eu" vivia nela, fundido, ardente e doce em suas entranhas – e isso a impelia a adorar o amante. Adoração que fazia os seus joelhos se dobrarem durante a caminhada. Em seu útero e em suas entranhas ardia a vida. "Um filho!", disse ela para si mesma. "Sinto um filho dentro de mim!" Suas entranhas, que sempre se conservavam fechadas, tinham-se aberto para receber uma vida nova – um fardo, sim, mas adorável.

"Se tivesse um filho!" pensava ela." Se o prendesse dentro de mim sob a forma de um filho!" E seus membros se fundiam a esse pensamento, fazendo-a compreender a enorme diferença que há entre ter um filho marital e ter um filho do homem adorado pelas suas entranhas. A idéia de ter um filho deste homem parecia transformá-la, torná-la diferente do que sempre fora, fazê-la alcançar o centro mais profundo da sua feminilidade.

A paixão não lhe era coisa nova – novidade era essa ávida adoração que Constance sempre temera, sabendo que seria o fim da sua força. E a temia ainda. Temia que, adorando demais, se perdesse de si mesma, e se tornasse escrava. Era forçoso que não se escravizasse. Mas, embora temendo essa adoração, não queria combatê-la. Era-lhe possível combatê-la, pois tinha consigo um demônio capaz de destruir aquela adoração e esmagá-la. E julgava que ainda era tempo de apoderar-se da sua paixão e dirigi-la ao sabor de sua vontade.

Ah, sim, sentir-se apaixonada como uma bacante fugindo através dos bosques à procura de Iaco, o brilhante falo sem personalidade, mas que é o deus servidor da mulher! Era preciso impedir a intrusão do homem, do indivíduo. Que ficasse o homem apenas como o acólito, como o portador e o guardião do brilhante falo que a ela pertencia.

Assim, no fluxo de seu novo nascimento, a velha paixão ardeu por algum tempo em Constance, e os homens se reduziram a algo desprezível, simples portadores de falos que seriam feitos em pedaços depois de cumprida a sua missão. Sentia em seu corpo a força da bacante, da mulher ardente e lépida que derruba o macho; mas, ao percebê-lo, também sentia dor no coração. Não desejava isso, essa au-

 sência de mistério, desnuda, estéril, o seu tesouro era a

adoração, a insondável, a profunda, a desconhecida adoração. Não, não; ela renunciaria ao seu áspero poder feminino, que a fatigava e endurecia; e mergulharia no novo banho de vida, mergulharia nas profundezas das suas entranhas, que cantavam o cântico sem voz da adoração. Era cedo ainda para começar a temer o homem.

– Fui até Marehay e tomei chá com Mrs. Flint – disse no solar a Clifford. – Quis ver a criança. Adorável, com aqueles cabelos como teias de aranha rubras. Que amor! Flint fora ao mercado, de modo que ela e eu tomamos chá juntas. Onde imaginou você que eu estivesse?

– Sim, preocupei-me, mas logo vi que tinha ficado em qualquer parte para o chá – respondeu Clifford enciumado.

Com sua segunda vista farejava qualquer coisa de novo em Constance, algo para ele incompreensível; mas atribuía-o ao bebê. Julgava que a mortificação de Constance vinha só de não ter um filho, de não produzir mecanicamente um, por assim dizer.

– Vi-a quando atravessou o parque, madame – disse Mrs. Bolton. – De modo que imaginei que havia ido ao presbitério.

– Quase fui; mas no caminho virei para Marehay.

Os olhos das duas mulheres cruzaram-se, os de Mrs. Bolton pardos, brilhantes, inquisitoriais; os de Constance azuis, velados, estranhamente belos. Mrs. Bolton estava quase certa de que Constance tinha um amante. Mas como seria isso possível? Onde achara ela um homem?

– Oh! É tão bom para a sua saúde sair às vezes e ver gente – observou Mrs. Bolton. – Vivo dizendo a Sir Clifford que para a madame seria ótimo arejar-se, ver mais gente.

– Sim, fez-me bem chegar até Marehay. Que amor de criança, tão engraçadinha! Tem os cabelos como teias de aranha, de um ruivo vivo, e olhos marotos de porcelana azul. Olhos atrevidos. É uma menina, está claro... o atrevimento nos olhos o mostra.

– Tem razão, madame. Aquela criança é uma legítima Flint. Sempre foram uma família de atrevidos.

– Não quer vê-los, Clifford? Convide-os para um chá aqui.

– Quem? – indagou Clifford, incomodado, olhando para Constance.

– Mrs. Flint e o bebê, segunda-feira próxima.

– Você poderá recebê-los em seus aposentos lá em cima.

– Como? Não quer conhecer a menina?

– Poderei vê-la; só não quero ficar com eles durante todo o chá.

– Oh! – exclamou Constance, encarando-o com os seus grandes olhos velados.

– A senhora poderá oferecer-lhes um bom chá lá em cima. Mrs. Flint ficará mais à vontade do que se Sir Clifford estivesse presente – sugeriu Mrs. Bolton.

Ela estava segura de que Constance tinha um amante – e qualquer coisa em sua alma exultava. Mas quem era? Quem? Talvez Mrs. Flint lhe fornecesse um fio da meada.

Constance não tomou banho nessa noite. O sentimento de que ele a havia tocado em sua carne e a penetrara era-lhe sagrado.

Clifford sentia-se mal. Não quis deixá-la subir depois do jantar – ela, tão ansiosa por solidão. Constance, entretanto, mostrou-se estranhamente submissa.

– Quer jogar alguma partida ou prefere uma leitura? – indagou ele, pouco à vontade.



– Leitura; você lerá qualquer coisa – escolheu Constance.

– Que há de ser? Versos, prosa, teatro?

– Racine.*

Era outrora uma das especialidades de Clifford, ler Racine com toda a pompa do estilo francês; mas estava destreinado e um tanto intimidado. Ele preferiria o rádio. Mas Constance já se absorvera na costura – num vestidinho de seda amarela, retalhado de um dos seus vestidos. Já o havia cortado pouco antes do jantar e agora o costurava num doce enlevo, enquanto Clifford lia. Um vestidinho para a criança de Mrs. Flint.

Lá dentro de si mesma Constance sentia uma vibração como um eco dos sinos profundos.

Clifford murmurou algo sobre Racine, que ela não percebeu.

– Sim – disse erguendo os olhos. – É admirável.

Novamente Clifford assustou-se com o profundo brilho azul de seus olhos e com sua doce imobilidade. Nunca ela se sentara assim, tão imóvel. Constance fascinava-o, deixava-o sem forças, como que embriagado por um perfume que dela emanasse. E sem força continuou na leitura. Mas aquele som gutural do francês era para Constance como o vento nas chaminés. De Racine não pegou uma só sílaba.

Andava longe, perdida na doçura dos seus sonhos, como uma floresta emitindo o gemido vago da primavera que era toda rebentos. Era um mundo novo em que sentia o *homem* – o homem sem nome que, lépido, avançava na beleza do mistério fálico. Em si mesma, em todas as suas veias, ela o sentia – sentia o homem e o seu filho. O homem e a criança por ele plantada fluíam em todas as suas vísceras como uma aurora.

---

*Jean Racine: grande autor francês de tragédias.

Constance estava como a floresta que silenciosamente murmurava por meio de milhares de botões fechados. As aves do desejo dormiam no intrincado mistério de seu corpo.

Mas a voz de Clifford continuava a ressoar numa língua estranha. Extraordinário aquilo! Extraordinário aquele homem sobre um livro, estranho, ambicioso, civilizado, ombros largos e morto das pernas! Estranho, aquele homem com a aguda e inflexível vontade de certos pássaros e sem calor nenhum! Um ser do futuro, sem alma, todo vontade – vontade fria. Constance teve um leve arrepio de medo. A suave e quente chama da vida era mais forte que ele – e as coisas reais escapavam do seu alcance.

A leitura de Racine parou. Constance, num sobressalto, ergueu os olhos e sobressaltou-se ainda mais vendo o olhar sinistro e cheio de ódio do marido.

– Obrigada! – exclamou. – Você lê tão bem Racine, Clifford!

– Quase tão bem como você o ouve – disse ele em tom cruel. – O que está fazendo?

– Um vestidinho para a filha de Mrs. Flint.

Clifford desviou a cabeça. Uma criança! Uma criança! Ela só pensava nisso.

– Afinal de contas – disse depois em tom declamatório –, encontramos em Racine tudo o que queremos. Emoções ordenadas e estilizadas valem mais do que emoções em desordem.

Constance olhava-o com os seus grandes olhos vagos e velados.

– Sim, decerto – concordou.

– O mundo moderno vulgarizou a emoção soltando-lhe os freios. Necessitamos é do domínio clássico.

– Sim – murmurou ela devagar, pensando na inexpressão de seu rosto quando escutava as idiotices sentimentais do rádio. – As criaturas pretendem ter emoções, mas, na realidade, nada sentem. Suponho que isso é ser romântico.

– Exatamente – concordou ele.

Clifford estava cansado. Aquela noite o cansara. Antes a tivesse passado com seus livros técnicos ou o diretor das minas, ou ouvindo rádio.

Mrs. Bolton entrou com dois copos de leite maltado; o de Clifford, para que ele dormisse; e o de Constance, para que engordasse um pouco mais.

Uma novidade alimentar por ela introduzida em Wragby.

Constance sentiu alívio em recolher-se depois de tomado o leite – e de não ter de deitar Clifford.

– Boa noite, Clifford! Durma bem! Que os versos de Racine se façam sonhos. Boa noite.

E saiu sem lhe dar o beijo de costume. Ele a acompanhou com olhos frios e penetrantes. Bem, bem. Nem mais o beijo de praxe depois de uma noite de leitura comum! Quanta insensibilidade! Ainda que tal beijo não passe de formalidade, é sobre essas formalidades que a vida repousa. Sim, ela era, no fundo, uma bolchevista.

Bolchevistas eram todos os seus instintos. E Clifford teve um olhar de cólera para o corredor por onde ela se fora. Cólera!

De novo o invadiu o medo da noite. Não era mais que um feixe de nervos. Quando não estava entregue ao trabalho ou à neutralidade do rádio, uma agonia o torturava – o sentimento de um perigoso e ameaçador vazio. Clifford tinha medo. Constance poderia protegê-lo, mas já não cuidava disso. Estava dura, fria, insensível a tudo o que ele tinha feito por ela. Ele lhe dava a sua vida – e ela sempre dura. Só pensava em si mesma.

Agora, era a idéia de um filho que a obcecava – um filho só dela, não de ambos!

Clifford, entretanto, parecia um homem são. Belo rosto, faces rosadas, ombros largos, peito amplo. Estava engordando. Apesar disso, o medo da morte o apavorava. Um terrível vazio o ameaçava em qualquer parte, um abismo grande demais para as suas forças.

Seus olhos um pouco salientes tinham um estranho olhar furtivo, um tanto cruel e frio; e, ao mesmo tempo, quase impudente. Curioso esse ar de impudência, como se ele tivesse triunfado na vida apesar da vida. "Quem pode conhecer os mistérios da vontade – da vontade que triunfa até sobre os anjos?"*

O que mais o roía eram as noites de insônia. Pavoroso! O nada a envolvê-lo de todos os lados. Sinistro esse existir assim sem vida nenhuma em torno; existir na morte – apenas existir, não viver.

Mas agora podia a qualquer momento chamar Mrs. Bolton, que não falhava nunca. Vinha de roupão, cabelos soltos, curiosamente menina apesar dos fios grisalhos. E preparava-lhe o café ou o chá de camomila, ou jogava com ele xadrez ou *piquet*. Tinha essa extrema facilidade feminina para os jogos e até as partidas de xadrez sustentava-as muito bem – fazendo que ele tivesse interesse em derrotá-la. E na silenciosa intimidade da noite ficavam os dois sentados, ou ela sentada, e ele deitado, à luz que vinha da lâmpada da secretária; ela perdida de sono, ele perdido de medo; e jogavam partidas disto e daquilo; depois tomavam juntos café com biscoitos, trocando raras palavras no silêncio noturno – mas escorando-se mutuamente.

---

 *Parafraseado do poema "The Pilgrims", de Swinburne.

Naquela noite a preocupação de Mrs. Bolton era descobrir o amante de Lady Chatterley. E seu pensamento voou para Ted, morto havia tanto tempo, mas que para ela não morreria nunca. Sempre que pensava nele, seus velhos rancores contra o mundo vinham à tona, sobretudo contra os patrões, que ela acusava de o terem matado. Não era verdade isso – mas o era para Mrs. Bolton, sentimentalmente. E, por causa do "assassínio de Ted", sentia-se lá no fundo niilista e verdadeiramente anarquista.

A idéia do seu Ted e do amante de Lady Chatterley misturavam-se na sua sonolência; então vinha uma ternura por Constance e uma grande revolta contra Sir Clifford e a ordem de coisas que ele representava. Ao mesmo tempo regalava-se com a honra de jogar com ele, e até de perder para ele alguns xelins – para ele, um baronete!

O jogo era sempre a dinheiro, isso ajudava Clifford a se esquecer de si. E ele ganhava quase sempre. Naquela noite estava ganhando, de modo que ficou naquilo até de madrugada. Felizmente a madrugada vinha cedo, às quatro horas.

Constance dormia profundamente. Mas Mellors, já em sua casinha, não encontrava repouso. Cuidara das gaiolas, fizera a ronda pelas matas e recolhera-se. Na cozinha pôs-se a pensar.

Recordou sua infância em Tevershall e os seis anos de casamento. Pensou em sua mulher com amargura. Ela havia sido tão bruta com ele. Não a revia desde 1915, o ano em que entrou para o Exército. E lá estava ela a três milhas dali, mais bruta do que nunca. Seu desejo era não mais revê-la.

Pensou na sua vida lá longe, nas Índias, no Egito e de novo nas Índias: vida cega, descuidada, entre cavalos. O coronel que se interessara por ele e que ele amara. Os anos de oficialato, tenente, quase capitão. Mas a morte levou o coronel numa pneumonia – e quase que a ele também. A saúde comprometida. A inquietação. A baixa do Exército e a volta à pátria, onde retornou à primitiva condição de operário.

Andava contemporizando com a vida. Achou que naqueles bosques estaria em segurança. Ninguém caçava ali. Seu papel resumia-se a criar faisões. Conseguira ficar só, longe da vida e de tudo – como desejava. Sua mãe vivia ainda, o que era alguma coisa – mas nunca tinham sido muito ligados. Poderia continuar a viver assim, sem ligação com ninguém, sem nada esperar. Porque Mellors não sabia o que fazer de si mesmo.

Depois que virou oficial, e lidou com os colegas e as respectivas mulheres e famílias, perdeu completamente o estímulo da carreira. Vira nas classes altas e médias uma dureza, uma rigidez de borracha, uma falta de vida que o gelava – a ele, tão diferente.

Retornou então à classe operária, mas para nela encontrar uma mesquinhez de sentimentos e uma vulgaridade intoleráveis. Ele já admitia a importância das boas maneiras. Também já admitia a importância de *fingir*, não dar importância a nada na vida. Mas entre o povo não havia maneiras – não havia fingimento. Um vintém a mais ou a menos no preço do toucinho era de maior importância que uma alteração na Bíblia. Isso o irritava.

E depois havia a questão dos salários. Tendo vivido na classe dos proprietários, sabia da inutilidade de esperar qualquer solução do problema dos salários. Solução havia uma só: a morte. Melhor seria não perder tempo com isso – não se preocupar com o salário.

Mas quem é pobre e miserável tem de preocupar-se com isso... E isso ia se tornando a única preocupação dos homens. A *preocupação* com o dinheiro, como um imenso cancro, devorava todos os indivíduos ou todas as classes. Mellors, porém, recusava-se a pensar em dinheiro.

O que fazer então? O que oferece a vida além da preocupação com o dinheiro? Nada...

Mas poderia viver só, com a vaga satisfação de ser só, de criar faisões para regalo da mesa dos ricos. Era uma futilidade, e a máxima.

Preocupar-se então com o quê? Por que aborrecer-se? E sem preocupações foi como viveu até à entrada daquela mulher em sua vida. Tinha dez anos a mais do que ela, e mil anos de experiência a mais. O laço ia-se apertando e ele via chegar o momento em que, não podendo desatá-lo, teriam ambos de refazer suas vidas. "Porque os laços do amor são difíceis de desatar."

O que sucederia então? Recomeçar, sem nada para recomeçar? Arrastar consigo essa mulher? Lutar por ela contra um marido aleijado? E ainda contra sua antiga esposa, tão bruta e que tanto o odiava? Jovem já não era. E não era tampouco da raça dos cínicos. As brutalidades grosseiras da vida o chocavam. E a mulher!

Mas, mesmo que ambos se separassem, ela de Sir Clifford e ele da sua esposa, o que fariam? O que faria ele? O que faria da sua vida? Sim, porque era preciso fazer qualquer coisa. Não poderia tornar-se um parasita e viver da pequena pensão militar e do dinheiro da lady.

Problema insolúvel. Só se fosse em busca da vida nova na América. Embora sem fé nenhuma no dólar, talvez houvesse mais alguma coisa por lá.

E assim, nesse turbilhão de dúvidas, permaneceu até meia-noite, até que de súbito vestiu o casaco, pegou a espingarda e saiu, chamando o cachorro.

– Vamos. Lá fora estaremos melhor.

Era noite de estrelas, sem lua. Mellors caminhava lentamente, ao modo furtivo dos guarda-caças. Só tinha a temer as armadilhas aos coelhos que os homens de Stacks Gate armavam dos lados de Marehay. Mas como naquela estação os animaizinhos estivessem em época de amores, os mineiros os respeitavam. A ronda noturna acalmou-lhe o pensamento. Ronda demorada – uma volta de cinco milhas – e Mellors sentiu-se cansado.

Subiu ao alto da colina e correu os olhos pelo horizonte. Silêncio. Só havia rumor dos lados de Stacks Gate, onde a faina era contínua. Viam-se poucas luzes. O mundo repousava. Eram duas e meia. Mas, mesmo em repouso, era um mundo agitado, cruel, com ruídos de trens e clarões de altos-fornos. Um mundo de ferro e carvão. Ah! A crueldade do ferro, a fumaça do carvão, a eterna avidez que conduzia tudo! Avidez, só avidez a agitar-se até no sono.

Mellors tossiu. Uma corrente de ar frio soprava sobre a colina. Pensou na mulher. Naquele momento daria tudo para tê-la ao seu lado, deitada com ele sob um cobertor – para dormir apenas. Dormir com aquela mulher nos braços era a sua única necessidade.

Foi à cabana, enrolou-se na coberta e estendeu-se no chão para dormir. Não pôde. Estava muito gelado. E era evidente que já não bastava a si mesmo. Ele a queria, para apalpá-la, para com ela nos braços alcançar a plenitude e o sono.

Mellors levantou-se e saiu, dessa vez dirigindo-se ao solar. Quatro horas já, mas nenhum sinal de aurora ainda. Seus olhos haviam-se habituado a ver nas trevas. O solar o atraía como um ímã. Estava lá a mulher, mas nele não havia desejo, e sim outra coisa: o vivo sentimento da solidão que só com uma mulher nos braços desapareceria. Talvez a achasse, ou descobrisse um meio de chegar até ela. A sua necessidade da mulher fazia-se cada vez mais imperiosa.

Lentamente, silenciosamente, subiu a elevação que levava ao solar. Ei-lo! O casarão baixo, longo, escuro, com uma só luz embaixo, nos aposentos de Sir Clifford.

Mas em que quarto estava a mulher cuja mão segurava o fio frágil que o atraía? Ignorava-o.

Aproximou-se um pouco mais, de espingarda na mão, e rondou a casa. Talvez pudesse descobri-la, chegar até onde estava a mulher. Não era aquilo nenhuma fortaleza inexpugnável – e ele agilíssimo. Por que não ir até ela?

Enquanto permanecia imóvel entregue a tais pensamentos, a aurora começou a romper. Mellors viu apagar-se a única luz, mas não percebeu que Mrs. Bolton vinha à janela para aguardar o nascimento do dia – pois só depois de anunciar-se a aurora Sir Clifford poderia dormir.

E lá ficou ela uns instantes, à espera, tonta de sono. Repentinamente, sobressaltou-se, retendo um grito. Vira lá embaixo um homem, a silhueta de um homem. Sua sonolência desapareceu e ela ficou espiando, sem fazer o menor barulho para não despertar a atenção de Sir Clifford.

A luz do sol começou a espalhar-se pelo mundo e a silhueta foi-se definindo, cada vez mais nítida. Mrs. Bolton discerniu a espingarda, as perneiras, a blusa. Não seria Mellors, o guarda-caça? Sim, seu cachorro estava perto, farejando aqui e ali na sombra.

Mas o que quereria ele? Penetrar na casa? Por que ficava lá, como uma estátua, contemplando o casarão, como o rafeiro amoroso diante do canil da cadela?

Deus do céu! A verdade apareceu para Mrs. Bolton como um relâmpago. Era aquele o amante de Lady Chatterley! Sim! Sim!...

Que coisa! Mas também ela se enamorara de Oliver Mellors aos 16 anos, quando estudava enfermagem. E ele muito a ajudara em anatomia e outras matérias. Um rapaz inteligente, que obtivera uma bolsa no colégio de Sheffield e aprendera francês e tantas outras coisas, e que se fizera ferreiro por amor aos cavalos, dizia ele – mas, na realidade, havia sido por medo de enfrentar o mundo.

Um rapaz gentil, sim, muito gentil, hábil em ensinar coisas. Tão inteligente como Sir Clifford e querido das mulheres – mais das mulheres que dos homens, diziam. Estupidamente casara-se com Bertha Coutts, por despeito. Há criaturas assim, que se casam por despeito quando sofrem uma decepção. Não é de admirar, portanto, que esse casamento malograsse. Estivera ausente muito tempo, durante todo o período da guerra. Subira a tenente do Exército, virara um cavalheiro. E afinal, de novo em Tevershall, como guarda-caça! Em verdade há gente que não sabe tirar partido das chances que a vida oferece. E até voltara a falar em dialeto grosseiro, ele que falava como um doutor quando queria.

Ah! E Lady Chatterley sucumbira ao ímã de Oliver Mellors! Bem. Não fora a primeira... Há qualquer coisa nele. Mas, seja como for, é um operário de Tevershall, ali nascido e educado, o amante de Lady Chatterley de Wragby Hall! Que bofetada nos orgulhosos Chatterley!

À proporção que a manhã avançava, o guarda-caça refletia sobre a inutilidade de tudo. "De nada adianta quereres sair da tua solidão. Tens de nela ficar toda a vida. O vácuo só desaparecerá momentaneamente, de tempos em tempos. De tempos e tempos! Mas é preciso esperar esses momentos. Aceita, pois, a tua própria solidão. E, do mesmo modo, aceita os momentos em que o vazio se encher, porque esses momentos virão. Mas é preciso que venham por si mesmos. Ninguém pode forçá-los a vir."

De súbito, de golpe, o fogo do desejo que o atraía para Constance quebrou-se. Tinha de ser assim. Era necessário que se aproximassem um do outro mutuamente, passo a passo. Se ela não avançasse nem mais um passo, ele não a perseguiria. Tinha, pois, de se recolher e esperar que ela viesse.

Mellors voltou para a cabana, pensativo, aceitando novamente a solidão. Melhor assim. Constance que viesse; ele de nada valia a ela. Era inútil.

Mrs. Bolton viu-o desaparecer com o cachorro atrás.

– Ora, veja só! – exclamou. – Neste eu nunca pensei, e é só nele que eu deveria ter pensado. Foi muito gentil comigo depois da morte de Ted. Ora, veja... Mas ele? O que diria se soubesse?

E, lançando um olhar de triunfo sobre Clifford já adormecido, saiu do quarto sem fazer ruído.

## 11

Constance estava arrumando um dos depósitos de Wragby. Havia vários, porque o solar, como não vendesse coisa alguma, ficara um verdadeiro museu de antiguidades. O pai de Sir Geoffrey era amador de pintura e a mãe colecionava móveis italianos do século XVI. O próprio Sir Geoffrey tinha a mania dos velhos cofres lavrados. E assim foi indo, de geração em geração, até Clifford, por sua vez colecionador de quadros modernos de preços razoáveis.

Havia no depósito péssimos quadros de Landseers e coisas patéticas de William Hunt, todo um sortimento de academismo medíocre, capaz de assustar a filha de um membro da Royal Academy. Constance resolvera fazer uma inspeção nos quadros e móveis grotescos.

Encontrou, cuidadosamente embrulhado para protegê-lo do pó, o velho berço familiar de pau-rosa. Desembrulhou-o e ficou olhando-o algum tempo.

– É uma pena que esteja aqui, inútil, embora seja um berço bem fora de moda – observou Mrs. Bolton, que ajudava Constance.

– Poderá servir ainda, se eu tiver um filho – disse Lady Chatterley casualmente, como se o objeto em questão fosse um chapéu.

– Acha então que Sir Clifford pode sarar?

– Ainda que não sare. Ele, afinal de contas, tem apenas uma paralisia de músculos. Não está afetado no principal – disse Constance, mentindo com a naturalidade de quem respira.

Clifford lhe havia posto essa idéia na cabeça. "Naturalmente que *eu* ainda posso ter um filho. Não estou mutilado. A potência voltará, mesmo que os músculos da perna continuem paralisados – e o esperma poderá ser transmitido."

E na realidade parecia-lhe, durante os períodos energéticos em que se aplicava no trabalho das minas, que sua impotência sexual ia ter fim. Constance pensava nisso com terror. Mas era muito fina para não utilizar essa sugestão em proveito próprio. Porque ainda havia de ter um filho, sim – mas de nenhum modo de Clifford.

Mrs. Bolton parou um instante, estupefata, sem fôlego. Percebeu a astúcia das palavras de Constance – mas também refletiu que os médicos de hoje são hábeis e bem poderiam fazer um enxerto de esperma.

– Da minha parte, madame, só posso fazer votos para que isso aconteça. Que encanto seria para madame e todos daqui! Uma criança em Wragby! Como tudo se iluminaria!



– Sem dúvida – concordou Constance.

Durante a arrumação, separou três quadros para remetê-los à duquesa de Shortlands, que organizava um bazar de caridade. Chamavam-lhe a "duquesa dos bazares", tanto ela insistia com as pessoas de sua relação para que mandassem coisas. Aqueles quadros iriam encantá-la, assinados que eram por artistas da Royal Academy – e fatalmente viria ela a Wragby apresentar agradecimentos. Como desesperavam Clifford essas visitas!

"Mas, Deus do céu!", pensava lá consigo Mrs. Bolton. "Não será um filho de Oliver Mellors que vem por aí? Meu Deus! Um filho de Tevershall no berço familiar de Wragby! E o berço não teria do que se envergonhar."

Entre as monstruosidades do depósito havia uma grande caixa negra de laca de sessenta ou setenta anos atrás, contendo uma miscelânea de objetos. Coisas de toalete – escovas, frascos, espelhos, navalhas, sabonetes, pincéis de barba – e coisas de escritório – mata-borrão, penas, tinteiro, papel, envelopes, memorandos; e uma tralha de costura com tesoura, dedais, agulhas, novelos de linha, bolas de cerzir, tudo do mais fino. E ainda uma botica portátil de frascos vazios mas etiquetados – láudano, tintura de mirra, essência de cravo. Nada fora usado, e a arrumação da caixa era perfeita, com cada série na sua repartição. Tudo maravilhosamente combinado e executado pelo capricho da era vitoriana – e, no entanto, uma monstruosidade. Nunca servira para nada – não tinha alma.

Mas Mrs. Bolton sentiu um arrebatamento.

– Veja que lindas escovas, tão preciosas, e estes pincéis de barba, três, que perfeição! E que tesouras! Hoje já não se vê disto. Maravilhas!

– Acha? – disse Constance. – Pois leve tudo para você.

– Oh! Não, madame...

– Por que não? Quer que isto fique inútil até o dia do juízo? Se não quer, lá vai também para a duquesa, com os quadros, e ela não merece tanto. Trate de aceitar, sim?

– Oh, madame! Não sei como agradecer...

– Não agradecendo – disse Constance rindo.

Mrs. Bolton levou dali nos braços, corada de satisfação, a grande caixa negra de preciosidades.

Em sua casa, para onde a caixa foi transportada de carro por Betts, houve festa. Vieram vê-la as amigas, a professora da escola, a mulher do farmacêutico, Mrs. Weedon, a mulher do contador. Depois de muito admirado e gabado aquilo, a conversa recaiu sobre Lady Chatterley – no filho que ia ter.

– Sempre haverá milagres! – disse Mrs. Weedon.

Mas Mrs. Bolton estava *convencida* de que se tal milagre ocorresse, não seria obra de Sir Clifford. Evidente...

Pouco tempo depois, o pároco delicadamente indagou de Clifford:

– Então podemos realmente esperar a vinda de um herdeiro para Wragby? Ah! Seria um sinal de misericórdia divina...

– Sim, podemos *esperar* – respondeu Clifford com leve ironia, mas, ao mesmo tempo, com certa convicção. Estava começando a crer na *sua* possibilidade de gerar um filho.

Uma tarde, Mr. Winter – um cavalheiro da cabeça aos pés, como Mrs. Bolton dizia a Mrs. Betts – veio de visita a Wragby. Debateram sobre o caso das minas. A idéia de Clifford consistia em transformar o carvão num combustível concentrado, de alto poder calorífico, dadas certas condições de umidade e pressão. Já haviam notado que em dias de vento úmido a mina produzia uma chama muito viva, que não deixava odor nem outros resíduos além de uma leve poeira de cinza.

– Mas onde estão as máquinas próprias para consumir esse combustível? – objetou Winter.

– Eu mesmo as fabricarei e eu mesmo usarei o combustível, e venderei a força elétrica assim obtida. Estou certo de ser viável.

– Ótimo que consiga, meu rapaz. Oh! Ótimo! Perfeito! Se me for possível ajudá-lo em algo, ficarei encantado. Creio que estou muito desatualizado nessa matéria, eu e minhas minas. Mas quem sabe? Talvez entre pelo mesmo caminho. Oh! Perfeito! Isto nos permitirá dar trabalho a todos os mineiros, sem a preocupação de vender ou não vender a hulha. Excelente idéia. Se eu tivesse filhos, eles com certeza teriam projetos novos para Shipley. Oh! E por falar nisso: Tem algum fundamento o que corre por aí? Podemos esperar um herdeiro para Wragby?

– Então isso anda correndo por aí?

– Sim, meu caro Marshall, de Filingwood perguntam-me se é verdade. E, naturalmente, nada quero informar antes de o saber de fonte limpa.

– Sim – murmurou Clifford, pouco à vontade mas de olhos brilhantes –, há, sim, uma esperança.

Winter levantou-se e veio apertar-lhe a mão.

– Meu caro amigo, como demonstrar a alegria que sinto? Pensar que o meu Clifford está reconfortado pela esperança de um filho! E que um dia poderá dar trabalho a toda a gente de Tevershall! Ah, meu caro! Manter o nível da raça e proporcionar trabalho para todos, que maravilha!...

O velho estava realmente comovido.

No dia seguinte Constance veio pôr tulipas amarelas num vaso.

– Connie – disse Clifford –, sabe do boato que corre sobre o nosso herdeiro?

Aquelas palavras arrepiaram-na, mas Constance permaneceu aparentemente indiferente, ajeitando as flores.

– Não sei de nada – disse. – Brincadeira ou maledicência?

– Espero que nem uma coisa nem outra, apenas profecia.

Constance continuou às voltas com o vaso.

– Recebi uma carta de papai esta manhã – disse ela. – Conta que aceitou em meu nome um convite de Sir Alexander Cooper para uma estada na Vila Esmeralda, em Veneza, em julho e agosto.

– Julho e agosto? – repetiu Clifford.

– Oh! Não ficarei tanto tempo. Você iria também?

– Bem sabe que não posso viajar para fora da Inglaterra – respondeu Clifford prontamente.

Constance levou o vaso à janela.

– Acha má idéia que eu vá? Comprometi-me para este outono.

– Quanto tempo deseja ficar?

– Umas três semanas.

Fez-se silêncio por um instante.

– Bem – disse Clifford com leve tristeza na voz. – Creio que suportarei as três semanas de solidão, caso tenha certeza de que você voltará.

– É certo que voltarei – respondeu Constance com alguma simplicidade e muita convicção, pensando em Mellors.

Clifford sentiu-lhe a convicção – e acreditou nela, convencido de que só ele estava em cena. Uma onda de alívio e felicidade o invadiu.

– Neste caso, está tudo ótimo, não acha?

– Claro.

Constance voltou para ele os seus estranhos olhos azuis.

– Terei gosto, sim, em visitar Veneza outra vez, e tomar banho numa daquelas ilhas. O Lido, você sabe, eu detesto. Sir Alexander e Lady Cooper não são lá muito do meu agrado, mas, se Hilda também for, poderemos ter a nossa gôndola, o que será ótimo. Que pena você ficar!...

Disse isso com sinceridade, pois gostava de fazê-lo feliz nessas pequenas coisas.

– Eu? Eu na Gare du Nord, no cais de Calais?

– Que é que tem? Há sempre por lá homens em cadeiras de rodas, aleijados da guerra. E, além do mais, poderemos fazer de carro a viagem inteira.

– Teríamos de levar dois criados.

– Por quê? Eu me arrumarei com Field. O segundo, sendo necessário, arranjaríamos em Veneza.

Mas Clifford não se convenceu.

– Este ano, não, querida. Tentarei no ano que vem.

Constance deixou o aposento com ar triste. No ano que vem! Que traria ele? Na realidade, não tinha grande desejo de ir a Veneza, especialmente agora que o guarda-caça a prendia em Wragby. Ia apenas por dever de disciplina – e também porque, se tivesse um filho, Clifford poderia atribuí-lo a algum amante em Veneza.

Estavam em maio: no fim de junho poderiam partir... Os preparativos! A vida desarranjada e nas mãos de outros... O mês viera frio e chuvoso – bom apenas para o trigo e o feno. Mas quem hoje se incomoda com trigo e feno? Constance tinha de chegar a Uthwaite, a pequenina cidade onde os Chatterley ainda eram Chatterley – e foi, guiada por Field.

Muita melancolia na paisagem – e muito frio, e fumaça misturada à chuva. A vida num clima desses era uma constante resistência. Não era de admirar que as pessoas fossem tão feias e más.

O carro subiu penosamente a longa e lúgubre estrada de Tevershall; todas as casas eram de tijolos enegrecidos, com teto de ardósia reluzente e pavimento negro do pó da hulha. Uma tristeza que estragava tudo. Nada mais horrível que essa completa negação de toda beleza natural, essa perfeita negação da alegria de viver, essa ausência do instinto da beleza que existe até nos pássaros, essa morte absoluta de todas as faculdades intuitivas humanas. As pilhas de sabão nos armazéns, o ruibarbo e os limões nos fruteiros, os hediondos chapéus das modistas – tudo sucedendo-se numa competição de feiúra. E a monstruosidade de gesso e ouro do cinema, cujos cartazes úmidos anunciavam *A Woman's Love*. E a grande igreja nova dos "metodistas primitivos" – realmente primitiva naqueles tijolos aparentes e nas janelas de vitrais verdolengos e rubros. Mais longe, a igreja Wesleyana, de tijolo enegrecido, com grades de ferro e moitas de ramagem encardida. E a igreja congregacional, que se tinha na conta de mais pobre, construída de pedra tosca e com um campanário de pouca altura. E depois a escola nova, de tijolos cor-de-rosa, e pátio recoberto de areia e com grades de ferro, o que lembrava um misto de igreja e prisão. As alunas terminavam as aulas de canto com uma cantoria infantil. Mas em nada aquilo se assemelhava a um canto de verdade, espontâneo; era um simples coro de urros ao redor de uma melodia. Pelo menos os selvagens possuem ritmos sutis – e animais, quando urram, têm uma razão para urrar. Aquilo não era coisa nenhuma, embora tivesse o nome de canto. Constance, que esperava no carro enquanto Field fazia compras, sentiu o coração apertado. Que futuro aguarda um povo assim que perde toda a faculdade de intuição e só conserva o estranho vozerio mecânico e a sinistra força de vontade?

Um carro de carvão descia a rua, na chuva, num tilintar de ferragens. Field tocou adiante, passando pelas casas de roupa, pelo correio, e desembocando na abandonada praça do mercado, onde Sam Black, da porta do "Sun", cabaré disfarçado de albergue, fiscalizava os passantes – e saudou Lady Chatterley.

O carro desceu uma ladeira; passou diante do café Miners Arms, depois diante do Mechanics, depois diante do Miners Welfare e de alguns palacetes novos, até tomar a estrada negra que, por entre prados sombrios, levava a Stacks Gate.

Tevershall. Aquilo era Tevershall! A alegre Inglaterra! A Inglaterra de Shakespeare! Sim, a Inglaterra de hoje, como Constance a conhecia desde que veio para Wragby. A Inglaterra que estava produzindo uma nova raça de homens ultra-sensíveis ao dinheiro e ao lado social e político da vida – mas completamente morta para tudo que fosse espontâneo e intuitivo. Semicadáveres humanos – mas cuja outra metade vivia com estranha resistência. Havia um ar sinistro em tudo. Um mundo subterrâneo e completamente incompreensível. Como aprender as reações de semicadáveres? Quando Constance viu os grandes caminhões de operários da metalúrgica de Sheffield – pobres criaturas retorcidas com uma vaga semelhança de homens – em marcha para uma festa em Matlock, suas entranhas desfaleceram, e ela pensou: "Meu Deus, o que o homem fez do homem! O que os condutores de homens fizeram de seus semelhantes! Arrancaram-nos da humanidade – e como pensar em fraternidade agora? Isso não passa de um pesadelo."

E de novo sentiu, numa onda de terror, a trágica inutilidade de tudo. Esses viventes formavam as massas operárias – e a classe alta ela a conhecia muito bem. E no entanto desejava um filho, um herdeiro. Um herdeiro para Wragby! Ao pensar nisso, teve um frêmito de medo.

E fora dali que Mellors saíra! Sim, mas era diferente – como também ela era diferente. Entretanto também nele não havia fraternidade. A fraternidade estava morta. Só havia isolamento e desespero. Era aquilo a Inglaterra – o grosso da Inglaterra.

O carro voava para Stacks Gate. Diminuíra a chuva; o ar iluminava-se com o clarão de maio. A paisagem desdobrava-se em ondulações ao sul rumo a Peak, e a leste rumo a Mansfield e Nottingham. Constance ia para o sul.

À esquerda apareceu numa elevação a massa sombria e poderosa do castelo de Warsop, de um cinza carregado, com um sopé vermelho-tijolo de casinhas operárias novas e, mais embaixo, a usina fumegante que todos os anos punha alguns milhares de libras no bolso do duque e demais acionistas. Estava em ruínas o formidável castelo, mas a sua massa ainda dominava as espirais de fumaça das chaminés.

Depois de uma curva, subiram em rampa rumo a Stacks Gate que, vista da estrada, era apenas um enorme e esplêndido hotel denominado Coningsby Arms, em vermelho, branco e ouro, num isolamento bárbaro, não longe dali. Mas, observando melhor, descobriam-se, à esquerda, numerosas habitações "modernas", separadas por jardins. E, além desse bloco de casas, erguiam-se as construções aéreas de uma hulheira realmente moderna, e usinas químicas, e imensas galerias de formas até então inéditas no mundo. A mina desaparecia no meio das amplas instalações novas.

Era aquilo Stacks Gate erguida depois da guerra. Mas havia também a velha Stacks Gate, desconhecida de Constance, uma mina abaixo do hotel – velha mina sem importância, com antigas habitações de tijolo enegrecido, uma ou duas lojas, um ou dois cabarés.

Mas isso já não contava. As grandes espirais de fumaça e vapor saíam da nova Stacks Gate, onde não se viam capelas nem cabarés nem lojas. Nada mais que usinas, que são o Olimpo moderno com templos para todos os deuses – as casas modernas e o hotel. Hotel, aliás, que não passava de um cabaré de operários, a despeito dos seus ares mundanos.

Do carro que corria, Constance via desfilar o condado em toda a sua extensão. Já fora outrora um condado altivo e nobre, onde se destacava a imensa e magnífica massa de Chadwick Hall, toda recortada de janelas – um dos mais célebres castelos do reinado de Isabel. Ainda se erguia solitário no centro de um amplo parque, conservado apenas como recanto histórico e objeto de vaidade. "Vejam que poderosos senhores eram os nossos antepassados."

Isso foi o passado. O presente são as usinas. E o futuro a Deus pertence. O carro aproximava-se de Uthwaite que, naquele dia chuvoso, espalhava suas espirais de fumaça como um incenso a deuses desconhecidos. Uthwaite sempre emocionou Constance – lá do fundo do vale, atravessada por todas as linhas férreas que vão a Sheffield, com seus poços de carvão, suas usinas metalúrgicas exalando fumaça e clarões, sua melancólica igreja de campanário espiralado... Velha cidade-mercado, no centro da região. Um dos principais albergues chamava-se Chatterley Arms, e nele se falava em Wragby como se fosse um país e não um velho casarão.

As casas dos mineiros, enegrecidas, mal se erguiam do solo, com aquela intimidade e pequenez da habitação mineira de cem anos atrás. Enfileiravam-se à beira da estrada, estrada essa que ia virando rua; quem nela penetrasse esquecia imediatamente a ampla paisagem com os seus castelos fantasmas. Constance alcançou a área das linhas férreas, das fundições de aço e demais usinas – tão altas que só se viam paredes. De todos os lados, como um eco, vinha o barulho do ferro; imensos caminhões faziam tremer o chão; apitos soavam.

Ao chegar-se ao coração da cidade, atrás da igreja, o quadro era de um mundo de 200 anos atrás. Ruas tortuosas onde imperavam o Chatterley Arms e a antiga farmácia, ruas que outrora levavam aos castelos-fortalezas e às nobres residências de campo.

Numa esquina, um policial erguia a mão – três caminhões carregados de ferro passavam fazendo estremecer a velha igreja; só depois saudou Lady Chatterley.

Nas velhas ruas tortas de cidade burguesa comprimiam-se as antigas casas negras dos mineiros. Vinham depois as ruas de casas novas, mais claras, um pouco maiores, coladas aos flancos dos vales, residências dos operários modernos. Mais longe ainda, nos planos onde se erguiam os castelos, numerosas manchas de vermelho-tijolo: os novos loteamentos das vilas. E, no meio de tudo aquilo, os farrapos da velha Inglaterra das diligências e dos casebres, e até da Inglaterra de Robin Hood, onde os mineiros perambulavam nas horas de folga, na sua desolada condição de esportistas recalcados.

Inglaterra, minha Inglaterra! Mas qual é a *minha* Inglaterra? Os pobres castelos antigos fazem figura nas fotografias e estabelecem uma ilusória linha divisória entre nós e o tempo de Isabel. Lá estão os velhos palacetes como na era da rainha Ana e de Tom Jones. Mas a fumaça do carvão enegreceu-lhes o estuque e, um a um, bem como os castelos, eles vão sendo abandonados. Começavam mesmo a demoli-los. Quanto aos casebres da Inglaterra, ei-los: emplastros de tijolos na campina desolada.

As suntuosas casas eram postas abaixo, os salões georgianos iam desaparecendo. Fritchley, ainda hoje uma bela mansão, também estava em demolição. Até a guerra os Weatherleys viveram com sofisticação naquele lugar, mas a casa se tornara grande e cara demais, incompatível com o país. Os ricos partiam para lugares mais agradáveis, nos quais poderiam gastar sem se preocupar em saber de onde o dinheiro vinha.

Assim é feita a História: uma época sobrepondo-se a outra. As minas produziram os palacetes que hoje são eliminados como um dia foram os casebres. A Inglaterra industrial anulou a Inglaterra agrícola. A continuidade não se dá naturalmente. É automática.

Constance, que pertencia à classe rica, tinha-se apegado aos resquícios da velha Inglaterra. Levou anos para compreender que essa Inglaterra já estava apagada pela terrível e sinistra nova Inglaterra, e continuaria a ser apagada até que não restasse coisa alguma. Fritchley desapareceu; Eastwood, idem. Shipley ia desaparecer – a amada Shipley de Leslie Winter.

Constance deteve-se um momento em Shipley. O portão do parque, atrás da casa, era vizinho à passagem de nível da estrada de ferro da mina. O parque permanecia aberto, em virtude de um direito de uso que os mineiros tinham.

O carro passou pelos espelhos d'água que os mineiros poluíam com papéis velhos, e entrou pela alameda particular que conduzia ao castelo – encantadora construção de estuque do século XVIII. O seu interior agradava a Constance mais que o de Wragby. Era mais claro, mais vivo, de uma elegante distinção. Leslie Winter morava só, e amava com paixão aquela propriedade cercada de três minas, todas suas. Tratava a seu modo os mineiros, permitindo-lhes até que freqüentassem o parque. Não havia enriquecido com o trabalho deles? E assim, quando via um grupo de homens malvestidos passeando ao redor dos pequenos lagos, dizia: "Embora sejam menos decorativos do que veados, dão mais renda."

Isso na segunda metade do reinado da rainha Vitória – uma cidade de ouro, financeiramente falando, em que os mineiros eram chamados de "honestos trabalhadores". Winter os havia tratado assim, um pouco para desculpar-se perante seu hóspede, o príncipe de Gales – e o príncipe respondera no seu inglês gutural: "Tendes razão. Se houvesse hulha embaixo do parque de Sandringham, eu abriria poços na relva, convencido de estar fazendo ótima jardinagem. Por esse preço não vacilo em trocar meus veados por mineiros – e, ao que me contam, os vossos são excelentes pessoas."

O príncipe exagerava um pouco a beleza do dinheiro e os benefícios da indústria. Tornou-se rei e como rei morreu. Veio o rei de agora, cujo principal trabalho parece ser a inauguração de cozinhas comunitárias para oferecer sopa à população.

Os "honestos trabalhadores" estavam em vias de engolir Shipley. Novas vilas mineiras pululavam no parque, e o velho Winter via aquela população se tornar estrangeira. Outrora, com bom humor e condescendência, sentia-se senhor dos seus domínios e dos seus mineiros. Mas agora que soprava um espírito novo, ia sendo alijado dali. Impossível iludir-se. As minas tinham vontade própria e essa vontade se opunha ao proprietário, ao grão-senhor.

Winter fora soldado e agüentara a luta – mas já não saía pelo parque à noitinha. Quase que se escondia em casa. Uma noite acompanhou Constance, sem chapéu, de sapatos de verniz, até quase à grade; ia conversando no seu belo estilo de homem da alta sociedade. Mas, quando tiveram de passar diante de grupos de mineiros que nem sequer os cumprimentaram, Constance sentiu o velho fremir da elegante antílope diante dos olhos indiscretos do povo. Não lhes eram pessoalmente hostis, mas o espírito dos tempos estava contra eles. No fundo, todos eram contra. Sua vida elegante insultava a rudeza dos mineiros. "Quem são eles?" A *diferença*, eis a causa do rancor.

No fundo do seu coração de inglês e de soldado, Winter dava-lhes razão. Sentia-se quase envergonhado de ter todas as vantagens. Mas, como representante de um sistema, mantinha sua posição.

De súbito, a morte interveio. Morreu pouco depois de uma das visitas de Constance e não esqueceu Clifford no testamento.

Os herdeiros imediatamente deram ordem para a demolição de Shipley. Muito cara a conservação do castelo. Tudo foi destruído. Foi-se a bela avenida de álamos, derrubaram-se todas as árvores do parque, lotearam o terreno, que era muito próximo de Uthwaite. E começaram a surgir ruas e casinhas novas "com todo o conforto".

Um ano depois da visita de Constance, estava tudo completamente mudado. Uma Inglaterra destrói a outra. A Inglaterra dos Winters estava no fim, morta – apenas ainda não fora totalmente removida.

Que viria depois? Constance só via novas casas de tijolos a se estenderem pelos campos, novas construções a se erguerem ao redor das minas, novas operárias com vestidos de seda, novos operários rumo ao Palácio das Danças. Essa geração ignorava completamente a velha Inglaterra. Havia um hiato na continuidade da consciência que era quase americano: na verdade, um hiato industrial. O que viria depois?

A Constance parecia não haver "depois". Sua vontade era esconder a cabeça na areia: ou pelo menos no peito de um homem vivo.

"Tão complicado o mundo, tão estranho, tão sinistro!", Constance pensava ao reentrar em casa, depois de ver os mineiros saírem das minas, negros, retorcidos, um ombro mais baixo que outro, batendo as botinas pesadas. Caras negras de um mundo subterrâneo, espinhas curvadas pelas galerias dos poços, ombros deformados. Homens, homens! E – ai! – muitas vezes, homens pacientes e bons. Em outras questões, inexistentes. O que um homem deve ter parecia extirpado de suas naturezas. E, entretanto, eram homens! Geravam crianças. As mulheres podiam fecundar-se com eles. Pensamento terrível! Terrível! Sim, eram bons e gentis – mas só pela metade, sombrias metades de seres humanos. Até aquele momento haviam sido "bem comportados" – mas era o bom comportamento da insuficiência. Ah! Se eles ressuscitassem! Não, não. Era muito terrível imaginar aquilo. Constance tinha pavor das massas industriais, porque lhe pareciam incompreensíveis. Vida sem sombra de beleza, sem intuição, sempre "no poço".

Um filho de um homem desses, oh, Deus!

E, no entanto, Mellors era filho de um desses homens. Não! Quarenta anos já marcam uma diferença, uma enorme diferença na humanidade. Foi nos últimos tempos que o ferro e o carvão devoraram o corpo e a alma desses homens. E viviam, essas encarnações do horror! Com que destino? Talvez o fim, o carvão, os fará também desaparecer da superfície da Terra. Fauna estranha, filha dos subterrâneos carboníferos. Criaturas elementares, servos do ferro. Elementares que eram, talvez tivessem um pouco da estranha beleza dos minerais, do ferro e do carvão, o peso, a resistência, o azulado. Criaturas elementares, estranhas, contorcidas, servas do mundo mineral. Pertenciam à hulha, ao minério, como os peixes pertencem ao mar e os vermes ao pau podre. Espíritos da desagregação mineral!

Constance respirou de alívio ao entrar em casa e até teve prazer em tagarelar com Clifford. O medo daquela zona de ferro e minas causava-lhe a impressão de uma terrível gripe a invadir-lhe o corpo inteiro.

– Tive, naturalmente, de tomar chá na loja de Miss Bentley – disse ela.

– Sim? Winter devia tê-la convidado para o chá.

– Convidou, sim, mas eu não queria desapontar Miss Bentley.

Era essa Miss Bentley uma solteirona amarela, de nariz comprido e disposições românticas, que servia chá com a gravidade de quem ministra um sacramento.

– Perguntou por mim? – quis saber Clifford.

– É claro. "Permita-me que pergunte à madame como passa Sir Clifford?" Bentley reverencia você ainda mais que Miss Cavell.

– E a resposta foi que eu passava às mil maravilhas, não é?

– Sim. E ela ficou enlevada, como se o céu se tivesse aberto para Sir Clifford. Convidei-a a vir até aqui, quando fosse a Tevershall.

– Para ver-me?

– Por que não? Não pode ser adorado assim sem se deixar ver de quando em quando. Para ela, São Jorge é nada comparado com você.

– E acha que virá?

– Corou e ficou quase bela por um instante a pobre criatura! Não sei por que os homens não desposam as mulheres que verdadeiramente os adoram...

– É que começam a adorar-nos muito tarde. Mas respondeu que vinha?

– Oh! – exclamou Constance imitando a voz engasgada de emoção de Miss Bentley. – "Oh, madame, não ousaria nunca permitir-me isso!"

– Ousaria permitir-se! Que absurdo! Mas faço votos que assim seja. E que tal o chá?

– Chá Lipton, que é *muito forte*. Mas, sabe, Clifford, que você é realmente o *Romance da Rosa** de Miss Bentley e de um bando de outras solteironas?

– E devo lisonjear-me disso?

– Elas guardam como relíquia os retratos que saem nos jornais. E com certeza rezam por você todas as noites. Uma coisa magnífica.

Constance subiu para a toalete.

Na noite desse mesmo dia conversaram novamente.

– Acha que existe qualquer coisa de eterno no casamento? – perguntou Clifford.

Constance o encarou, de testa enrugada.

– Você fala da eternidade como se fosse uma corrente muito comprida que arrastamos atrás de nós até que não possamos mais caminhar...

– O que quero dizer – explicou ele –, ou saber, é se você não vai à Itália com intenção de alguma aventura que possa ser levada muito a sério.

– Aventuras de amor em Veneza? Não, pode ficar sossegado. Eu só poderia ter uma aventura de amor não muito séria em Veneza...

Disse isso num singular tom de desprezo, e Clifford encarou-a, franzindo as sobrancelhas.

---

 *Poema do século XIII, um dos principais textos do amor cortês.

No dia seguinte, de manhã, ao descer dos seus aposentos, Constance viu Flossie, a cadela do guarda-caça, sentada no corredor diante da porta de Clifford, uivando baixinho.

– Então, Flossie, que faz por aqui?

Abriu a porta. Clifford, sentado na cama, arrastara da sua frente a mesinha-de-cabeceira e a máquina de escrever. Diante dele, de pé e atento, estava Mellors. Flossie entrara correndo, mas teve de sair a um gesto do guarda-caça.

– Oh! Bom dia, Clifford! – exclamou Constance. Ignorava que estivesse ocupado. Depois saudou Mellors, que respondeu num murmúrio e a olhou com ar vago. Mas sua presença ali a fez sentir um calor de paixão.

– Não incomoda a minha presença, Clifford?

– Não. Não é nada de importância.

Mas Constance esgueirou-se para fora do quarto e subiu à saleta azul do primeiro andar. Sentada à janela, esperou que Mellors atravessasse o parque no seu curioso andar discreto e apagado. Havia nele certa distinção serena, um orgulho distante e também delicadeza física. Um empregado! Um dos empregados de Clifford! "Se somos inferiores, caro Brutus, a culpa não cabe às estrelas, mas a nós mesmos" (Shakespeare).

Seria ele um inferior? E o que pensaria dela?

Era um esplêndido dia de sol. Constance foi lidar no jardim, ajudada por Mrs. Bolton. Por qualquer obscura razão as duas mulheres haviam se aproximado, num desses fluxos de simpatia que ninguém explica. Puseram-se a atar os craveiros nos tutores e a plantar mudinhas para o estio, trabalho de que ambas gostavam. Constance, sobretudo, mostrava real prazer em acomodar na terra negra as radículas tenras. Nessa manhã primaveril ela sentia frêmitos dentro de si, como se o sol também a tivesse vivificado e tornado-na feliz.

– Faz muitos anos que perdeu o marido, Mrs. Bolton? – perguntou sem largar o trabalho.

– Vinte e três! – respondeu a enfermeira, limpando uma mudinha de colombina. – Faz 23 anos que o levaram morto para casa!

O coração de Constance pulsou àquelas últimas palavras.

– Por que ele se deixou matar? Não era feliz com a senhora?

Pergunta de mulher para mulher.

– Não sei, madame. Ele não queria ceder. Uma obstinação dessas de antes morrer que ceder. Não tinha medo, a senhora compreende? Eu acuso a mina. Ele nunca devia ter descido a um poço; mas o pai o fez descer ainda meninote e, dado o primeiro passo, é difícil voltar atrás.

– Ele detestava o trabalho das minas?

– Oh! Não! Nunca! Nunca disse que odiasse qualquer coisa. Mas fazia cara feia. Era dos que não se resguardam, como os que primeiro partiram para a guerra e foram mortos imediatamente. Tinha boa cabeça, mas não tomava cuidado. Eu lhe dizia: "Você não liga para nada nem para ninguém", mas não era verdade. Oh! O seu silêncio, a sua imobilidade quando tive o meu primeiro filho, e o seu olhar, um olhar fatal, quando tudo acabou! Sofri muito, mas a ele é que foi preciso consolar. Eu lhe dizia: "Tudo bem, meu caro, está tudo bem". Ele me olhou de um modo que não esqueço. Nunca me disse nada sobre isso, mas também nunca mais se animou a ter prazer comigo. Não chegava até o fim. Eu dizia "Oh! Acabe!", e ele, nada, nem palavra. Não queria, ou não podia, para que não me viessem mais filhos. Eu sempre censurei sua mãe por tê-lo deixado em meu quarto naquela hora de tortura. Não devia nunca ter entrado. Os homens exageram tudo quando se põem a refletir.

– Impressionou-se tanto assim? – disse Constance espantada.

– Ele não sabia que toda aquela dor era natural, e daí por diante sua impressão estragou nosso prazer. Eu me cansava de falar: "Se não faço caso, por que age você assim?" Ele respondia apenas: "É que não é justo."

– Sensibilidade excessiva – explicou Constance.

– Devia ser. Quando a gente conhece os homens, vê que são sensíveis em excesso no que não deviam ser. E creio que, mesmo sem perceber, ele odiava as minas, e odiava-as terrivelmente. Era um belo rapaz! Meu coração partiu-se ao vê-lo tão calmo depois da morte, como se tivesse se libertado. Tão sereno, tão puro, como se houvesse desejado morrer. Oh! Sim, fiquei de coração partido! Culpa das minas, somente.

Mrs. Bolton não conteve algumas lágrimas, e Constance acompanhou-a com maior interesse. Dia quente de primavera, cheio de um perfume de solo e de flores amarelas; tudo rebrotava e a seiva do sol como que invadia o jardim tranqüilo.

– Que horror! Realmente deve ter sido terrível para a senhora.

– Oh! Madame, eu nunca poderia imaginar. "Oh, meu querido, por que me abandonou assim?" era só o que eu dizia, mas minha impressão não era de fim.

– Mas ele então *quis* abandoná-la – objetou Constance.

– Claro que não! Era só aquele meu grito de desespero. E fiquei à espera de que voltasse, sobretudo de noite. Acordava freqüentemente e pensava: "Por que ele não está aqui comigo?" Meus sentimentos não queriam crer em sua morte. Era-me preciso que ele voltasse e eu o sentisse ali comigo. Era só o que eu queria: senti-lo ali, quente, junto a mim... Ah! Quanto tempo levei para aceitar a sua morte! Anos...

– O contato do seu corpo... disse Constance.

– Exatamente, madame. O contato do seu corpo! Nunca me conformei e ainda não estou conformada. Se há um céu, lá ele estará e nós ainda dormiremos juntos.

Constance tinha os olhos no belo rosto de Mrs. Bolton, essa criatura saída de Tevershall capaz de sentir paixão. O contato do seu corpo! Sim, porque os "laços do amor são difíceis de desatar".

– É terrível ter assim um homem no nosso sangue.

– Oh, madame, é o que amargura mais. Sinto que os outros *queriam* destruí-lo. Sinto que, sem as minas, sem os donos dos poços, ele nunca me abandonaria. Mas todos, todos *querem* separar os que se ligam por paixão.

– Se se ligam fisicamente – completou Constance.

– Muito certo, madame. O mundo está cheio de criaturas de coração duro. A cada manhã, quando ele se lavava e partia para o poço, vinha-me aquele mal-estar. Mas o que podia ele fazer em função disso? Que há de fazer um pobre homem?

Um estranho ódio fulgurou naquela mulher.

– Mas a impressão de um contato pode durar tanto tempo assim? – perguntou Constance de súbito. – A senhora o sente até agora?

– Oh, madame, que outra coisa poderia durar tanto? Os filhos crescem e nos abandonam. Mas o homem, ah!... Mas até *isso* os corações duros querem matar na gente... a lembrança do contato. Até os nossos próprios filhos! Quem sabe das coisas? Nós poderíamos ter-nos separado, mas o sentimento é algo diverso. Melhor talvez seja não gostarmos de ninguém. Entretanto, sempre que vejo essas mulheres que nunca foram aquecidas por um homem, tenho a impressão de ver corujas, pobres corujas, por mais que se enfeitem e corram atrás da vida. Não. Nada me faz mudar de idéia. Não tenho grande respeito pelo mundo.

## 12

Depois do almoço, Constance saiu para a floresta. O tempo estava agradabilíssimo, com os primeiros dentes-de-leão desabrochando e mil margaridinhas brancas. O bosque de aveleiras era um rendado de folhas amarelas, de aspecto fresco, brilhante. O amarelo, o poderoso amarelo do outono que começava. Pálidas de abandono, as prímulas abriam-se em espessos tufos audaciosos. O verde luxuriante dos jacintos era um mar onde boiava o azul desmaiado dos botões – e miosótis, e aqüilégias, e tanta coisa! Por toda parte o nó dos botões e o surto da vida.

O guarda-caça não estava na cabana. Tudo ali era tranqüilo, com os pintinhos correndo descuidados. Constance dirigiu-se ao casebre; queria vê-lo.

O casebre de Mellors permanecia batido de luz, fora da sombra da floresta. Junquilhos dobrados erguiam-se em molhos no pequeno jardim perto da porta, e as belas-margaridas folhadas formavam um debrum vermelho na alameda. Um latido soou, e Flossie apareceu.

Estava aberta a porta! Logo, ele estava lá. E o sol batendo no chão atijolado! Ao atravessar o jardim Constance o viu lá dentro, sentado à mesa, comendo. A cadela rosnava manso e abanava lentamente a cauda.

Mellors ergueu-se e chegou à porta, passando nos lábios um lenço vermelho e mastigando ainda.

– Posso entrar? – disse Constance.

– A casa é sua.

O sol brilhava na sala deserta onde havia um cheiro de costeleta assada; a frigideira ainda estava fumegando, com uma caçarola de batatas ao lado, sobre uma chapa de ferro em fogo alto; na cremalheira baixada uma chaleira fervia.

Na mesinha havia um prato com batatas e restos de uma costeleta; e também uma cesta de pão e uma caneca azul com cerveja. A toalha era um encerado branco. Mellors permaneceu do lado da sombra.

– Está atrasado – disse Constance. – Termine a refeição.

E sentou-se numa cadeira de pau, ao sol, perto da porta.

– Tive de ir até Uthwaite – disse ele, sentando-se de novo à mesa, mas sem voltar a comer.

– Continue seu almoço – insistiu Constance.

Mellors não tocava em nada.

– Quer alguma coisa? – disse em dialeto. – Uma xícara de chá? A água da chaleira está fervendo.

– Só se permitir que eu mesma o faça – disse Constance erguendo-se.

Mellors parecia triste; ela sentiu que o incomodava.

– Muito bem. O bule está lá – disse ele apontando para um armário escuro. – E as xícaras. O creme, no aparador da lareira; e o leite, na despensa.

Constance pegou a lata de chá, escaldou o bule e parou um instante, para ver onde despejaria a água.

– Em qualquer parte – disse ele, vendo sua hesitação.

Ela foi à porta e lançou a água no jardim. Que encanto aquele lugar tão calmo, tão realmente silvestre. Os carvalhos abriam folhinhas amarelo-ocre. As margaridas do jardim lembravam botões de pelúcia carmim. Constance olhou o grande bloco de pedra da soleira, transposto por tão poucos passos.

– Mas é encantador isto aqui! – disse ela. – É de uma tranqüilidade, uma tranqüilidade tão cheia de vida!

Mellors recomeçou a comer, um tanto lentamente e contra a vontade. Isso pôs um toque de desânimo na alma de Constance. Fez o chá em silêncio e colocou o bule na chapa do fogão, como se o devesse colocar ali. Mellors afastou o guardanapo e saiu um instante pelos fundos; Constance ouviu um rumor de fechadura – e ele voltou com um prato de queijo e manteiga, enquanto arrumava as xícaras à mesa – só havia duas.

– Aceita um chá? – perguntou.

– Se quiser... O açúcar está no armário, e há também leite.

– Quer que eu tire o seu prato?

Ele a olhou com um sorriso irônico.

– Se quiser – respondeu, mastigando lentamente o pão com queijo.

Constance foi para os fundos da cozinha, onde havia uma bomba d'água. À esquerda viu uma porta, sem dúvida a da despensa. Abriu-a e sorriu diante do que ele chamava despensa: um simples armário caiado. Mas Mellors achara um jeito de arrumar ali um pequeno barril de cerveja e mais alguns mantimentos. Constance pegou um pouco de leite de uma leiteira amarela.

– Como arranja leite aqui? – indagou ao voltar para a mesa.

– Os Flints. Põem a garrafa na cerca da coelheira. Lá onde nos vimos.

Mas que desânimo ele mostrava!

Constance encheu de chá as xícaras e pegou a vasilha de leite.

– Não quero leite – disse Mellors.

Parecendo-lhe ouvir algo, ele olhou assustado para a porta aberta.

– Acho melhor fechá-la – disse.

– Não é preciso. Quem haveria de vir aqui?

– Seria uma vez em mil, mas a gente nunca sabe.

– E, mesmo que viesse alguém, que importância teria isso? Trata-se de um chá, nada mais. Onde estão as colherinhas?

Mellors inclinou-se para abrir a gaveta. Constance sentara-se à mesa, do lado em que batia o sol.

– Flossie – disse ele à cadela deitada numa pequena esteira no patamar da escada. – Vá ver o que há.

Levantou o dedo. A cadela partiu para a ronda.

– Está triste, hoje? – indagou Constance.

– Triste, não; aborrecido. Tive de dar queixa de dois invasores da floresta que apanhei e não gosto disso – respondeu o guarda-caça em inglês correto, com um acento de cólera na voz.

– Não gosta de ser guarda-caça?

– Ser guarda-caça? Não desgosto, contanto que me deixem em paz. Mas quando tenho de correr estupidamente à polícia e a outras repartições e ficar esperando que um bando de imbecis me atenda... Oh!

Mellors deu uma risada sarcástica.

– Não poderia ser independente? – indagou ela.

– Eu? Sem dúvida, se o que você quer saber é se posso viver da minha pensão. Poderia, sim. Mas preciso trabalhar, senão explodo. Tenho necessidade de alguma coisa em que me ocupe, e não sei trabalhar para mim mesmo. Tenho de trabalhar para alguém; do contrário mando tudo para o diabo num acesso de mau humor. Levando tudo em conta, sinto-me bem aqui. Sobretudo ultimamente...

Riu-se de novo, com sarcasmo.

– Mas por que está de mau humor? Será que o seu estado é sempre esse?

– Quase sempre – respondeu Mellors rindo. – Não digiro bem a minha bílis.

– Que bílis?

– Bílis, minha bílis! Não sabe o que é?

Constance calou-se decepcionada. Mellors parecia não dar atenção a ela. Por fim contou:

– Tenho uma viagem curta a fazer no mês que vem.

– Viagem? Para onde?

– Veneza.

– Veneza? Com Sir Clifford? Demora-se lá?

– Um mês, mais ou menos. Vou só.

– Sir Clifford fica, então?

– Sim. Não gosta de viajar no estado em que se encontra.

– Pobre coitado! – murmurou Mellors com simpatia.

Houve um silêncio.

– Não vai esquecer-se de mim na minha ausência, não é? – disse Constance.

Ele ergueu os olhos e encarou-a.

– Esquecê-la? Bem sabe que ninguém a esquece. Não é uma questão de memória.

Constance quis perguntar de que era então, mas reteve-se. Em vez disso, disse com voz abafada:

– Falei a Clifford que talvez eu tenha um filho.

Mellors encarou-a com intensa curiosidade.

– Disse-lhe? E qual foi a resposta?

– Oh! Isso lhe é indiferente, e até ficará satisfeito se o filho for considerado como sendo dele.

Constance não ousava erguer os olhos e Mellors conservou-se calado por um longo momento, depois olhou-a de novo.

– Não foi mencionado o meu nome, naturalmente...

– Não. Nenhuma menção a você.

– Ele não gostaria de ter-me como substituto. E como Sir Clifford julga que esse filho virá?

– Poderei engravidar numa aventura em Veneza.

– Realmente. E é para isso que vai?

– Não! Não vou para ter uma aventura – respondeu ela olhando-o com ar de súplica.

– Sei. Para aparentar, apenas.

Novo silêncio. Mellors ficou olhando pela janela com aquele sorriso irônico, amargo, que Constance detestava.

– Então não tomou precauções para evitar filho? – interpelou ele de súbito. – Do meu lado, não tomei nenhuma.

– Não fiz nada. Detesto isso.

Mellors encarou-a; depois desviou de novo os olhos para a janela, com o mesmo sorriso irônico no rosto. Houve um silêncio constrangedor, ao cabo do qual ele se voltou e disse com sarcasmo:

– Foi então para isso que me quis? Para ter um filho?

Constance baixou a cabeça.

– No fundo, não – respondeu.

– Por que, então, no fundo? – indagou ele em tom mordaz.

Seu olhar era de censura.

– Não sei – respondeu ela.

Mellors deu uma gargalhada.

– E o diabo que me leve se eu sei!

Houve um longo silêncio, um silêncio frio.

– Pois seja como a madame quer – disse ele por fim. – Se tiver um filho, eu ficarei muito contente de oferecê-lo a Sir Clifford. Não terei perdido nada. Ao contrário. Terei tido uma agradável aventura... agradabilíssima!

Disse isso e espreguiçou-se reprimindo o bocejo. Depois:

– Se se serviu de mim, não é a primeira vez que isso me acontece, e nunca foi tão agradável como desta vez, embora isso não seja nada lisonjeiro para a minha dignidade.

Espreguiçou-se de novo com um tremor dos músculos e as maxilas cerradas.

– Mas eu de nenhum modo me servi de você – protestou Constance em tom de súplica.

– Como a madame quiser.

– Não, não me servi. Seu corpo me atraiu.

– É mesmo? Pois estamos pagos, porque também gostei muito do seu corpo – disse Mellors, olhando-a de um modo estranho e sombrio.

E depois, em voz estrangulada:

– Quer subir ao quarto?

– Aqui, não. Hoje, não – respondeu Constance. Mas se ele tivesse feito a menor insistência ela teria cedido, porque não tinha força diante dele.

Mellors desviou o rosto e pareceu ausentar-se.

– Eu quero tocar em você como você me tocou. Eu ainda não toquei em seu corpo.

Ele voltou-se para ela e sorriu.

– Agora?

– Não, não! Aqui, não. Na cabana. Você deixa?

– Quer dizer então que eu a toco de um modo especial?

– Sim, você me acaricia.

– E você gosta?

– Muito. E você?

– Oh! Eu!

E mudando de tom:

– Sim – disse. – Você sabe.

Constance levantou-se e apanhou o chapéu.

– Bom; tenho de ir.

– Vai mesmo?

Ela queria que ele a agarrasse, fizesse qualquer coisa; mas Mellors, não se mexeu. Apenas esperava polidamente.

– Obrigada pelo chá – disse ela.

– E eu tenho de agradecer à madame a honra que me fez servindo-se do meu bule – foi a sua resposta.

Constance desceu para o jardim, enquanto Mellors, na porta, ficava sorrindo vagamente. Flossie acudiu com a cauda erguida. Lady Chatterley caminhou em silêncio até à floresta, sabendo que ele a seguia com os olhos, sempre com aquele sorriso irônico nos lábios.

Entrou no solar desanimada e aborrecida. Por que havia ele dito que ela se servira dele? De certo modo era verdade, mas Mellors não devia dizer nada. E mais uma vez Constance ficou perplexa entre dois sentimentos contraditórios: rancor do amante e necessidade de reconciliação.

Depois do chá no solar, que foi penoso e irritante, ela subiu; mas não sossegou. Tinha de fazer qualquer coisa. Tinha de ir à cabana; se ele não estivesse, tanto melhor.

Esgueirou-se para o parque e foi direto para a cabana, com ar sombrio. Ao alcançar a clareira sentiu-se terrivelmente perturbada. Lá estava ele, de cócoras diante das gaiolas, lidando com as ninhadas.

Constance aproximou-se.

– Está vendo como vim?

– Estou vendo – respondeu Mellors levantando-se e olhando-a com ar levemente divertido.

– Vai soltar as galinhas agora?

– Sim; ficaram tantos dias no ninho que estão só pele e osso. E nem têm vontade de sair para comer. O "eu" não existe numa galinha choca; dá-se inteira aos ovos e aos pintinhos. Pobres mães-galinhas! Que cegueira de amor materno, mesmo com ovos que não sejam seus! – Um silêncio incômodo estabeleceu-se entre o homem e a mulher.

– Vamos para a cabana! – propôs ele afinal.

– Está me querendo? – disse Constance em tom de desafio.

– Sim, se você também me quiser.

Lady Chatterley entrou na cabana e a porta foi fechada, ficando o recinto imerso em completa escuridão. Mellors acendeu a lanterna.

– Já tirou a calça? – perguntou ele em seguida.

– Sim, tirei.

– Pois também vou tirar a minha – disse ele, estendendo no chão as cobertas. Sentou-se, tirou os sapatos, as perneiras e desabotoou o culote de fustão.

– Deite-se – disse quando ficou só de camisa, e Constance obedeceu em silêncio; Mellors deitou-se ao seu lado e puxou a coberta para cima dos dois corpos.

– Pronto!

Ergueu o vestido de Constance acima dos seios e os beijou suavemente, sugando os bicos retesados.

– Ah! Que bom, como é bom! – murmurou de súbito, esfregando o rosto em seu ventre com prazer.

Constance passou o braço ao redor do corpo dele, sob a camisa; mas tinha medo daquele corpo esbelto, liso e nu, que parecia tão possante; tinha medo de seus músculos violentos. Tinha medo.

Quando ele lhe disse, quase num suspiro, "Como é bom!", qualquer coisa em Constance arrepiou-se e qualquer coisa em seu espírito retesou-se, pronta para a resistência – resistência àquela terrível intimidade física e à pressa de posse do macho. E dessa vez não se atordoou no êxtase agudo de sua própria paixão. Permaneceu alheia, com as mãos inertes ao redor do corpo do homem em movimento; e, por muito que fizesse, não podia evitar que seu espírito analisasse com frieza o que se ia passando; o movimento de vaivém daquelas coxas lhe parecia grotesco, como lhe pareceu risível o frenesi do pênis afobado ao chegar à sua pequena crise de ejaculação. O amor, então, aquilo? Aquele sobe-e-desce de nádegas? Aquele entra-e-sai do pobre pênis pequenino, insignificante, úmido? Amor, o divino amor! Afinal de contas, os modernos tinham razão em seu desprezo por essa comédia, porque aquilo era uma comédia. Bem dizia o poeta: "O Deus que criou o homem devia ter um sinistro senso de humor, para fazer dele uma criatura de razão e ao mesmo tempo obrigá-lo a essa postura grotesca – e também impeli-lo a, cegamente, desejar tão ridícula comédia."

Frio, irônico, seu curioso espírito de mulher ficava alheio àquilo e, embora se conservasse perfeitamente imóvel, seu instinto a impelia a se erguer, escapar do homem e fugir àquele abraço e às estocadas de pilão das ridículas ancas que a cavalgavam. Aquele corpo de homem era uma coisa absurda, desagradável, inacabada, impudente, grosseira. Quando a humanidade fosse mais evoluída, teria de suprimir tal comédia, eliminar semelhante "função".

E, apesar disso, quando Mellors acabou e ficou em cima dela, tranqüilo e silencioso, num afastamento estranho, longe, tão longe dela, Constance começou a chorar em sua alma. Sentia-o refluir, refluir para longe dela, e abandoná-la como um seixo na praia. Mellors retirou-se; abandonava-a em espírito. Ela o sentiu.

– Desta vez falhou – disse ele. – Você esteve ausente.

Ele havia percebido! E ela chorou mais forte.

– Mas o que tem você? – interpelou Mellors. – É assim mesmo, às vezes.

– Eu... Eu não posso amá-lo – explodiu Constance em lágrimas, sentindo o coração partir-se.

– Não pode? Ora veja! Não se preocupe. Nenhuma lei a obriga. Aceite as coisas como elas são...

Conservava ainda a mão sobre o seio dela, mas Constance já não tinha os braços ao redor do seu corpo.

As palavras de Mellors não a consolaram. Os seus soluços aumentaram.

– Não, não – disse ele. – Temos de aceitar o trigo e a palha. Desta vez tivemos a palha.

Constance chorava amargamente.

– Mas queria amá-lo e não posso! – disse ela entre soluços. – Oh! Como isto é horrível!

Mellors sorriu, entre amargo e divertido.

– Não é horrível, não, ainda que o considere assim. Não se preocupe em me amar ou não me amar. Não posso forçá-la a isso. Numa cesta de nozes há sempre uma podre. Temos de aceitar a podre junto com as boas.

E, retirando a mão de cima dela, parou de tocá-la – ela, agora que ele não mais a tocava, sentiu-se perversamente satisfeita. Constance odiava o dialeto em que Mellors se exprimia. Aquelas palavras de calão... E os modos dele! A abotoar aquele absurdo culote de fustão diante dela. Michaelis, pelo menos, tinha a decência de virar-se de costas. Tão seguro de si era Mellors que nem suspeitava que o pudessem considerar grosseiro, sem educação.

Mas, quando fez menção de levantar-se para deixá-la, Constance agarrou-se a ele, terrificada.

– Não vá! Não vá! Não me deixe! Não fique zangado comigo! Agarre-me, aperte-me! – gritava num frenesi cego, sem saber o que dizia, numa espécie de demência. Era de si mesma que queria ser salva, da resistência que sentia em si mesma.

Mellors a retomou nos braços e a colou a si – e ela ficou pequenina em seus braços, pequenina e meiga. Cessara a sua resistência; o seu corpo começava a fundir-se numa paz maravilhosa. E como se fundia maravilhosamente e se fazia pequenina em seus braços, tornou-se infinitamente desejável para ele. Todas as veias de Mellors arderam num fogo de desejo – desejo dela, desejo de sua meiguice, da penetrante beleza que tinha nos braços e se passava para o seu sangue. E, delicadamente, com a maravilhosa carícia inebriante de suas mãos guiadas pelo desejo, acariciou-lhe a cintura suave, as coxas, a quente maciez entre elas, mas sentia como que uma chama de desejo, terna, apesar de chama – e ela sentiu-se derreter nessa chama. Deixou-o fazer. Sentiu o pênis erguer-se contra ela com admirável força silenciosa e deixou-se penetrar. Cedendo com uma palpitaçao que parecia a morte, abriu-se inteira. Ah! Se ele não se enternecesse agora, que se abrira toda e se rendia a ele, que crueldade!

Constance vibrou de novo diante daquela penetração poderosa, inexorável, terrível! O golpe veio como um enterrar de espada em seu corpo aberto, e podia ser a morte. Agarrou-se a ele, numa súbita agonia de terror. Mas a penetração foi uma lenta carícia de paz – sombria carícia de paz, de poderosa ternura primordial, como a que criou o mundo em suas origens. E em seu peito o terror esvaiu-se. A paz voltou ao corpo dela, já liberto de resistência, num dar-se inteiro, num deixar-se flutuar.

Constance parecia transformada em mar, ondas que se inchavam e subiam em surtos impetuosos até que, lentamente, toda a massa obscura entrasse em ação – oceano a palpitar sua sombria massa silenciosa. E lá embaixo, no fundo dela, as profundezas do mar se separavam e rolavam lado a lado com o centro onde o mergulhador imergia docemente, mergulhava cada vez mais fundo, tocando-a cada vez mais fundo; e ela se sentia alcançada cada vez mais no fundo, e as ondas de si mesma iam rolando para alguma praia, deixando-a descoberta; e cada vez para mais longe rolavam, e a abandonavam, até que, de súbito, numa delirante convulsão, o mais vivo do seu espasmo foi alcançado; ela o sentiu alcançado – e tudo se consumou: seu "eu" esvaiu-se; Constance não *era* mais Constance, e sim apenas mulher!

Ah! Belo demais, maravilhoso! Ao sobrevir o refluxo das ondas, Constance compreendeu toda aquela beleza. E, agora, seu corpo inteiro se agarrava com terno amor àquele homem desconhecido, furiosamente retendo em si o pênis frouxo, que depois do assalto se retirava sem o saber, vagarosamente, suavemente. Ao ver fugir aquela coisa secreta e sensível, ao senti-la abandonar seu corpo, Constance deu um grito inconsciente, um grito de pavor, e procurou retê-lo. Tinha sido tão perfeito e lhe dera tanto prazer!

Só então Constance atentou na pequenez do pênis, sua delicadeza, sua contenção de broto; e um leve grito de maravilhamento e dor escapou-lhe ainda – o grito do seu coração de mulher maravilhada pela delicada fragilidade do que tinha sido a potência.

– Foi tão belo! – gemeu Constance. – Foi tão bom!

Mas Mellors nada dizia; abraçava-a com enlevo, deitado ainda sobre seu corpo. E ela gemia numa espécie de beatitude, como uma vítima, como algo que acabava de nascer.

Em seu coração palpitava a admiração que tinha por aquele homem. Um homem! A estranha potência da virilidade? Suas mãos erravam sobre ele, ainda tímida diante dessa coisa estranha, hostil, ligeiramente repulsiva que havia sido para ela: um homem! E o apalpava, e eram os filhos de Deus com as filhas dos homens. Como era belo, de um tecido tão puro! Quão belo e forte e, entretanto, puro e delicado! Que imobilidade naquele corpo sensível! Que absoluta imobilidade da potência e da carne delicada! Como era belo! Timidamente sua mão alisou-lhe as costas e desceu até às redondezas firmes das nádegas. Beleza! Que beleza! Uma nova chama de compreensão atravessou-a. Como era possível que aquela beleza já lhe houvesse causado repulsão? A inefável beleza das nádegas quentes, vivas, que ela tocava! E o estranho peso dos seus testículos entre as pernas. Que mistério! Que peso estranho, cheio de mistério, que podíamos ter assim nas mãos! Estavam ali as raízes – a raiz de tudo o que é belo, a raiz elementar de toda a beleza completa.

Constance agarrava-se a ele num enlevo de maravilhamento que era quase um suspiro de medo, de terror. E ele a segurava firme, mas calado. Nunca dizia nada. Ela aconchegou-se nele mais e mais, para estar mais e mais perto do milagre sensual daquele homem. E no fundo da sua absoluta, da sua incompreensível imobilidade, sentiu, de novo, o lento e fatal ressurgir do falo em outro acesso de potência. E o coração de Constance fundiu-se numa espécie de terror.

Dessa vez a penetração do homem foi de uma doçura e uma carícia tamanhas que ela se sentiu esvair. Todo o seu ser fremiu, inconsciente e vivo. Não podia saber o que era. Não podia recordar o que tinha sido – só sabia que era mais delicioso do que qualquer outra coisa. Só isso. Depois do orgasmo ficou completamente tranqüila, totalmente sem consciência por longo tempo. E o homem se sentia tão tranqüilo como a mulher, e também, como ela, mergulhara num silêncio insondável. E daquilo não se falaria nunca.

Quando a consciência começou a voltar, Lady Chatterley agarrou-o freneticamente, murmurando: "Meu amor! Meu amor!" E, silenciosamente, ele apertou a mulher que se aninhava em seu peito. Mas sempre guardando um silêncio insondável.

– Onde está você? – murmurou Constance. – Fale comigo! Diga-me qualquer coisa!

Mellors beijou-a ternamente e respondeu:

– Ai, minha menina!

Mas disse-o em dialeto, incompreensível para Constance, que ficou sem saber o que ele pensava – ele, tão per dido em seu silêncio.

– Você me ama, não é? – murmurou ela.

– Não sabe, então?

– Diga! Diga que me ama!

– Sim, sim. Não sentiu? – respondeu ele distante, mas com ternura e firmeza; e ela apertou-se ainda mais contra seu corpo. Ele era calmo no amor, mas Constance queria que lhe desse a certeza.

– Sim, você me ama! – afirmou ela, e ele a acariciou suavemente, como se tratasse de uma flor, sem frêmito de desejo, mas com delicada intimidade. Constance ainda estava com medo de ver escapar o amor.

– Diga que me amará sempre! – pediu.

– Sim – foi a resposta distante de Mellors.

Ela percebeu que não era aquele o caminho.

– Não é hora de levantar-nos? – propôs ele por fim.

– Não, não! – protestou Constance, sentindo que o homem escapava-se, que já estava atento aos rumores de fora.

– Já é quase noite – disse ele.

As necessidades da vida falavam em sua boca – Constance beijou-o com a mágoa da mulher que desiste da sua hora de felicidade. Mellors ergueu-se, avivou a luz da lanterna e começou a vestir-se, rapidamente. Estava diante dela abotoando o culote e olhando-a com os grandes olhos sombrios, o rosto um tanto afogueado, os cabelos em desordem, estranhamente tranqüilo e belo à vaga luz da lanterna, belo como ela não diria nunca. Constance tinha vontade de agarrar-se a ele, dependurar-se nele, para que fosse toda sua, só sua, aquela beleza. E ali, estendida sobre as cobertas, deixou-se ficar, as pernas nuas suavemente dobradas; e ele não tinha nenhuma idéia do que ela pensava – mas também a via bela, a suave e maravilhosa criatura em que podia penetrar e perder-se para além de todas as coisas.

– Adoro poder entrar em você – disse ele.

– Gosta de mim? – E o coração de Constance palpitou.

– Faz-me bem que eu possa entrar em você. Adoro você ter-se aberto para mim. Adoro poder entrar em você assim.

Baixou-se e beijou-lhe os flancos, e esfregou nela as faces; depois desceu-lhe o vestido.

– E não me abandonará nunca?

– Não me peça tal coisa – foi a resposta de Mellors.

– Mas você sabe que eu o amo, não sabe?

– Sim, que me ama neste momento mais do que pensou amar. Mas, o que acontecerá quando se puser a refletir?

– Não, não diga isso... E não creia nunca que eu quis servir-me de você...

– Como?

– Para ter um filho...

– Hoje tem filho quem quer – disse ele sentando-se para vestir as perneiras.

– Ah! Não! – gritou ela. – Você não pensa assim.

– Está bem – disse Mellors, olhando-a de revés. – O que fizemos é o que importa.

Constance não se mexia. Ele abriu a porta. O céu era de um azul sombrio, com uma orla cristalina de turquesa. E lá se foi cuidar das gaiolas. Constance ouviu-o chamar Flossie – e pensou no milagre da vida e no milagre do ser.

Quando Mellors voltou, ainda estava estendida, brilhante como uma cigana. Ele se sentou no tamborete ao seu lado.

– É preciso que venha uma noite ao meu casebre, antes da partida para Veneza, não é? – pediu-lhe inclinado com as mãos entre os joelhos.

Constance respondeu imitando o seu dialeto, o que o fez sorrir, e, por alguns instantes, duelaram divertidamente em dialeto.

– Vai ao meu casebre? – insistiu ele.

– Sim – respondeu ela, ainda o imitando.

– E dormirá comigo? Isso é indispensável! Quando vem?

– Talvez domingo – respondeu Constance falando errado o dialeto.

– Ótimo. Mas não é assim – e corrigiu a frase dela, caçoando. – Não, você não pode me imitar.

– Por que não?

Ele ria. Ela era tão engraçada imitando o seu dialeto!

– Está bem. Vamos embora daqui. É tarde.

Disse-lhe isso inclinado sobre ela, acariciando o seu rosto.

– Você é uma boa cona, isto é o que é. A melhor cona do mundo, mas só quando quer – ele falou.

– Que quer dizer isso, cona?

– Ah! Não sabe? Cona! É você lá embaixo.

– Cona é copular?

– Copular é o que a gente faz. Os animais copulam. Cona é muito mais que isso. É você mesma, compreende? E você é muito mais que um animal, mesmo copulando. Cona! É o que a faz bela, minha pequena!

Constance levantou-se e beijou-o nos olhos, naqueles olhos que a olhavam, sombrios e meigos, quentes, de uma beleza insuportável.

– Você me ama, não é? – perguntou Lady Chatterley.

A resposta dele foi um beijo.

– Vá, vá – disse ele.

Acariciou todas as curvas do seu corpo, firmemente, sem desejo, mas com íntima e suave segurança.

Constance voltou quase correndo, já era noitinha. O mundo parecia-lhe um sonho. As árvores do parque projetavam-se como velas de um navio navegando, e a elevação que subia para o castelo estava transbordando de vida.

## 13

No domingo Clifford quis passear na floresta. Era uma manhã encantadora, com o milagre de alvura das flores das pereiras e ameixeiras abertas de súbito.

Era doloroso fazer-se transportar da cadeira de rodas para o banheiro, e vice-versa, quando toda a natureza florescia. Mas esquecera-se da sua enfermidade, e até parecia orgulhoso dela. Constance ainda se doía de ver agarrarem e colocarem na cadeira aquelas pernas inertes. O bom Field e Mrs. Bolton eram agora os encarregados disso.

Constance esperou-o no topo da alameda, à beira de um renque de faias. Clifford vinha avançando no seu pequeno veículo, com o grande ronco do motor e a lentidão de um doente crônico.

– Sir Clifford no seu corcel espumejante! – ele anunciou.

– Ele pelo menos rincha – disse ela rindo.

Clifford parou e contemplou a fachada do velho casarão achatado e pardacento.

– Wragby nem piscou – disse ele. – E por que o faria? Estou em cima de um primor do engenho humano que vale por um cavalo.

– Suponho que sim. E as almas de Platão, que outrora subiram ao céu num carro de dois cavalos, hoje subiram num Ford – disse Constance.

– Ou num Rolls-Royce: Platão era um aristocrata.

– Verdade. Não mais cavalos negros para chicotear e maltratar. Platão jamais teria suposto que iríamos mais longe que os seus corcéis negros e brancos, e que não teríamos corcel nenhum, só motores!

– Só motores e gasolina – completou Clifford. E mudou de assunto. – Pretendo fazer alguns reparos no solar no ano que vem. Devo ter de reserva cerca de mil libras para isso. O trabalho é caro hoje.

– Ótimo – exclamou Constance –, mas se houver outra greve?

– Que interesse teriam em mais greves? Arruinariam a indústria, ou o que dela resta, só isso. Eles devem começar a convencer-se de que é assim.

– Talvez lhes seja indiferente a ruína da indústria – sugeriu Constance.

– Ah! Não fale como mulher! A indústria é quem lhes enche a barriga, mesmo que não lhes encha o bolso – disse ele no estilo de Mrs. Bolton.

– Onde está quem se dizia, outro dia, um anarquista-conservador?

– Você não compreendeu minha idéia. Eu quis dizer que, na vida particular, podemos agir e sentir como quisermos, contanto que mantenham intactos a forma e o mecanismo da vida.

Constance deu alguns passos em silêncio. Depois falou, com obstinação:

– É como se você dissesse que um ovo pode apodrecer quanto quiser por dentro, contanto que a casca seja a mesma. Mas os ovos podres rebentam por si mesmos.

– Não creio que as criaturas sejam ovos, nem mesmo de anjos, minha pequena evangelizadora.

Estavam de muito bom humor naquela manhã tão linda. Passarinhos cantavam no parque e um vapor silencioso subia da mina distante. Havia um ar dos dias antigos, anteriores à guerra. Constance não estava com vontade de discutir – nem de ir à floresta com Clifford. Caminhava ao lado da cadeira motorizada, com o espírito em vaga resistência.

– Não, não haverá mais greves, se as coisas forem bem conduzidas – disse ele.

– E por que não haverá mais greves?

– Porque as greves se tornarão impossíveis.

– Os operários prometeram isso? – objetou ela.

– Não pedimos a opinião deles. Agiremos enquanto estiverem de costas para nós, em seu próprio bem, para salvar a indústria.

– E em nosso próprio bem, também – disse ela.

– Claro! Para o bem de todos, mas ainda mais para o deles. Eu posso viver sem o carvão, tenho outros recursos.

Os olhos de ambos pousaram nas minas lá no fundo do vale e nos telhados negros de Tevershall, que trepavam pela colina como serpentes. Da velha igreja vinha a voz dos sinos: Domingo, domingo, domingo!

– Acha que os mineiros deixarão que se lhes ditem condições?

– Minha cara, serão forçados a isso, se soubermos nos conduzir.

– Por que não chegam a um acordo?

– Certamente... quando compreenderem que a indústria tem mais importância que os indivíduos.

– Mas será necessário que você possua a indústria?

– Não a possuo; mas na medida em que possa, é *preciso* que a possua. O problema da propriedade tornou-se agora um problema religioso, como, aliás, sempre foi desde o tempo de Jesus e de São Francisco. A questão não é mais "Toma o que tens e dá-lo aos pobres", e sim "Serve-te de tudo quanto possuis para animar a indústria e dar trabalho aos pobres". Eis o único meio de alimentar tantas bocas e vestir tantos corpos. Dar o que temos significa conservar a pobreza do pobre e empobrecer a nós também. E a pobreza universal não é desejável, nada tem de interessante. A pobreza é feia.

– E a desigualdade?

– Destino. Por que Júpiter é maior que Netuno? Impossível mudar a estrutura das coisas.

– Mas quando essa inveja, esse ciúme, esse descontentamento é excitado... – começou Constance.

– Deve-se fazer o possível para acalmá-lo. Sempre haverá necessidade de alguém no comando.

– Mas quem são os comandantes?

– Os que possuem e exploram as indústrias.

Fez-se um longo silêncio.

– Parecem-me bem maus comandantes os que temos – disse ela.

– Pois diga-lhes você como devem agir.

– Não tomam bastante a sério sua situação de chefe.

– Tomam-na muito mais a sério do que você a sua de Lady.

– Mas esta minha situação é imposta. De nenhum modo eu a desejo – disse Constance quase sem querer.

Clifford parou a cadeira e encarou-a.

– Quem está fugindo à responsabilidade agora? Quem está *agora* fugindo à responsabilidade de chefe, como você diz?

– Mas eu não quero ser chefe – protestou ela.

– Ah! Mas isso é covardia. Essa situação você a tem por destino. Logo, há de sustentá-la. Quem deu aos mineiros tudo que têm, toda a sua liberdade política, sua educação, por elementares que sejam as condições sanitárias em que vivem, seus livros, sua música, tudo? Quem lhes deu isso? Os mineiros mesmos? Não! Todos os Wragbys e Shipleys da Inglaterra contribuíram com sua parte e devem continuar a contribuir. Eis aqui sua responsabilidade, Connie.

Constance ruborizou-se ao ouvi-lo.

– Eu gostaria muito de dar alguma coisa – disse ela –, mas não me permitem. Tudo hoje é comprado e vendido, todas as coisas de que você falou foram vendidas aos pobres, em dinheiro vivo, pelos Wragbys e Shipleys. Dar, mesmo, vocês não dão nem sequer uma pitada de simpatia, uma pulsação no coração. E, ademais, quem tirou do povo a sua vitalidade e a sua virilidade naturais, para dar-lhe em troca os horrores da indústria? Quem fez isso?

– E que quer você que eu faça? – exclamou Clifford, esverdeando. – Que os chame para que saqueiem minha casa?

– Por que Tevershall é tão feio, tão hediondo? Por que a vida dos mineiros é tão sórdida?

– Eles mesmos fizeram a sua Tevershall, foi sua maneira de exibir a sua liberdade. Construíram por si mesmos a encantadora Tevershall e lá vivem suas deliciosas vidas. Não posso trocar minha vida pela deles. Cada inseto tem de viver sua própria vida.

– Mas você os faz trabalhar para você; vivem a vida da sua mina.

– De modo nenhum. Cada inseto descobre o seu alimento próprio. Não há lá um operário sequer que trabalhe para mim à força.

– A vida deles é industrializada, desolada, como também a nossa! – gritou ela.

– Não acho que seja assim. O que você diz não passa de uma figura de retórica, um resto de romantismo mórbido e lânguido. Mas neste momento você não tem o ar de uma heroína desesperançada e lânguida, minha querida Connie.

Era verdade. Os seus olhos azuis lançavam chispas, o sangue fervia nas suas faces: o seu furor de rebelião era o oposto do desânimo desesperançado. E, mentalmente, ela perguntou a si mesma, com ódio, por que motivo, sabendo que Clifford *não tinha razão*, não podia dizer-lhe exatamente em que ele não tinha razão?

– Não me admira que os mineiros o detestem – atenuou ela.

– Não me detestam. E você não se engane: não são homens no sentido que você dá à palavra. São animais que você não compreende, nem poderá compreender nunca. Não atribua aos outros as suas próprias ilusões. As massas são e serão sempre as mesmas. Em que diferiam os escravos de Nero dos nossos mineiros ou dos operários de Ford? Em muitíssimo pouco. Falo dos escravos que trabalhavam nas minas e nos campos. Massas; nada as muda. Um indivíduo pode emergir da massa, mas esse fato excepcional não altera coisa nenhuma. Ninguém muda as massas... eis uma das mais importantes verdades da ciência social. Pão e circo! A educação moderna parece ser o mal que sucedeu o circo de Roma. O que hoje nos põe a perder é termos feito um amplo corte na parte circense do programa e envenenado as massas com um pouco de educação.

Constance sentia medo sempre que Clifford mostrava os seus verdadeiros sentimentos para com povo. Havia algo terrivelmente verdadeiro em suas palavras – mas era uma verdade homicida.

Vendo-a pálida e silenciosa, Clifford pôs a cadeira em marcha; e guardaram silêncio até pararem diante do portão, que ela abriu.

– E o que temos de envergar agora – disse ele – é o chicote, não o sabre. As massas sempre foram governadas, desde o começo dos tempos; e terão de ser governadas até o fim dos tempos. Não passa de brincadeira hipócrita dizer que elas podem governar a si mesmas.

– E você é capaz de governá-las?

– Eu? Certamente. Não tenho a vontade nem a inteligência paralisada, e ninguém governa com as pernas. Posso dar conta da minha parte no governo, de toda a minha parte. E se eu tiver um filho, ele também cuidará da sua parte, depois de mim.

– Mas esse filho não seria seu; não pertenceria talvez à classe dirigente – titubeou ela.

– Não me preocupo com quem possa ser o pai, contanto que seja um homem normal, ou dotado de inteligência normal. Dê-me um filho de um homem são, normalmente inteligente, e farei dele um Chatterley apto a continuar a linhagem. O que conta não é o homem que nos gerou, mas o lugar que o destino nos deu. Ponha uma criança qualquer na classe dirigente e, se ela tiver valor, se tornará chefe. Ponha um filho de rei ou duque entre as massas e ele se tornará um pequeno plebeu, um autêntico produto das massas. Há a influência irresistível do meio.

– Quer dizer que o povo não constitui uma raça e os nobres não constituem um sangue – resumiu Constance.

– Sim, minha cara. Tudo isso não passa de ilusão romântica. A aristocracia é uma função, uma injunção do destino. E a massa é o funcionamento de outra parte do destino. O indivíduo não conta. Só conta a função para a qual somos educados ou adaptados. Não são os indivíduos que formam a aristocracia, e sim o funcionamento do todo. E é o funcionamento da massa que faz o homem plebeu ser o que é.

– Quer dizer que não há humanidade comum entre nós, humanos?

– Como queira. Todos temos necessidade de encher nossos estômagos, mas quando se trata de funcionamento expressivo ou executivo, creio que há um abismo entre as classes dirigentes e as dirigidas. São duas funções opostas, e é a função que determina o indivíduo.

Constance o olhava assombrada.

– Não quer continuar o passeio? – perguntou-lhe.

Clifford pôs a cadeira em movimento. Já havia dito o que tinha a dizer e recaíra no apático vazio de costume, que tanto a irritava. Constance decidiu não debater aquele assunto na floresta.

À sua frente estendia-se o caminho aberto entre as aveleiras e algumas árvores de tom neutro. A cadeira avançava lentamente sobre o tapete de miosótis que se estendia sobre o chão como espuma láctea. E ia pelo meio da estrada, onde os pés dos transeuntes haviam aberto trilhas entre as flores. Constance, atrás, ia vendo as rodas do veículo esmagarem as flores. Todas as flores ali estavam, e as primeiras campânulas formavam poças como lagoas azuis de água estagnada.

– Tem razão de dizer que isto é admirável – observou Clifford. – Não pode haver encanto maior que a primavera inglesa.

Constance teve a impressão de que até a primavera florecia por força de um ato do Parlamento. Uma primavera inglesa! Por que não irlandesa ou judaica? A cadeira avançava lentamente sobre os tufos de campânulas, esmagando a folhagem marginal das bardanas. Quando chegaram a uma clareira, a luz crua do céu iluminou-os e as campânulas apareceram como uma toalha de vivo azul, descambando aqui e ali para o lilás e o violeta. De entremeio, as samambaias erguiam seus brotos cacheados, como legiões de pequeninas serpentes prestes a murmurar a Eva um novo segredo. Clifford subiu até o alto da colina, acompanhado de Constance. Lá deteve a cadeira e olhou para baixo. Uma onda azul de campânulas inundava a ampla alameda e punha um luar azulado no sopé da colina.

– Bela cor o azul – disse Clifford –, mas de pouca valia num quadro.

– Constance concordou, sem mostrar interesse no assunto.

– Acha que poderei aventurar-me até à fonte? – perguntou Clifford.

– Não sei se o motor subirá – respondeu Constance.

– Experimentemos. Quem não arrisca nada consegue.

E o veículo começou a descer lentamente, sacolejando pela magnífica alameda que era toda jacintos azuis. O último dos navios sobre o mar de jacintos! O barco sobre as últimas águas selvagens, na última viagem da nossa civilização! Ou então, oh! Absurdo navio de rodas – para onde vais? Calmo e satisfeito, Clifford ia ao leme da aventura, imóvel e prudente no seu fustão de tweed e seu velho chapéu preto na cabeça. Oh! Capitão, meu Capitão, nossa viagem maravilhosa está terminada! Não totalmente. Em sua esteira vinha Constance, de olho na cadeira que avançava aos solavancos.

A trilha que levava à cabana! Graças a Deus era estreita demais para a cadeira – trilha para uma só pessoa. O veículo chegou ao fim da descida e desapareceu. Atrás de Constance um silvo fez-se ouvir. Ela correu os olhos ao redor: o guarda-caça descia a inclinação, seguido da cadela.

– Sir Clifford vai ao casebre? – perguntou Mellors, fitando Constance nos olhos.

– Não; só até à fonte.

– Tanto melhor. Não terei necessidade de aparecer. Mas quero vê-la esta noite; vou buscá-la no portão do solar às dez horas.

E fitou-a de novo nos olhos.

– Sim – concordou Constance, hesitante.

A buzina do veículo soou, chamando-a. Constance respondeu com um "Ooo-ee". O rosto do guarda-caça crispou-se numa leve careta, enquanto a sua mão apalpava-lhe o seio de baixo para cima. Constance olhou-o amedrontada e correu ao encontro de Clifford, repetindo o "Ooo-ee". Mellors ficou acompanhando-a com os olhos, sorrindo levemente; depois pôs-se a andar de volta.

Clifford estava galgando a meia encosta que conduzia à fonte, e Constance alcançou-o quando a cadeira se deteve lá.

– Veio muito bem até aqui – disse Clifford, referindo-se ao veículo.

Constance tinha os olhos nas grandes folhas escuras das bardanas que irrompiam da fímbria dos maciços de lárix. Ruibarbo de Robin Hood, é como o povo chama aquela planta. Que melancolia e silêncio ao redor da fonte! E, no entanto, a linfa murmurejava com maravilhosa alegria. E havia pés de eufrásia e trombetas azuis... Junto ao barranco a terra mole se levantava. Uma toupeira emergiu cega, remando com suas mãos cor-de-rosa e agitando o focinho para o ar.

– Parece ver com a ponta do nariz – observou Constance.

– Melhor que com os olhos – acrescentou Clifford. – Não quer beber?

– Você quer?

Constance pegou uma caneca esmaltada que pendia de um galho e encheu-a. Clifford tomou vários goles, e ela também provou a água.

– Como está gelada! – exclamou.

– Boa, não? Fez algum voto?

- Você fez?

– Fiz, mas tenho de me calar.

Constance ouviu o toque-toque de um pica-pau; depois, o barulho do vento suave e misterioso entre as lárices. Ergueu os olhos. Havia nuvens brancas no azul do céu.

– Nuvens! – exclamou ela.

– Carneiros brancos, apenas – sugeriu Clifford.

Uma sombra atravessou a pequena clareira. A toupeira alcançara a terra macia.

– Desagradável animalzinho – disse Clifford. – Devíamos tê-lo matado.

– Olhe! Parece um padre no púlpito!

Constance quebrou uns galhos de aspérula e trouxe-os a Clifford.

– Tem o cheiro de feno – disse ele. – Não lembra as damas românticas do século passado que, apesar de tudo, tinham a cabeça no lugar?

Constance tinha os olhos nas nuvens.

– Parece que está querendo chover – atalhou.

– Não chame chuva.

Era hora de voltar. A cadeira entrou prudentemente em marcha, aos solavancos. Alcançou o fundo do vale e começou a subir a longa encosta onde as campânulas se espalhavam a plena luz.

– Avante! – bradou Clifford dando força ao motor.

Foi difícil a subida. A cadeira avançava com esforço e má vontade; entretanto, logo chegaram ao ponto florido de jacintos. Ali, porém, o veículo como que se agarrou às flores, empacando.

– Melhor tocar a buzina para chamar o guarda-caça – disse Constance. – Ele pode empurrar, e eu ajudo.

– Vamos dar fôlego ao motor... um pequeno descanso. Ponha um calço na roda.

Constance trouxe uma pedra e ficaram parados, esperando o motor descansar. Instantes depois, Clifford tentou novo arranque, mas inutilmente.

– Vou ajudar – disse Constance.

– Não, não empurre! – gritou Clifford encolerizado. – Para que serve esta maldita máquina, se é preciso empurrar? Firme a pedra.

Nova parada; novo arranco, tão inútil quanto o anterior.

– Deixe-me empurrar; é o jeito – repetiu Constance. – Ou então toque para chamar o guarda-caça.

– Espere.

Ela esperou. Clifford insistiu mais uma vez sem nada conseguir.

– Toque a buzina, já que não quer que eu empurre – disse ela.

– Diabos! Fique quieta por um momento.

Constance calou-se e ele continuou a lutar furiosamente.

– Acabará estragando o pobre motor – disse Constance –, e, além disso, estragará os nervos.

– Ah! Se eu menos pudesse descer para examinar este maldito motor – gemeu ele exasperado, e pôs-se a tocar a buzina violentamente. – Talvez Mellors consiga descobrir o que há.

E ficaram à espera do homem, ali entre as flores esmagadas, sob um céu que se ia coagulando de nuvens. No silêncio, uma rola começou a arrulhar. Clifford a fez calar-se com uma violenta buzinada. Mellors não demorou a aparecer; saudou-os militarmente e perguntou o que havia.

– Entende de motores? – perguntou Clifford incisivamente.

– Receio que não. Estragou alguma coisa?

– Parece – rosnou Clifford.

O guarda-caça agachou-se e pôs-se a examinar atentamente a máquina.

– Infelizmente, nada sei de mecânica – disse ele –, mas se está com gasolina suficiente devia...

– Olhe com atenção se não há nada quebrado – ordenou Clifford em voz cortante.

Mellors encostou a espingarda num toco, tirou o casaco e pendurou-o. Flossie sentou-se sobre as patas traseiras, de sentinela. Mellors acocorou-se e examinou tudo, sujando os dedos de graxa e irritando-se com os pingos que lhe caíam na camisa domingueira.

– Não vejo nada quebrado – disse por fim e levantou-se, derrubando o chapéu para coçar a testa, de olhos na máquina. Clifford sugeriu qualquer coisa que fez Mellors entrar debaixo da cadeira para examinar. Constance pensou consigo que o homem era uma coisa bem miserável, fraca e pequenina, deitado no chão assim, de barriga para o ar.

A voz abafada de Mellors soou lá embaixo.

– Tudo me parece perfeito.

– Acho que não pode fazer nada – disse Clifford.

– Creio que não – e Mellors emergiu e acocorou-se novamente, ao modo dos mineiros. – Não há nada quebrado lá embaixo – insistiu.

Clifford pôs o motor em ação e engrenou, mas a cadeira não quis arrancar.

– Dê mais força ao motor – disse Mellors.

Essa intervenção irritou Clifford; não obstante, acelerou a todo o vapor. O motor richou, tossiu, revelando melhores disposições.

– Parece que agora vai – disse Mellors.

A cadeira moveu-se como um doente, débil, frouxa.

– Com um pouquinho de ajuda, vai – afirmou o guarda fazendo menção de empurrar.

– Não empurre! – gritou Clifford. – Tem de andar sem isso.

– Mas, Clifford – aventurou Constance –, você está vendo que, sozinha, a cadeira não vai, não tem força. Para que tanta teimosia?

Clifford estava pálido de raiva. Moveu as alavancas aos trancos. A cadeira avançou, vacilante, uns metros e empacou de novo num tufo mais espesso de campânulas.

– Não vai. Não tem força – disse o guarda-caça.

– Esta cadeira já fez este caminho muito bem – respondeu Clifford friamente.

– Mas desta vez não fará – disse o guarda-caça.

Clifford calou-se e começou a fazer tentativas com o motor, ora acelerando, ora diminuindo, como se quisesse tirar dele uma melodia – e o barulho ecoava na floresta. De súbito, acelerou e soltou o pedal.

– Vai estragar o motor! – exclamou o guarda-caça.

A cadeira deu uma guinada para o barranco.

– Clifford! – gritou Constance, correndo para ele.

Mas o guarda-caça já o havia agarrado, ajudando Clifford a colocar-se na trilha, onde a cadeira deslocou-se afinal. Começou a subir com facilidade, como para reabilitar-se.

– Veja como anda bem agora! – disse Clifford triunfante; mas, voltando o rosto, viu por trás a cabeça do guarda-caça.

– Está empurrando? – gritou.

– Sem isso ela não anda – respondeu Mellors.

– Deixe-me em paz! Não dei ordem para que me empurrasse.

– Mas sem isso ela não anda – repetiu o guarda-caça.

– Quero ver! – gritou Clifford com irritação.

Mellors afastou-se e foi pegar o casaco e o fuzil, enquanto o pequeno veículo empacava novamente. Parou de vez. Clifford, prisioneiro ali dentro, estava pálido de humilhação. Afundava os pedais com ódio; seus pés não o ajudavam em nada. Da máquina saíam ruídos estranhos – mas nada de mover-se. Não, a cadeira não sairia do lugar. Clifford desligou o motor e ficou espumando de cólera.

Constance, sentada junto à fonte, tinha os olhos nas pobres campânulas esmagadas. "Não pode haver maior encanto que a primavera inglesa." "Posso dar conta da minha parte no governo." "Precisamos é de chicote e não de sabres." "As classes dirigentes..."

O guarda-caça aproximou-se, com o seu casaco no ombro e a espingarda na mão. Flossie o seguia desconfiada. Clifford mandou que ele visse qualquer coisa embaixo da cadeira e Mellors novamente deitou-se para o exame.

Constance, que nada sabia da técnica dos motores mas tinha experiência de panes, ficou pacientemente sentada junto à fonte, como se não existisse. O guarda-caça lá estava de costas, debaixo do carro. As classes dirigentes, as classes servis!

Mellors ergueu-se.

– Experimente de novo – disse com uma voz calma, quase infantil.

Clifford ligou o motor e, sem que ele visse, o guarda-caça pôs-se a empurrar; a cadeira moveu-se. O motor fazia metade do trabalho e o homem o restante.

Mas Clifford virou a cabeça, pálido de cólera.

– Faça o favor de me deixar em paz!

O guarda-caça obedeceu enquanto Clifford acrescentava:

– Empurrando, como poderei saber se anda ou não?

Mellors vestiu o casaco. A cadeira recuava lentamente.

– Clifford, os freios! – gritou Constance.

A cadeira parou. Durante um segundo fez-se completo silêncio.

– Evidentemente, estou à mercê dos outros – disse Clifford.

Não teve resposta. Mellors pendurava a espingarda no ombro, com o rosto sem expressão, salvo um leve ar de paciência distraída; Flossie tentava meter-se entre as pernas do seu dono, nervosa de perplexidade ante aqueles seres humanos e olhando para a cadeira com desconfiada aversão. A cena imobilizava-se naquele fundo de campânulas esmoídas. Ninguém falava.

– Acho que só mesmo empurrando – disse por fim Clifford, demonstrando sangue-frio.

Ninguém opinou. O rosto sem expressão de Mellors era de quem não tinha ouvido. Constance olhou-o inquieta e Clifford também se voltou para ele.

– Quer empurrar o carro até o solar, Mellors? – disse Clifford, num tom superior e desembaraçado. – Espero nada ter dito que o ofendesse.

– Absolutamente, Sir Clifford.

– Faça o favor.

Mellors aproximou-se, fez força, mas dessa vez nada conseguiu. O freio estava emperrado. O guarda-caça encostou de novo a espingarda e tirou o casaco. Ergueu a cadeira procurando impelir a roda com a ponta do pé. Clifford agarrava-se lá dentro, enquanto Mellors arquejava sob o peso.

– Não faça isso! – gritou Constance.

– Venha virar a roda deste lado – disse ele, indicando como fazer.

– Não, não suspenda a cadeira, senão você se arrebenta! – gritou ela furiosa.

Mas Mellors olhou-a nos olhos e fez um pequeno sinal que a forçou a vir mover a roda como ele queria. Mellors sustentou a cadeira enquanto ela movia a roda.

– Por Deus! – gritou Clifford apavorado.

Mas foi tudo bem. O freio desemperrou. O guarda-caça pôs uma pedra sob a roda e foi sentar-se à fonte, branco do tremendo esforço feito, quase desmaiando. Constance, com os olhos nele, quase gritava de cólera. Novo instante de completo silêncio. Constance viu as mãos de Mellors tremerem sobre as coxas.

– Está se sentindo mal? – perguntou, aproximando-se.

– Não, não.

Constance ardia em cólera.

Silêncio mortal: a loura cabeça de Clifford imobilizara-se. A própria Flossie se aquietara. As nuvens já recobriam o céu inteiro.

Por fim o guarda-caça deu um suspiro e assoou no lenço vermelho.

– A pneumonia tirou-me muito a força – murmurou.

Silêncio. Constance calculava o esforço que ele fizera para erguer a cadeira com Clifford em cima; excessivo, excessivo. E se viesse a morrer do excesso?

Por fim, Mellors levantou-se e encaminhou-se para o patrão.

– Está pronto, Sir Clifford?

– Estou às suas ordens.

Mellors abaixou-se, tirou a pedra de sob a roda e imprimiu o peso do seu corpo contra a cadeira. Constance jamais o vira com aquela palidez e tão ausente. Clifford era pesado e a rampa era forte. Constance veio para o seu lado.

– Quero empurrar também!

E pôs-se ao trabalho com a energia de uma mulher encolerizada. A cadeira começou a avançar. Clifford voltou-se.

– Será necessário que você também empurre? – disse à mulher.

– Ora bolas! Quer então matar esse homem? Se tivesse me deixado ajudar quando o motor ainda funcionava...

Interrompeu-se. Já estava sem fôlego. Era muito peso.

– Vamos, diminua a força – disse-lhe o guarda-caça sorrindo disfarçadamente.

– Está certo de que não se arrebentou todo? – perguntou-lhe Constance com ferocidade na voz.

Mellors fez com a cabeça um gesto negativo. Constance olhava para suas mãos pequenas, curtas, vivas, bronzeadas pela exposição ao ar livre – as mãos que a tinham acariciado. Só agora as via bem. Tão serenas como o dono, de uma curiosa tranqüilidade interior. Toda a sua alma de mulher voltou-se para ele, tão silencioso e tão inalcançável... Mellors sentiu seus membros reviverem. Impelindo a cadeira com a mão esquerda, pousou a direita sobre o punho redondo de Constance, numa carícia – e uma flama de energia o reviveu. Constance inclinou-se de súbito e beijou aquela mão. A poucos centímetros dos dois erguia-se imóvel a nuca de Clifford.

No alto da colina pararam para um descanso. Constance por várias vezes tinha sonhado uma amizade entre aqueles homens, um, seu marido, e o outro, o pai do seu filho. Via agora o absurdo do sonho. Os dois machos eram tão hostis entre si como a água e o fogo. Excluíam-se mutuamente – e, pela primeira vez, Constance compreendeu o estranho sentimento do ódio. E, pela primeira vez, odiou Clifford, consciente e definitivamente desejando vê-lo eliminado da face da Terra. E, ao odiá-lo assim, teve uma sensação de liberdade e plenitude. "Agora que o odeio, não poderei mais viver em sua companhia."

No platô o guarda-caça pôde empurrar a cadeira sozinho. Clifford quis mostrar-se à vontade. Falou de tia Eva, então em Dieppe, e de Sir Malcolm, que escrevera indagando se Constance o acompanharia a Veneza de trem ou se ia de carro com Hilda.

– Prefiro o trem – respondeu Constance. – Não gosto de viagens longas de carro, sobretudo quando há poeira. Mas preciso saber o que Hilda pensa a respeito.

– Há de querer ir em seu próprio carro e levar você com ela.

– É provável. E mudando de assunto: tenho de ajudar. Você não calcula como esta cadeira pesa.

Constance voltou para junto de Mellors, empurrando a cadeira pela alameda do castelo, indiferente a que a vissem.

– Por que não paramos aqui e chamamos Field? – lembrou Clifford. – Field é forte, capaz de empurrar a cadeira sozinho.

– Já estamos no fim – respondeu Constance num arquejo.

Ela e Mellors enxugaram o rosto ao mesmo tempo, ao chegarem ao alto. Aquele trabalho comum curiosamente os tinha aproximado.

– Mil vezes obrigado, Mellors – disse Clifford na porta do solar. – Tenho de trocar este motor, isso sim. Não quer chegar à cozinha para o almoço? Está na hora.

– Obrigado, Sir Clifford. Hoje é dia de almoçar com minha mãe. Domingo.

– Como quiser.

Mellors vestiu o casaco, lançou um olhar para Constance, saudou-os e partiu. Na hora do almoço, Constance não pode conter-se.

– Por que se comportou tão abominavelmente, Clifford? – disse-lhe ela.

– Com quem?

– Com o guarda-caça. Se isso é coisa das classes dirigentes, acho-o lamentável.

– Por quê?

– Um homem que já teve pneumonia e não é forte. Se eu fosse da "classe dirigida", palavra de honra que você ia ficar esperando pelos meus serviços!

– Não duvido de semelhante coisa!

– Se fosse ele que estivesse na cadeira com as pernas paralisadas, o que você teria feito?

– Minha cara evangelista, esta confusão de pessoas e personalidades é de muito mau gosto.

– De pior gosto ainda é a sua falta da mais elementar simpatia, Clifford, a sua mesquinhez, a sua esterilidade. *Noblesse oblige*. Ah! A tal classe dirigente!

– E a que devia a minha nobreza obrigar-me? A sentir emoções inúteis quanto ao meu guarda-caça? Recuso-me a isso. Deixo-o para minha evangelista.

– Como se não fosse um homem, tanto quanto você!

– É o meu guarda-caça, além do mais, dou-lhe moradia e pago-lhe 2 libras por semana.

– Paga-lhe? O que paga com 2 libras por semana e a casa?

– Seus serviços.

– Bah! Eu o mandaria às favas com suas 2 libras por semana e mais a casa!

– Ele talvez se encantasse de fazer o mesmo, mas é luxo a que não pode dar-se.

– Mandaria às favas você e o seu *governo!* – continuou Constance. – Você não governa, não se iluda! Apenas tem mais dinheiro que os outros e os faz trabalhar à razão de 2 libras por semana sob pena de matá-los de fome. Governar! O que sabe você em matéria de governar? Uma criatura completamente ressecada. Aproveita-se dos outros apenas, por meio do dinheiro, como qualquer judeu sem coração.

– Oh! A elegância com que Lady Chatterley se exprime...

– E você? Foi mesmo de rara elegância na floresta, há pouco. Tive vergonha, sabia? Meu pai é dez vezes mais humano que você... você, o cavalheiro!

Clifford tocou a campainha chamando Mrs. Bolton. Estava lívido.

E Constance subiu furiosa. Ia dizendo: "Ele compra as pessoas! Mas a mim é que não comprará... e aqui não fico. Senhor peixe seco, alma de papel! E como se iludem com as suas belas maneiras e seus afetados ares de gentilezas! Tudo neles é papel."

Em seu quarto fez os planos para a noite, decidida a não mais pensar em Clifford. Não queria odiá-lo. Não queria ficar ligada a ele nem pelo ódio. Aquela disputa quanto à atitude para com os serviçais vinha de longe. Clifford achava-a muito familiar, e ela achava-o estupidamente insensível, duro, insensível quando se tratava dos outros.

Constance desceu calmamente, com o seu ar modesto, à hora do jantar e encontrou Clifford amarelo – no começo de uma daquelas crises de rins que o punham tão estranho e absorto. Tinha um livro nas mãos.

– Já leu Proust? – perguntou-lhe.

– Experimentei, mas não tolerei.

– Pois é verdadeiramente extraordinário Proust!

– Pode ser, mas eu o acho uma chatice. Todo complicações, não tem sentimento, apenas ondas de palavras a propósito dos sentimentos. Estou por aqui dessas mentalidades que tanto admiram a si próprias.

– Prefere animalidades que admirem a si próprias?

– Talvez! Mas não haverá alguma coisa que não admire a si mesma?

– Admiro Proust, sua sutileza, sua anarquia bem-educada.

– E isso faz de você um morto, isso sim.

– Assim fala a minha evangélica mulherzinha!...

Haviam-se atracado de novo nas eternas discussões. Era impossível que Constance deixasse de contrariá-lo. Clifford parecia um esqueleto sentado a emitir contra ela uma gelada e caduca vontade de esqueleto. Constance quase que sentia o esqueleto agarrá-la e apertá-la contra as costelas. Um esqueleto sempre pronto para o combate e que lhe dava um pouco de medo.

Constance subiu o mais cedo possível e foi logo para a cama. Às nove horas, porém, levantou-se e ficou à escuta. Não havia barulho nenhum lá embaixo. Vestiu um robe e desceu. Clifford e Mrs. Bolton estavam absorvidos num jogo de cartas – e assim ficariam até a meia-noite. Constance voltou ao quarto, tirou o robe, vestiu uma camisola e, por cima, um vestido de lã. Calçou sapatos de lona e pôs um capote leve. Se encontrasse alguém, diria que resolveu sair por um momento. E de manhã, quando entrasse, daria a impressão de ter saído naquele instante para um passeio ao orvalho – o que fazia muitas vezes antes do almoço. O perigo era que alguém a procurasse no quarto durante a noite. Mas isso era bem pouco provável: uma chance em cem.

Bettes ainda não havia fechado as portas a chave. A hora de fechar era às dez e de abrir, às sete. Constance esgueirou-se sem ser vista nem ouvida. Brilhava no céu um pedaço de lua, suficiente para lhe iluminar o caminho, mas insuficiente para trair uma mulher de capote escuro. Atravessou rapidamente o parque, menos excitada pela aventura do que pela revolução que lhe ia na alma. Má disposição para uma noite de amor – mas *à la guerre, comme la guerre.*

## 14

Ao alcançar o portão, ouviu o clique da fechadura.

Ele estava lá e a vira!

– Veio cedo – disse-lhe o guarda-caça. – Correu tudo bem?

– Foi tudo fácil.

Mellors fechou tranqüilamente o portão depois que ela passou. Sua lâmpada de bolso punha uma mancha de luz na noite. Caminharam a alguma distância um do outro, em silêncio.

– Tem certeza de que não se arrebentou esta manhã com aquela loucura? – perguntou Constance.

– Não, não!

– Quando teve a pneumonia, o que fez?

– Oh! Nada. Mas já não tenho os pulmões tão elásticos, nem o coração tão firme. É sempre assim depois das pneumonias.

– Nem sempre.

Constance caminhava em silêncio.

– Está com ódio de Clifford? – perguntou-lhe a seguir.

– Não! Tenho encontrado muitos homens do seu tipo para dar-me ao trabalho de odiá-los. Mas não gosto desse gênero de homens, eis tudo.

– Que gênero?

– Você sabe melhor que eu. Esses moços delicados e sem colhões.

– Sem o quê?

– Sem colhões... colhões de homem.

Constance refletiu um momento.

– Mas não se trata disso – disse ela um tanto irritada.

– Diz-se que um homem não tem miolos quando é estúpido; que não tem coração quando é vil; que não tem estômago quando é covarde. E quando não tem a faísca da virilidade, diz-se que não tem colhões. Quando é muito mimado... domesticado.

– Acha que Clifford é muito domesticado?

– Sim. E também muito desagradável, como a maior parte dos da sua tribo quando contrariados.

– E não se considera você muito mimado também?

– Não muito.

De longe viram uma luz amarela.

– Luz? – admirou-se Constance.

– Deixo sempre o lampião aceso no casebre.

Ela continuou a caminhar ao seu lado, sem o tocar e perguntando a si mesma por que estava ali com aquele homem.

Chegaram. Mellors abriu e depois fechou a porta por dentro. "Como numa prisão!", pensou ela. A chaleira cantava ao fogo e sobre a mesa viam-se as xícaras de chá.

Constance sentou-se na poltrona de madeira, junto à mesa. Estava quente ali para quem vinha do frio de fora.

– Vou tirar os sapatos; estão úmidos – disse Constance, e pousou os pés descalços sobre a grade da lareira enquanto ele ia à despensa buscar a comida: pão, manteiga e língua em conserva. Sentindo-se encalorada, despiu o capote e pendurou-o.

– Quer chocolate, café ou chá? – indagou Mellors.

– Não estou com vontade de tomar nada, obrigada. Sirva-se você.

– Também não quero nada. Vou dar comida a Flossie.

Mellors andou daqui para ali, preparando uma tigela de comida para a cadela, que o olhava com inquietação.

– Olá, aqui está tua ceia – disse. – Não precisa se fazer de vítima.

Colocou a tigela sobre o capacho da escada e sentou-se numa cadeira para tirar as polainas e os sapatos. Em vez de comer, Flossie veio sentar-se ao seu lado, com os olhos nele, perturbada.

Mellors tirou fora as polainas. A cadela aproximou-se um pouco mais.

– Que há? Estás assim incomodada porque entrou outra pessoa aqui? Bem se vê que és mulher! Vai comer tua sopa, anda.

Disse isso com a mão sobre a cabeça do animal e afagou-lhe as longas orelhas sedosas.

– Para lá! Vai comer tua sopa, anda já! – ordenou virando a cadeira para o lado da tigela, e humildemente Flossie lá se foi à ceia.

 – Gosta de cães? – perguntou Constance.

– Não muito. Acho-os ternos demais.

Já sem perneira, Mellors tirava os sapatos. Constance correu os olhos pelo recinto. Que salinha nua! Na parede, uma horrível fotografia ampliada, mostrando dois noivos – sem dúvida ele e sua mulher, criatura de expressão atrevida.

– Você e sua mulher?

– Sim. Essa fotografia foi tirada antes do casamento, quando eu tinha 21 anos.

Mellors olhava para aquilo com ar impassível.

– Gosta desse retrato? – perguntou Constance.

– Se gosto? Não, nunca gostei disso. Ela é quem o quis.

– Se não gosta, por que o conserva aqui? Talvez sua mulher desejasse tê-lo consigo.

Mellors encarou-a, rindo.

– Ela levou num caminhão tudo o que valia a pena, mas deixou isso.

– Então por que o conserva? Alguma razão sentimental?

– Não. Nem olho para isso nunca. Aí foi posto quando vim para esta casa, aí ficou.

– Por que não o queima?

– Não seria má idéia.

Já sem sapatos, Mellors calçou uns chinelos e, subindo numa cadeira, desceu o quadro. Ficou na parede um grande quadrado de cor diferente.

Foi à despensa e trouxe martelo e alicate. Sentou-se e pôs-se a arrancar os preguinhos do verso do quadro – sempre calmo e absorvido, como em tudo o que fazia.

Tirou fora a fotografia no *passe-partout* branco. Olhou-a com ar divertido.

– Eis o que fui! Um jovem cura. E ela, uma tirana. O donzel e a tirana!

Naquele retrato tinha realmente o ar de um jovem cura, muito bem barbeado, arrumadinho – o tipo do rapaz de vinte anos atrás. Seus olhos vivos e indomáveis já estavam na fotografia. Mas a mulher não era só uma tirana, apesar da forte maxila. Revelava algo atraente.

– Nunca devemos conservar essas coisas – disse Constance.

Mellors fez a fotografia em pedaços, e lançou-os à lareira.

– Vai é estragar o fogo – observou; depois desfez a moldura e guardou os pedaços na despensa, dizendo: – Isto queimaremos amanhã; há muita massa em cima da madeira.

Em seguida tirou a mesa e sentou-se.

– Tem amor por sua mulher? – perguntou-lhe Constance.

– Amor? Tem você amor por Sir Clifford?

Mas Constance não se satisfez.

– Há de ainda sentir qualquer coisa por ela.

– Sentir qualquer coisa? – repetiu ele rindo.

– Sim, por que não?

– Eu? – E seus olhos se dilataram. – Ah! Não! Nem pensar nela eu posso – concluiu, tranqüilamente.

– Então por que não se divorcia? Assim ela ainda acabará voltando.

– Oh! Não voltará por coisa nenhuma. Ela me odeia mais do que eu a ela.

– Pois vai ver que volta.

– Nunca. Acabou tudo. Ficaria doente se a visse.

– Pois vai vê-la. E creio que nem separados legalmente estão ainda, não é?

– É verdade.

– Ah! Ela voltará, sim, e você será obrigado a tê-la consigo...

Mellors encarou Constance; depois sacudiu a cabeça num movimento que lhe era habitual.

– Talvez tenha razão. Fui um imbecil de ter voltado para cá. Mas sentia-me perdido, naufragado, tinha de pousar em qualquer parte! Nada pior que a vida de um vagabundo sem terra. Mas você tem razão. Preciso obter o divórcio e readquirir minha liberdade. É que nunca suportei essa coisa: funcionários, tribunais, juízes... mas não tem remédio. Sim, vou divorciar-me.

Suas maxilas cerraram-se e Constance exultou.

– Estou querendo tomar uma xícara de chá – disse ela.

Mellors levantou-se para preparar o chá, mas sua expressão permaneceu a mesma. Depois que se sentaram, ela indagou:

– Por que motivo casou-se? Ela era inferior a você, Mrs. Bolton falou-me, e disse que nunca pôde compreender esse casamento.

– Vou contar. Aos 16 anos comecei a namorar uma pequena, filha de um professor em Ollerton, linda, realmente linda. Tinha minha fama como estudante; estivera no colégio de Sheffield, sabia francês, alemão e andava orgulhoso da minha superioridade. Ela, uma romântica das que detestam o vulgar. Impeliu-me para a poesia e a literatura, e em certo sentido me formou. Li furiosamente e passei a refletir bastante, tudo por causa dela. Estava empregado nos escritórios de Betterley e era um rapazinho esbelto, pálido, refervente de literatura. Conversava com ela sobre tudo, absolutamente tudo. Nossas conversas nos levaram de Persépolis a Tombuctu. Ninguém encontraria neste condado, ou em dez condados, um parzinho mais literário, mais culto que nós. Havia êxtase entre nós. Vivia nas nuvens e ela me adorava. Mas a serpente estava escondida na erva: o lado sexual. Nenhum entusiasmo nela, pelo menos lá onde eu queria... e ia cada vez mais emagrecendo e enlouquecendo. Por fim declarei-me que era indispensável sermos amantes. Persuadi-a com as minhas palavras, como de hábito, mas não encontrei nela nenhum desejo, nenhuma urgência. Adorava-me, adorava ouvir-me falar e deixar-se beijar... mas, quanto ao restante, nada. Não queria. Há muitas mulheres assim. E eu... eu, era justamente o restante que queria. Veio o rompimento. Fui cruel. Abandonei-a. Tive então uma relação amorosa com uma professora que deu um escândalo; havia sido amante de um homem casado ao qual quase enlouquecera. Uma mulher mais velha que eu, meiga, muito branca, que gostava de tocar violino. Mas, que demônio! Gostava de tudo no amor, exceto o sexo. Meiga e carinhosa... insinuante; mas se eu tentava levá-la mais além, rangia os dentes e exalava ódio. Forcei-a a ceder e ela me assassinou com o seu ódio. Foi outra decepção. O que eu queria era uma mulher que me quisesse e também gostasse *disso*.

"Depois veio Bertha Coutts. Os Coutts tinham sido vizinhos nossos quando eu era criança, de modo que nos conhecíamos muito. Impossível gente mais vulgar. Bertha arranjou um emprego em Birmingham, como dama de companhia, dizia ela... mas todos juravam que era apenas como criada de quarto de um hotel. Seja como for, um dia Bertha reapareceu com grandes ares, vestidos chiques, toda vistosa, como tantas mulheres que vemos na rua.

"Eu, nessa ocasião, estava a ponto de explodir. Deixei meu emprego no Betterley, achando-o indigno de mim, e fui trabalhar como mestre ferrador em Tevershall. Tinha de ferrar cavalos, o mesmo ofício de meu pai, com quem fiz minha aprendizagem. Gostava de lidar com cavalos e o emprego me convinha; sentia-me à vontade nele. Parei de falar 'fino', como eles dizem, e voltei a usar o dialeto popular.

Mas continuei a ler em casa; de dia, porém, ferrava cavalos, e por fim comprei um carrinho e um pônei, e tornei-me um Lorde Duckfoot. Meu pai falecera e deixara-me 300 libras. Liguei-me então a Bertha, contente de que ela fosse tão comum. Eu também queria tornar-me comum. Casamonos e no começo foi bom. As outras meninas, as 'puras', quase me tinham atrofiado os colhões, mas Bertha não merecia censura nessa ponto. Queria-me e não fazia caras. Subi ao céu. Encontrara o que procurava; uma mulher que gostasse de copular comigo. E pus-me a copular à vontade. Creio que ela me desprezava um pouco por gostar tanto disso e por trazer-lhe o café à cama. E as coisas foram piorando; quando eu voltava do trabalho e não via jantar que prestasse e dizia alguma coisa, Bertha enfurecia-se. Chegávamos a nos atracar. Ela se atirava a mim de unhas e dentes; eu a agarrava pelo pescoço e quase a estrangulava. Imagine. Passou a tratar-me com a maior insolência. Chegou a não querer deitar-se comigo quando eu tinha vontade; nunca! Repelia-me sempre, com brutalidade. E quando eu não queria, lá vinha com agrados e modos até que eu cedesse. E quando fazíamos amor, ela não gozava junto comigo. Nunca! Esperava. Se eu agüentasse durante meia hora, ela se segurava todo esse tempo. E quando eu gozava, ela se assanhava e me prendia em cima dela até que gozasse também entre gritos e convulsões. Agarrava-me dentro dela e gozava com fúria, dizendo: 'Como é bom!' Isso foi me desgostando, e quanto mais eu me desgostava, mais ela se aprimorava no sistema. Foi demorando cada vez mais para gozar e, por fim, quase me machucava lá embaixo, como se tivesse bico e garras na coisa. Deus do céu! Há quem pense que as mulheres são macias como figos lá embaixo! Mas posso garantir que pelo menos algumas têm bico e garras entre as pernas, com que estraçalham um homem. 'Eu, eu, eu!' Só pensam nelas, e urram e despedaçam o homem. Falam no egoísmo dos homens; o que é egoísmo dos homens diante da cegueira e dureza de mulheres assim? Tal qual velhas prostitutas! Bertha não podia evitar isso. Falei-lhe, disse-lhe do horror que me causava, e ela tentou corrigir-se, experimentando ficar parada enquanto eu agia. Experimentou, mas não conseguiu. Tinha de agir também; tinha de moer o seu próprio café. Isso vinha sempre como uma crise inevitável; era preciso que ela se desse ao furor, e enfurecia-se como se só tivesse prazer na ponta do seu bico, desse bico que me esfolava. Eram assim, dizem, as velhas cortesãs. Bertha parecia ter uma obstinação de demente, como a da mulher que bebe. Por fim não agüentei mais. Separamo-nos de quarto. Ela mesma, num momento de crise em que me acusou de tiranizá-la, o propôs. Até que veio um tempo em que eu nem quis mais que ela entrasse no meu quarto. Não queria mais saber dela.

"Fiquei com horror de Bertha, e Bertha de mim. Grande Deus! Como me detestava antes no nascimento da criança! Penso muitas vezes que essa criança foi concebida no ódio. Mas, depois de vir a criança, deixei-a tranqüila. Viera a guerra. Alistei-me e só voltei para aqui depois que soube que se ligara àquele tipo de Stacks Gate."

Mellors interrompeu-se, pálido.

– E como é esse tipo de Stacks Gate? – perguntou Constance.

– Um crianção muito desbocado. Apanha de Bertha e os dois bebem juntos.

– Sim, mas se ela voltasse?

– Ah! Meu Deus! Eu fugiria daqui, desapareceria de novo.

Fez-se silêncio. A fotografia jogada no fogo estava em cinzas.

– De modo que, quando você encontrou uma mulher como queria, a coisa não durou nada – disse Constance.

– É verdade. Mas, mesmo assim, eu preferia Bertha às "puras", às que não querem nunca, nunca... ao amor cândido da minha juventude, à do violino e outras.

– Outras?

– Não há outras na minha vida, mas creio que a maioria das mulheres é assim: querem o homem, mas sem o amor físico, e só se submetem a ele como a um animal necessário. As do tipo antiquado deixam-se ficar largadas na cama e apenas permitem que o homem faça o que quiser com elas. Não se importam; toleram aquilo porque gostam do homem. Mas a coisa em si é nada para elas, apenas um tanto desagradável. E muitos homens querem que seja assim. Eu, não! Tenho horror a isso. As mais espertas fingem que não são assim. Fingem ter prazer e simulam o orgasmo. Mas é pura encenação, mentira. E há as que gostam de tudo, de todas as sensações, de todas as carícias... exceto a natural. Não deixam o homem gozar dentro. E há as duras, como minha mulher, que só gozam consigo mesmas, à custa do suplício do macho... as que querem ter o papel ativo. E há as mortas por dentro, completamente mortas, e que o sabem. E há as que empurram o homem fora de si antes que ele goze e continuam em convulsões até que acabem em suas coxas. São as lésbicas. Dá pena ver quantas mulheres, consciente ou inconscientemente, são lésbicas. Parece-me que todas são lésbicas.

– E isso faz mal a você?

– Tenho vontade de matá-las! Quando estou com uma mulher e vejo que é lésbica, entro em desespero e tenho ímpetos de estrangulá-la.

– E o que você faz?

– Fujo das suas garras o mais depressa possível.

– E acha as lésbicas piores que os machos homossexuais?

– Eu? Acho, sim, porque sofri com elas. Em teoria, não sei. Quando descubro uma lésbica, vejo tudo vermelho. Não, não! Acabei não querendo saber mais de mulher nenhuma. Fiquei sozinho comigo.

Mellors estava pálido e de sobrancelhas cerradas.

– E arrepende-se de haver-me encontrado.

– Tive com isso tanto gosto como desgosto.

– E agora?

– Agora receio tudo o que possa vir no mundo... complicações, acusações, as coisas inevitáveis que nos esperam. Penso nisso em minhas horas de depressão. Mas, quando sinto o sangue ferver, fico feliz. E até triunfante. Eu estava a ponto de perder-me de uma vez. Não acreditava mais em amor, nem que houvesse uma criatura feminina capaz de seguir um homem na sensação física, salvo as negras... mas somos brancos.

– E está contente comigo?

– Sim, quando consigo esquecer o restante. Quando me recordo, vem-me a vontade de entrar debaixo da mesa e morrer.

– Por que debaixo da mesa?

– Por quê? Para esconder-me, menina.

– Parece realmente ter tido duras experiências com as mulheres – replicou Constance.

– É que, como você está vendo, nunca pude iludir a mim mesmo. A maior parte dos homens se ilude. Adotam uma atitude e aceitam a mentira. Eu sempre soube o que quis numa mulher, e nunca pude dizer que tinha o que não tinha.

– E hoje tem o que quer?

– Parece-me que sim.

– Então por que se conserva tão pálido e soturno?

– Porque não posso esquecer o passado. Além disso, tenho medo de mim mesmo.

Constance silenciou um momento. Era tarde. Depois disse:

– Acha importante a relação entre homem e mulher?

– Para mim, é a coisa mais importante da vida, mas tem de ser como eu quero, com relações físicas do jeito que eu quero.

– E se não as tivesse?

– Nesse caso, preferiria abster-me.

Constance refletiu antes de perguntar:

– E você acha que tem sempre agido bem para com as mulheres?

– Por Deus, não! Fui eu que fiz minha mulher chegar ao ponto a que chegou. Estraguei-a. Além disso, sou muito provocador... eu sei disso. E custa-me muito ter confiança em alguém, confiança plena. E talvez também eu decepcione. Não confio em mim, e na ternura não pode haver desconfiança.

Constance encarava-o.

– Mas não desconfia quando o sangue está aceso, não é?

– Certamente... e daí vêm meus desastres e a minha desconfiança de hoje.

– Pois desconfie. Que tem isso?

Flossie, inquieta, suspirou em sua esteira. O fogo asfixiado pelas cinzas ia baixando.

– Somos um casal de guerreiros vencidos – murmurou Constance.

– Considera-se vencida também? – disse ele rindo. – E voltamos ambos para a guerra.

– Sim, e tenho medo.

– Ah!

Mellors ergueu-se e pôs os sapatos de Constance para secar, também limpou os seus e colocou-os perto do fogão. Ele os engraxaria de manhã. Atiçou o fogo para que desaparecesse o que restava das cinzas do retrato.

– Mesmo reduzido a carvão, é ignóbil – comentou.

Depois saiu em busca de mais lenha, seguido de Flossie. Ao voltar, Constance lhe disse:

– Também vou sair um pouco.

E saiu para a noite escura, cheia de estrelas no céu e de perfumes no ar. Seus sapatos, já úmidos, umedeciam-se mais; ela, entretanto, sentia um ímpeto de ir caminhando em linha reta, sempre, sempre, para bem longe dele e de todo o mundo.

Fazia frio. Constance teve de recolher-se. Na sala sentou-se rente ao fogo.

– Que frio! – exclamou tiritando; e Mellors avivou as chamas e alimentou-as com uma braçada de lenha. As labaredas amarelas, que dançavam sem cessar, faziam-no feliz, aquecendo-lhe o rosto e a alma.

Mas Mellors conservava-se em silêncio e distante; por fim disse, tomando a mão de Constance:

– Não se atormente. Faz-se o que se pode.

– Sim.

Ele suspirou e sorriu, e Constance foi para seus braços, murmurando:

– Esqueça, esqueça...

Mellors conservou-a nos braços, diante do fogo daquelas chamas que eram um esquecimento. O peso dela, macio, morno, maduro! O sangue começou a ferver-lhe nas veias, despertando-lhe a força, o vigor, a coragem.

– No fundo, talvez essas mulheres tivessem querido aproximar-se de você, amá-lo de verdade... mas não puderam. Talvez a culpa não seja inteiramente delas.

– Sei disso. Acha que não conhecia a mim próprio, que não tinha consciência de ser uma serpente pisada e de espinha quebrada?

Ela o apertou mais forte; não queria continuar naquele assunto, mas era impelida por uma espécie de perversidade.

– Mas não é mais assim agora! Não é mais uma pobre serpente de espinha quebrada, não!

– Não sei o que sou, mas há dias sombrios pela frente.

– Não, não! – protestou Constance. – Por que os haveria?

– Há, sim, maus dias pela frente... para nós dois, para todo o mundo – repetiu Mellors em melancólico tom profético.

– Não! Não fale assim.

Ele se calou, mas Constance sentiu o negror do desespero em sua alma. Desespero que era a morte de todo desejo, de todo o amor; desespero semelhante a uma caverna escura dentro do homem na qual o espírito se perde.

– Você fala muito friamente do sexo – disse ela. Fala como se só tivesse procurado o seu próprio prazer, a sua própria satisfação.

Constance falava nervosamente.

– Não. O que há é que sempre quis tirar de uma mulher meu próprio prazer, minha própria satisfação, e não consegui; era necessário que o meu prazer e o dela viessem juntos, mas todas falharam. Temos de ser um naquele momento.

– Mas você nunca acreditou nas mulheres que teve, como ainda não acredita em mim.

– Não sei o que é isso de acreditar numa mulher.

– Aí está! O mal é esse.

Constance continuava aninhada em seu colo, mas Mellors permanecia de espírito ausente e vago. Não estava ali; e tudo o que ela dizia só o afastava mais dali.

– Em que acredita, então?

– Não sei.

– Em nada! Como todos os homens que conheci, você também não acredita em nada.

Calaram-se. Depois ele falou:

– Não; creio em alguma coisa, sim. Creio na necessidade de amar. Creio sobretudo na necessidade de fazer sexo com ardor. Creio que, se os homens pudessem copular com ardor e as mulheres aceitassem isso de coração, tudo estaria bem. Mas essas fornicações geladas em que o coração não entra não passam de morte e estupidez.

– Mas comigo você não fornica friamente, não é? – insistiu ela.

– Tenho o coração frio como batatas, neste momento.

– Oh! – exclamou ela beijando-o, e rindo. – Então vamos providenciar batatas *sautées*.

Mellors também riu e endireitou-se na cadeira.

– É um fato. Dou tudo por um pouco de calor e cordialidade, mas as mulheres não querem. Até você, no fundo, não quer. Você gosta de uma cópula viva, penetrante, fria, sem coração, e depois faz de conta que foi doce. Onde está a sua ternura por mim? Desconfia de mim como um gato desconfia do cão. E lhe digo que nada se faz senão a dois. Você gosta de fornicar, não há dúvida; mas quer dar a isso um nome misterioso e magnífico para lisonjear mais a importância que dá a si própria. A importância que dá a si mesma vale para você cinqüenta vezes mais do que qualquer homem ou do que qualquer união com um homem...

– Mas é justamente disso que eu acuso você. A importância que dá a si mesmo é tudo para você.

– Está bem. Não falemos mais nisto – concluiu ele, fazendo menção de se levantar. – Fiquemos cada um onde estamos. Prefiro a morte a continuar fornicando assim.

Ele ergueu. Ambos afastaram-se.

– E julga que eu queria isso? – exclamou Constance.

– Espero que não. Mas, seja como for, vá dormir lá em cima que eu dormirei aqui embaixo.

Constance encarou-o. Mellors estava pálido, com o rosto sombrio. E longe dela como o pólo! Ah! Os homens eram todos iguais!

– Não posso sair daqui senão amanhã de manhã – disse ela.

– Sim, mas vá deitar-se lá em cima. O relógio está marcando quinze para a uma.

– Não vou – disse Constance.

– Nesse caso, vou eu – foi a resposta de Mellors apanhando os sapatos.

Constance encarou-o fixamente.

– Espere – disse. – Espere! Que houve entre nós?

Mellors, amarrando os sapatos, não respondeu. O tempo passava. Uma tontura invadiu Constance, que ficou ali de olhos arregalados, quase sem consciência de nada.

Aquele silêncio fez com que ele erguesse os olhos para ela. Viu-a estarrecida, perdida no vago. E como que impelido por um vento, com um pé descalço, atirou-se a ela, agarrou-a e apertou-a a ponto de lhe fazer mal. E conservou-a assim e Constance deixou-se ficar.

E suas mãos procuravam-na cegamente, erguendo-lhe a saia; procuraram-na lá onde ela era macia e quente.

– Minha menina! – exclamou em dialeto. – Não briguemos mais... nunca mais. Eu a amo... gosto de pegá-la. Não discuta comigo. Não, não! Sejamos um.

Constance o encarava com seus grandes olhos tão calmos, e viu-o baixar a cabeça e imobilizar-se, mas sem a largar. Depois olhou-a nos olhos, dizendo com seu sorriso irônico:

– Sim, juremos ser um.

– Será verdade – murmurou ela com lágrimas nos olhos.

– Sim, é verdade. Sejamos um, de coração, de ventre e de todo o resto.

Constance chorava em silêncio. Ela deitou-se ao pé dele no tapete e a calma lhe foi voltando. Depois correram para deitar-se porque o frio se fizera intenso e eles estavam esgotados. Ela se aninhou, pequenina, em seus braços e dormiram logo, profundamente – dois sonos em um. E assim ficaram até que o sol trouxesse ao mundo um novo dia.

A luz despertou-os. Soava lá fora a música dos pássaros.

Cinco e meia, a hora de Mellors acordar todos os dias. Que sono profundo fora o seu! Sim, mais um dia a viver, um dia novo! A companheira estava ainda em seu sono. Mellors correu-lhe a mão pela carne e ela abriu os olhos azuis, espantados; e sorriu, ainda em semiconsciência.

– Está bem acordada? – perguntou-lhe Mellors.

Constance olhou-o nos olhos, sorriu e beijou-o. E de súbito, totalmente desperta, sentou-se na cama.

– Pensar que estou aqui! – e seu olhar corria pelo quartinho caiado, de teto em declive, e janela aberta. Não havia outro móvel além de uma pequena cômoda e uma cadeira, fora a cama.

– Pensar que estamos aqui! – repetiu.

Estirado no leito, Mellors a contemplava e lhe acariciava os seios debaixo da camisa. Em sua euforia ele era todo mocidade e beleza. Como os olhos lhe ficavam quentes às vezes! Constance também tinha a frescura de uma flor.

– Quero tirar isto – e Mellors tirou a camisola dela. Constance nua emergiu sentada, os seios levemente dourados. Ele se divertia em fazê-los balançar como sinos.

– Também quero que tire o pijama – disse ela.

– Não, não.

– Sim, sim – ordenou Constance.

E Mellors tirou o velho pijama de algodão, empurrando a calça com os pés. A não ser nas mãos, no rosto e no pescoço, sua pele era alva como o leite, e fina. E de súbito Constante reviu aquela beleza pungente que tanto a impressionara no banho.

O ouro do sol batia nas cortinas, como que querendo entrar.

– Oh! Vamos abrir as cortinas! Os pássaros cantam lá fora! O sol que entre também! – disse ela.

Mellors saltou da cama e abriu as cortinas, nu e delgado, um pouco recurvo. Abriu-as e olhou para fora um momento. Suas costas brancas e finas, suas nádegas de uma estranha firmeza viril, sua nuca lisa e delicada, mas sólida... A força daquele corpo era interior, não exterior.

– Como você é belo! – exclamou Constance. – Tão puro, tão fino! Venha, venha! – e estendeu-lhe os braços.

Mellors teve vergonha de voltar-se de frente por causa da ereção. Pegou a camisa e cobriu-se, para aproximar-se dela.

– Não! – protestou Constance, sempre de braços abertos para ele, com os seios levemente caídos. – Quero ver tudo!

Mellors largou a camisa e plantou-se diante dela, imóvel. O sol iluminava-lhe as ancas e o ventre delicado – e o falo ereto, que se projetava afogueado da pequena nuvem brilhante de cabelos ruivos. Constance sentiu-se surpreendida e com medo.

– Estranho! – murmurou lentamente. – Que aspecto estranho tem ele, tão grande! Tão escuro e seguro de si! Então é assim?

Os olhos de Mellors voltaram-se para o seu próprio corpo e ele riu. No peito os seus pêlos eram mais escuros, quase negros; mas na raiz do ventre, lá de onde saía o falo grosso e recurvo, apresentavam-se de um vermelho dourado e brilhante, numa pequena nuvem.

– Tão orgulhoso! Tão senhoril! – exclamou Constance inquieta. – Agora compreendo por que os homens são arrogantes. No fundo, é belo! Um ser diferente de nós! Um pouco amedrontador, mas belo! E é a mim que ele quer!

Constance mordia o lábio inferior, tímida e perturbada, e Mellors contemplava em silêncio o falo sempre ereto.

– Sim – disse afinal em dialeto – sim, meu filho, tu estás aí. Podes levantar a cabeça! Estás aí e não prestas contas a ninguém. O dono, não é? O meu dono? Tens razão. És mais vivo que eu e falas menos. John Thomas*! É a ela que queres? Queres a tua Lady Jane? Tu me fizeste recair, podes vangloriar-te disso. Sim, ergues a cabeça e sorris. Pois toma-a! Entra em Lady Jane! Dize: "Portas, abri, e a glória do rei entrará!" Ah! Que escândalo! Uma cona! Eis o que queres. Dize a Lady Jane que queres um cono! John Thomas e o cono de Lady Jane!

– Não judie com ele! – exclamou Constance, avançando de joelhos na cama, abraçando a cintura do amante e atraindo-o de modo que os seus seios lhe acariciassem a cabeça do falo ereto. E apertou os braços.

– Deite-se, disse ele. Deixe-me montá-la.

Mellors não resistia à urgência.

---

 *John Thomas: gíria inglesa para nomear o pênis.

Depois que voltaram à tranqüilidade, a mulher quis novamente examinar o misterioso falo do homem.

– Oh! Estás agora pequenino e meigo como um broto murcho de vida! Mas como é belo! Tão independente, tão estranho! É tão inocente! E penetra em mim tão no fundo! É preciso nunca ofendê-lo, sabe? Ele é meu também, não é só seu! Meu, meu! Tão belo e inocente! – E Constance acariciava o pênis abatido.

Mellors ria.

– "Bendito seja o laço que une os corações num mesmo amor."

– Sem dúvida! – concordou ela. – Mesmo quando fica pequenino e murcho, sinto meu coração preso a ele. E como são lindos os pêlos aqui. Tão diferentes dos outros!

– É o cabelo de John Thomas, não o meu – acentuou ele.

– Oh! John Thomas! John Thomas! – exclamou. Constance beijou o pênis que recomeçava a fremir.

– Sim – concordou o homem estirando-se quase dolorosamente. – Ele tem a raiz na minha alma. Às vezes não sei o que fazer dele. É teimoso e difícil de contentar-se, mas de nenhum modo eu quereria perdê-lo.

– Compreendo por que os homens têm medo disto – observou Constance. – É terrível, sim.

Um frêmito percorreu o corpo de Mellors, com uma onda de vida acumulando-se embaixo. Sentia-se sem forças, enquanto o pênis, às golfadas, inchava, subia, endurecia, até ficar rijo e altivo, curiosamente erguido no ar como uma torre. A mulher tremia ao contemplá-lo.

– Tome-o! É seu – disse ele.

E Constance fremiu; e seu espírito fundiu-se. Agudas e deliciosas ondas de indizível prazer rolavam sobre ela, como que a penetravam, criando esse longo frêmito fundido que se espalhava pelo seu corpo e a levava ao extremo.

Os sons das sirenes de Stacks Gate anunciando as sete horas! Mellors, num leve estremecimento, afogou a cabeça nos seios de Constance para nada ouvir. E Constance nada ouviu. Permaneceu estendida, imóvel, a alma transparente, como que lavada.

– Tem de ir, não é? – murmurou Mellors.

– Que horas são? – perguntou ela numa voz sem timbre.

– Sete.

– Sim, acho que tenho de ir.

As necessidades exteriores sempre a irritavam.

Mellors ergueu-se e ficou olhando pela janela, sem ver.

– Você me ama, não é? – balbuciou Constance.

– Você já sabe. Que quer mais? – foi a sua resposta, um tanto irritada.

– Quero que me conserve aqui, que não me deixe partir – disse ela.

Os olhos dele estavam plenos de trevas quentes e doces.

– Quando? Agora?

– Agora, no seu coração. Mais tarde virei viver com você para sempre.

Mellors sentou-se na cama, nu, a cabeça baixa, incapaz de pensar.

– Não quer que seja assim? – perguntou ela.

– Quero – e encarou-a com olhos travessos onde havia uma chama de vida que parecia sono.

– Não me peça mais nada agora – disse ele. – Deixeme. Amo-a muito! Amo-a quando está deitada aqui. Uma mulher é uma coisa maravilhosa quando podemos fornicá-la de verdade. Amo-a, sim... essas pernas, essas formas, a feminilidade que há em você. Amo-a com os meus colhões e com todo o meu coração. Mas não peça nada agora. Não me obrigue a dizer nada agora. Mais tarde poderá pedir-me tudo. Agora, deixe-me, deixe-me.

E, suavemente, pousou a mão sobre o seu monte de Vênus tufado de pêlos castanhos e macios; e deixou-se estar sentado na cama, imóvel, de olhos fixos numa abstração física como um Buda. Imóvel na chama invisível de uma vida diferente, com a mão sobre ela.

Momentos depois apanhou a camisa, vestiu-se em silêncio, lançou um olhar sobre a mulher estendida no leito, nua e vagamente dourada como uma Glória de Dijon, e saiu do quarto.

Constance ouviu-o abrindo a porta do jardim. Mas deixou-se ficar perdida em pensamentos. Como era difícil deixá-lo! Sair de seus braços! "Sete e meia!", gritou Mellors de longe.

Constance levantou-se num suspiro. Oh! Aquele quartinho nu! A cômoda, a cadeira, o leito... O soalho bem tratado. Num canto, perto da janela, uma prateleira de livros. Um sobre a Rússia bolchevista. Livros de viagens. Um sobre o átomo e o elétron; outro de geologia, romances; três obras sobre a Índia. Ele gostava de ler, não havia dúvida!

O sol batia em seus ombros nus. Pela janela viu Flossie no jardim. Manhã clara e nítida, todas as aves esvoaçantes, em regorjeio. Se ela pudesse ficar! Se não houvesse fora dali o mundo sinistro do ferro e da fumaça! Se ele pudesse criar um mundo para ela!

Constance desceu a comprida e estreita escada de madeira. Como se contentaria com aquela casinha apenas, se pudesse levá-la para um mundo distante!

Mellors, embaixo, estava lavado e fresco. O fogo já estava aceso.

– Quer comer alguma coisa? – perguntou-lhe de lá.

– Só quero um pente.

Constance seguiu-o até a cozinha e penteou-se diante de um pequeno espelho. Estava pronta para partir.

– Eu queria que o restante do mundo desaparecesse e só ficássemos nós aqui – disse ela.

– Mas o mundo não desaparecerá – foi a resposta dele.

Quase sem falar, atravessaram o jardim de flores orvalhadas, e depois a floresta toda frescor. Sentiam-se unidos num mundo só deles.

Doía a Constance ter de entrar no solar.

– Quero quanto antes viver só com você – foram suas últimas palavras ao se despedirem.

Mellors apenas sorriu.

Constance entrou no castelo tranqüilamente, sem ser vista.

# 15

Na bandeja do café-da-manhã Constance encontrou uma carta de Hilda:

"Papai segue para Londres esta semana e eu irei buscar-te no dia 17 de junho. Apronta-te para partirmos imediatamente. Não quero perder tempo em Wragby, esse lugar horrível. Provavelmente passarei a noite em Retford, na casa dos Colemans, de modo a pegar-te pela manhã. Podemos partir depois do chá e passar em Grantham. Inútil passar uma noite com Clifford: isso não lhe daria prazer nenhum, pois deve estar furioso com tua ida a Veneza."

Assim, mais uma vez, ela era movida como pedra num tabuleiro de damas.

Clifford estava realmente horrorizado com a idéia da viagem de Constance, cuja presença, sem que ele soubesse por quê, lhe dava um sentimento de segurança que permitia que ele se dedicasse às suas ocupações. Viam-no com freqüência na mina; e seu espírito lutava com o problema quase insolúvel de extrair carvão da maneira mais econômica e vendê-lo em seguida. Sua idéia continuava a mesma: descobrir a forma de empregar ele próprio o carvão, ou transformá-lo em algo que o dispensasse de vendê-lo ou de ser forçado a não vendê-lo. Mas, se o convertesse em força elétrica, poderia empregá-la? Acharia meio de usá-la?

Quanto a converter carvão em óleo, era coisa no momento cara e difícil. Para fomentar uma indústria, tornava-se necessária a criação de outras; uma espécie de loucura. Sim, loucura, e só um louco podia ser bem-sucedido. Ora, ele era um pouco louco. Constance pensava assim. Para ela, a intensidade com que o marido tratava dos negócios parecia mesmo a manifestação da insanidade; o que ele chamava de inspiração, ela chamava de loucura.

Clifford falava a Constance de todos os seus belos planos; ela o ouvia num estado de estupor e deixava-o discorrer. Quando o fluxo de palavras esmorecia, ele a trocava pelo rádio; ficava mudo diante do aparelho, com os projetos a reentrarem dentro de si mesmo – numa espécie de sonho.

E todas as noites agora jogava cartas com Mrs. Bolton, esse jogo de *tommies* na guerra. E também ao jogar caía numa espécie de inconsciência – embriaguez de vácuo ou vácuo de embriaguez. Constance não suportava vê-lo assim. Mas, depois que se recolhia, Clifford e Mrs. Bolton jogavam até às três da manhã, tranqüilamente, com estranha volúpia.

Mrs. Bolton deixava-se arrastar tanto quanto Clifford e perdia sempre.

Certa vez disse a Constance:

– Perdi 23 xelins esta noite!

– E Clifford aceitou o seu dinheiro?

– Naturalmente, madame! Dívida de honra!

Constance protestou violentamente contra aquilo, daí resultando para Mrs. Bolton um aumento de 100 libras anuais em seu salário. Podia assim jogar e perder. Para Constance, Clifford estava morto.

Depois de mostrar-lhe a carta da irmã, comunicou-lhe que partiria no dia 17.

– Dia 17? E quando volta?

– Pretendo estar aqui no dia 20 de julho, o mais tardar.

– Sim, 20 de julho.

Olhava-a de um modo estranho, vago, com um olhar vazio de criança e ao mesmo tempo astuto como o de um velho.

– E posso ficar sossegado?

– Que quer dizer?

– Posso estar certo de que volta?

– De nada no mundo estou mais segura do que de que irei voltar.

– Pois está bem. Dia 20 de julho!

Ela encarava-o de um modo tão estranho! No fundo, todavia, desejava que ela se fosse. Positivamente desejava que Constance partisse e tivesse pequenas aventuras e até que voltasse grávida. E ao mesmo tempo temia a sua partida!

Constance andava impacientíssima pela hora de abandoná-lo de vez. Só esperava o tempo em que ela e ele estivessem maduros para isso.

Conversou com Mellors sobre a viagem.

– Quando regressar, posso dizer a Clifford que vou deixá-lo. E sumiremos nós dois. Ninguém precisa saber que sumi com você. Podemos morar em outro país, o que acha? Na África, ou na Austrália, que tal?

E excitava-se com esses projetos.

– Já esteve nas colônias? – perguntou ele.

– Não, e você?

– Estive nas Índias, no Egito e na África do Sul.

– Por que não vamos para a África do Sul?

– Por que não? – repetiu Mellors.

– Gostaria disso?

– Para mim, tanto faz. Tudo que me possa acontecer me é indiferente.

– Não faria gosto? Por quê? Não somos pobres. Tenho cerca de 600 libras de renda, já escrevi ao banco para que me informasse. Não é muito, mas basta.

– Para mim, é uma fortuna.

– Mas é preciso que eu obtenha o divórcio, e você também. Do contrário haverá complicações.

Essa conversa forneceu matéria para muita reflexão.

Outra vez ela o interpelou sobre a vida dele. Estavam na cabana e chovia lá fora.

– Sentia-se feliz quando era oficial?

– Feliz? Sim. O coronel era amigo.

– Gostava muito dele?

– Sim.

– E ele de você?

– Em certo sentido, sim.

– Conte-me alguma coisa do coronel.

– Que hei de contar? Era um oficial que se fizera nas fileiras e cultuava o Exército. Solteiro. Vinte anos mais velho que eu. Homem muito inteligente e solitário entre os camaradas, como sempre acontece com os do seu tipo. Apaixonado à sua maneira, bem inteligente. Enquanto servi com ele, vivi sob o seu encanto. Deixei-o que dirigisse tudo na minha vida, e não lamento ter procedido assim.

– Sentiu muito a morte dele?

– Eu também estava quase morto na ocasião. Mas, ao sarar, compreendi que uma parte do meu "eu" lá se fora. Naquela altura eu já sabia que aquilo ia acabar. Tudo na vida acaba.

Constance pôs-se a refletir, enquanto os trovões estrondeavam lá fora. A cabana parecia uma pequena arca de Noé.

– Continuou feliz como oficial depois da morte do coronel?

– Não. Meus camaradas eram uns pulhas. O coronel dizia: "Rapaz, esses burguesinhos são obrigados a mastigar trinta vezes porque têm as tripas tão finas que um grão de ervilha não passa. Efeminados, cheios de vaidade e admiração por si mesmos, apavorados quando descobrem qualquer falha no cadarço dos sapatos, podres como uma perdiz *faisandée* e sempre certos da verdade. Isso é o que acaba comigo. Uns lambedores, de língua dormente de tanto lamber; e certos de estarem sempre com a razão! E pedantes... pedantíssimos! Uma geração de pedantes com meio colhão cada um..."

Constance pôs-se a rir, enquanto lá fora a chuva desabava.

– Oh! Como ele os odiava!

– Não. Não chegava a tanto. Apenas desgostava-se deles. Há uma diferença. Desgostava-se, dizia, porque os soldados também ficavam pedantes e sem colhões, e de tripas finas. Parece que o destino da humanidade é caminhar para isso.

– Até os homens do povo, os operários?

– Todos. O fogo está morrendo. Os automóveis, os aviões, o cinema sugam tudo o que lhes resta. Creia-me:

cada geração produz outra mais degenerada, com tubos de borracha em vez de intestinos e pernas e cara de lata. Um povo de lata. Uma espécie de bolchevismo mata o homem para entronizar o mecanicismo. O dinheiro, o dinheiro! Todo o mundo moderno só pensa numa coisa: matar no homem o velho sentimento humano e reduzir o velho Adão e a velha Eva a picadinho. Todos a mesma coisa. Todos fazem o mesmo: aniquilam a realidade humana. Uma libra para cada prepúcio, duas libras para cada par de colhões! O que é a cona hoje usada senão como uma máquina de fornicar? Por toda parte a mesma coisa. Dêem-lhes dinheiro para que suprimam todo o fogo da humanidade e só restem pequenas máquinas trepidantes.

Mellors tinha o rosto avivado pela ironia e o sarcasmo, e os ouvidos atentos ao barulho da tempestade lá fora.

– Mas será que isso não acaba nunca? – inquiriu Constance.

– Sim, há de acabar. O mundo realizará a sua salvação. Depois de liquidado o último homem verdadeiro, depois que todos estiverem domesticados, todos, brancos, pretos, amarelos, então todos enlouquecerão. Porque a raiz de tudo está nos colhões. E farão um grande auto-de-fé. Sabe o que o auto-de-fé significa? Pois farão o seu magnífico pequenino auto-de-fé e se imolarão entre si.

– Quer dizer que se matarão uns aos outros?

– Sim, minha cara. Se continuarmos neste passo, em cem anos não haverá nesta ilha mais de dez mil pessoas; talvez menos. Gentilmente destruirão a si mesmos, os loucos.

Trovões ribombavam lá fora.

– Que lindo será! – disse Constance.

– Delicioso! Nada mais calmamente do que imaginar o extermínio da raça humana e o longo intervalo que se escoará para que venha uma raça nova. E se continuarmos assim, se todos, intelectuais, artistas, governos, industriais, operários, toda a gente continuar a trucidar com frenesi o que resta de sentimentos humanos, de intuição, de boas intenções, se isso continua em progressão geométrica, ah, então, adeus espécie humana. Adeus, meu amor! A serpente irá devorar a si mesma e deixará um vazio em terrível desordem, mas não irreparável. Coisa maravilhosa! Cães selvagens latindo aqui em Wragby; cavalos selvagens galopando à beira do poço de Tevershall! *Te Deum laudamus!**

Constance ria, mas sem contentamento.

– Mas então deve gostar que sejam todos bolchevistas, pois assim apressam o desfecho!

– Oh, sinto-me encantado. Não os detenho. E não poderia, se o quisesse.

– Por que se mostra tão amargo, então?

– Não sou amargo! Se meu galo canta pela última vez, que me importa?

– E se tiver um filho?

Mellors baixou a cabeça.

– Acho má idéia pôr uma criança num mundo como este.

– Não, não! Não diga isso! – suplicou Constance. – Já carrego comigo uma. Diga que vai ficar contente! – e pousou a mão sobre a dele.

– Serei feliz se a vir feliz. Mas, para mim, isso me parece um ato criminoso: fazer alguém nascer.

– Ah! – exclamou Constance revoltada. – Sendo assim, não poderia realmente querer-me.

Mellors silenciou um momento, de rosto sombrio – e lá fora a chuva continuava a cair.

– Não é bem assim – disse afinal. – Há outra verdade.

---

*Rogamos a Deus!

Constance sentiu que aquele amargor provinha em parte da sua ida a Veneza – e a idéia a fez feliz. Subitamente descobriu-lhe o ventre e beijou-lhe o umbigo; e, abraçada à sua cintura quente, ficou de rosto encostado à sua pele. Estavam ambos sozinhos no dilúvio.

– Diga-me que quer um filho – murmurou Constance acariciando-lhe o ventre com o rosto. – Diga.

– Está bem! – exclamou Mellors por fim, e ela sentiu uma estranha mudança no corpo do seu amante. – Tenho pensado algumas vezes de o experimentarmos aqui mesmo entre os mineiros. Se alguém pudesse dizer-lhes: "Pensai em outra coisa que não o dinheiro!" Vivemos demais pelo dinheiro, as nossas necessidades não são muitas...

O rosto de Constance lhe friccionava carinhosamente a barriga, enquanto com uma das mãos ela segurava seus testículos. O pênis fremia mas não se levantava. Lá fora, uma chuva torrencial.

– Viver para outra coisa. Que o nosso fim não seja unicamente ganhar dinheiro, nem para nós mesmos nem para o que quer que seja. Somos hoje forçados a isso. A ganhar um pouco para nós e muito para os patrões. Renunciemos a isso, gradativamente. Para que tanta fúria? E retrocedamos. Contentemo-nos com pouco dinheiro, porque, no fundo, temos necessidade de muito pouca coisa. Quem tomar essa firme resolução escapará da desordem.

Mellors silenciou por uns instantes; depois:

– Eu lhes diria: "Olhai Joe! Vedes como vai e vem, vivo e alerta. Soberbo! E vede Jonas! Pesado, frio, porque não se anima nunca. Olhai para vós mesmos: um ombro mais alto que o outro, pernas tortas, pés deformados! Que resultou de tanto trabalhar? Estragos. Tirai a roupa e examinai-vos. Deveis ser vivos e belos, e estais feios e semimortos." Eu lhes diria isto. E obrigaria os homens a adotarem outras vestes, talvez calças colantes, de um vermelho vivo, e curta camisa branca. Ah! Se os homens tivessem belas pernas vermelhas, só isso os faria mudar num mês. Voltariam a ser homens! As mulheres que se vestissem à sua vontade, porque, com homens de pernas vermelhas, todas as mulheres voltariam a ser mulheres. Se as mulheres são forçadas a virar homens, é porque os homens o deixaram de ser. Depois, destruir Tevershall e erguer algumas belas construções que nos contivessem a todos. E limpar a região e não ter muitos filhos, porque o mundo está superlotado.

"Mas não faria sermões aos homens. Apenas os poria nus, dizendo: 'Olhai. Vede-vos. É a isso que se reduz quem só trabalha por amor ao dinheiro. Vede Tevershall. É horrível!... Por quê? Foi construída enquanto todos trabalhavam pelo dinheiro. Vede vossas mulheres! Não se apegam aos homens porque os homens não se apegam a elas. Por quê? Porque o tempo foi todo passado na caça ao dinheiro. Não podeis nem falar, nem mover-vos, nem viver. Sois incapazes de satisfazer uma mulher. Não sois vivos. Vede, examinai-vos a vós mesmos.'

Fez-se uma pausa de completo silêncio na cabana. Constance escutava, sempre com a cabeça no colo do amante, a trançar em seus pêlos um miosótis colhido na floresta. Lá fora, a chuva serenava...

– Você tem quatro espécies de pêlos – disse ela. – No peito, duros e de um ruivo sombrio. Aqui, os pêlos do amor formam um chumaço ruivo-alourado. São os mais belos de todos.

Baixando a cabeça, Mellors viu os pequeninos miosótis trançados nos seus pêlos ruivos.

– Sim, é aí o lugar dos miosótis. Mas será que o futuro não a interessa?

– Oh! Imensamente – respondeu Constance encarando-o.

– Porque eu, quando penso que a raça humana condenou a si própria com tanta baixeza, acho que até as colônias não estão bastante longe. A Lua mesmo estaria muito perto; de lá ainda enxergaríamos esta Terra suja, insípida, vagando entre as estrelas, esta Terra que os homens tornaram repugnante. Eu me sinto como se bebesse bílis e ela estivesse devorando as minhas entranhas; sem nenhum lugar longe o bastante para servir de refúgio. Só quando estou ocupado esqueço disto. Mas é uma vergonha o que o homem fez do homem nestes últimos cem anos; todos transformados em formigas do trabalho, privados da virilidade, da vida. Eu varreria as máquinas da superfície da Terra e poria fim à era industrial, como a um grande erro. Mas, já que não posso, e ninguém pode, só me resta ficar tranqüilo e tratar de viver minha própria vida – se é que tenho uma vida a viver, do que duvido um pouco.

A trovoada emudecia lá fora, mas a chuva tinha recomeçado forte. Ouviam-se relâmpagos longínquos, espaçados. Constance não se sentia satisfeita. Ele falara por muito tempo e, no fundo, não falara a ela, senão a si mesmo. Parecia completamente empolgado pelo desespero, isso diante dela que se sentia feliz e odiava o desespero. Mas adivinhava a causa de tudo isso: o seu passeio a Veneza – e isso valia por um pequeno triunfo.

Constance abriu a porta e olhou a chuva torrencial caindo como cortinas de aço. Veio-lhe o ímpeto de lançar-se ao léu.

Voltou; tirou rapidamente a roupa, desnudou-se toda enquanto ele prendia a respiração. Seus seios pontudos dançavam aos menores movimentos. Pele de marfim na luz vermelha. Calçou os sapatos de borracha e saiu correndo para a chuva, como uma selvagem, seios erguidos, braços abertos, dançando uma das danças rítmicas que aprendera em Dresden. Corria de um lado para outro, e era uma estranha forma pálida que se abaixava e se curvava, ora avançando, ora recuando, ora baixando-se de modo que as nádegas se dessem ao homem num ato selvagem de submissão.

Mellors riu automaticamente, e também tirou a roupa. E lançou-se para fora, nu e branco, seguido de Flossie, que latia com frenesi. Toda escorrendo qual uma cascata, Constance voltou o rosto e viu-o. Corria, e ele só via uma cabeça redonda e um dorso molhado, inclinado para a frente pela fuga, e nádegas arredondadas brilhantes de chuva: uma admirável e encolhida nudez de mulher em fuga.

Constance foi por fim alcançada e abraçada. Deu um grito e sua massa de carne doce e fresca entregou-se. Ele a apertou inteirinha contra o peito, loucamente – àquela massa de carne feminina, macia e fria, que o contato tornava quente como o fogo. E a chuva escorria sobre eles e fumegava. Mellors tomou-lhe os seios encantadores, um em cada mão, e apertou-os contra si freneticamente, e ficou imóvel a fremir na chuva. Depois, de súbito, derrubou-a ao chão e a possuiu rapidamente, prontamente, como um animal.

Levantou-se em seguida, enxugando a água que lhe atrapalhava os olhos.

– Vamos – disse-lhe.

Puseram-se a correr rumo à cabana. Chuva desagradável. Constance atrasou-se apanhando miosótis e campânulas, e parando para vê-lo correr na frente.

Chegando à cabana, com suas flores molhadas, arquejante, viu o fogo já aceso. Seus seios pontudos estremeciam, seus cabelos colavam-se ao seu rosto ardente e toda a sua carne brilhava de gotas. Parecia um ser estranho.

Mellors pegou o lençol e enxugou-a de alto a baixo; Constance, imóvel como uma criança, deixava-se enxugar. Depois enxugou a si mesmo e fechou a porta. As labaredas cresciam na lareira. Constance enrolou uma ponta do lençol na cabeça e esfregou.

– Estamos nos enxugando na mesma toalha, sinal de briga – disse ele.

– Não – protestou ela voltando-lhe o rosto radiante –; isto não é uma toalha, é um lençol!

Ainda afogueados de muito exercício e embrulhados nas cobertas, sentaram lado a lado diante da lareira para repousar. Constance detestava o contato espinhento da lã sobre a pele nua, mas o lençol estava molhado. Em certo momento deixou cair o cobertor e ajoelhou-se no chão de terra, espalhando os cabelos diante do fogo para secá-los. Mellors contemplava a curva redonda do seu corpo. Era o que o encantava mais. Como aquela curva descia suavemente até o pesado rebojo das nádegas! E no meio, ocultas do calor secreto, as entranhas secretas!

E continuaram os dois a lidar com os cabelos.

Ele acariciou-lhe as costas, descendo a mão suavemente até às nádegas roliças.

– Que lindas nádegas você tem! – disse num dialeto gutural. – A mais bela anca que possa existir. Cada pedacinho dela proclama a mulher, nada mais que a mulher! Você não é dessas moças de anca em botão, como as dos rapazes. Tem-na como os homens gostam: das que os comovem. Uma anca que poderia carregar o mundo.

Enquanto assim falava estranhamente acariciava-lhe as nádegas, como se elas estivessem queimando-lhe as mãos. E as pontas de seus dedos tocaram as duas aberturas do corpo de Constance, uma após a outra, como uma suave escova de fogo.

– E se você faz cocô e mija, tanto melhor. Não quero saber de dama que não faz cocô nem mija.

Constance não pôde reter uma gargalhada, mas Mellors continuou:

– Você é verdadeira. Ah! É verdadeira e um pouco prostituta! Aqui você faz cocô e aqui mija; e eu ponho a mão nos dois lugares porque amo tudo isto. Tem uma verdadeira bunda de mulher, orgulhosa de si mesma, sem vergonha de si mesma.

Sua mão comprimia aquelas partes secretas numa espécie de íntima saudação.

– Gosto disto, gosto disto – dizia. – E se eu vivesse apenas dez minutos e nesse tempo acariciasse esta bunda e aprendesse a conhecê-la, já teria vivido toda uma vida. Compreende? É tanto pior para o sistema industrial. Isto é um dos momentos da vida.

Constance sentou-se sobre os joelhos dele e abraçou-o.

A idéia da separação estava no fundo dos dois. Uma tristeza invadiu Mellors.

Sentada sobre as coxas do amante, a cabeça contra o seu peito, as pernas de marfim entreabertas, Constance deixava-se contemplar pelo homem. Mellors tinha os olhos nas dobras daquele corpo de mulher batido pelos clarões da lareira, naquele tufo de macios pêlos castanhos entre as coxas entreabertas. Sua mão pegou da mesa uma porção de flores colhidas por ela, ainda tão molhadas que respingavam.

– As flores ficam ao relento toda a vida – disse ele. – Não têm casa.

– Nem mesmo uma cabana! – murmurou Constance.

Com dedos delicados, Mellors entreteceu alguns miosótis no tufo castanho da mulher.

– Aí! Os miosótis devem ficar aqui...

Constance desceu os olhos para as belas florinhas azuis entretecidas nos seus pêlos castanhos entre as coxas.

– Que lindo! – exclamou.

– Belo como a vida – acentuou Mellors e espetou-lhe também nos cabelos um amor-perfeito silvestre. – Aí está! Para você não me esquecer!

– Não importa a você isso da minha partida? – perguntou ela inquieta, encarando-o.

O rosto de Mellors parecia indecifrável; nada era possível ler nele.

– Você fará a sua vontade – foi a resposta, em inglês correto.

– Mas eu não irei se você não quiser – disse Constance, comprimindo-o contra si.

Houve um silêncio. Mellors abaixou-se para pôr mais uma acha na lareira; Constance esperou mas ele não disse nada.

– A mim me parece – continuou ela – que essa viagem será um primeiro passo na minha ruptura com Clifford. Tenho muita vontade de ter um filho. A viagem seria uma ocasião de...

– De fazê-lo engolir alguma mentira – concluiu Mellors.

– Sim. Isso, além de outras coisas. Quereria você que todos soubessem a verdade? Eu, da minha parte, não quero. Não quero que me dissequem com suas línguas glaciais, pelo menos enquanto estiver em Wragby. Quando me vir longe daqui, que pensem o que quiserem.

Mellors perguntou depois de uma pausa:

– Mas Sir Clifford conta que você volte?

– Sim, é preciso que eu volte.

Novo silêncio.

– E a criança nasceria em Wragby?

Constance passou-lhe o braço pelo pescoço.

– Se você não me quiser levar antes, nascerá!

– Levar para onde?

– Não importa para onde... para longe, para bem longe de Wragby.

– Quando?

– Depois do meu regresso.

– Mas para que regressar depois de haver partido? Será repetir duas vezes a mesma coisa.

– É preciso que eu volte. Já prometi solenemente... e, no fundo, é por causa de você que eu volto.

– Volta ao guarda-caça de seu marido?

– E então?

– Ah!

Mellors refletiu um instante e disse:

– Quando pretende partir... para sempre? Qual é a data certa?

– Não sei. Voltarei da Itália e combinaremos tudo.

– Combinaremos?

– Sim, e direi tudo a Clifford. É necessário.

– De verdade?

Mellors silenciou, com o pescoço enlaçado por Constance.

– Não torne as coisas mais difíceis – suplicou ela.

– Que coisas?

– Minha viagem a Veneza e o mais que tivermos de arranjar em seguida.

Um riso levemente irônico atravessou os lábios do guarda-caça.

– Não quero tornar as coisas difíceis – disse ele. – Somente procuro saber quais são suas intenções. Você mesma nada sabe ainda; quer ganhar tempo, estudar a situação de longe. Não a condeno por isso. Até acho de muita sabedoria. Ainda pode arrepender-se, preferir continuar a dona de Wragby... e eu não tenho nenhum Wragby para lhe oferecer em troca. Você sabe o que pode tirar de mim. Não, não. Acho que tem razão. Mas eu não pretendo viver à sua custa. Devemos considerar isso.

– Mas, diga-me, quer mesmo ou não?

– Não preciso dizer que sim.

– E *quando* me quer?

– Quando voltar. Temos de refletir. Acalme-se primeiro.

– Muito bem – respondeu Constance um pouco ofendida. – Acalmemo-nos, reflitamos. Mas tem confiança em mim?

– Oh! Absoluta.

Ela percebeu um tom de ironia em sua voz.

– Diga-me – perguntou ela ligeiramente desanimada –, acha que eu não deveria ir a Veneza?

– Acho que deve ir – respondeu ele no mesmo tom.

– E sabe que parto na próxima quinta-feira?

– Claro.

Ela refletiu um instante.

– Saberemos melhor o que fazer depois da volta, não acha?

– Oh! Certamente.

Um estranho abismo de silêncio instalou-se em seguida.

– Estive com o advogado, informando-me sobre o meu divórcio – disse ele um tanto constrangido.

Constance estremeceu de leve.

– É mesmo? – disse ela. – E o que ele lhe falou?

– Que eu devia ter cuidado do assunto há mais tempo. A demora pode trazer dificuldades; mas, como estive no Exército, acho que tudo poderá arrumar-se... contanto que *ela* não recaia nos meus braços!

– É preciso que sua mulher não saiba de nada?

– Sim! Receberá uma intimação, e o homem que vive com ela também.

– Que horror, quanta formalidade! Creio que eu também tenho de passar por isso, com Clifford...

– E, naturalmente, tenho de levar uma vida exemplar durante seis ou oito meses depois da intimação. De modo que, se você vai a Veneza, pelo menos nesse período estarei livre de tentação.

– Sou uma tentação? – Constance acariciou-lhe o rosto. – Oh! Sinto-me tão feliz de ser uma tentação para você! Não falemos mais nisso. Você me espanta quando começa a pensar. Teremos muito tempo para refletir quando estivermos longe um do outro. Mas há uma coisa: é absolutamente necessário que passemos ainda uma noite juntos antes da minha partida. Que tal quinta-feira?

– Não é na quinta-feira que sua irmã chega?

– Sim, é. Mas vamos partir na manhã de sexta. Ela poderá dormir em qualquer parte... e eu com você, no casebre.

– Mas, desse modo, sua irmã fica sabendo.

– Que tem isso? Pretendo contar-lhe tudo. Já dei mesmo a entender alguma coisa. Hilda me será muito útil. Tem boa cabeça.

– Então vai partir à hora do chá, como se fosse para Londres. Que caminho pretende seguir?

 – O de Nottingham e Grantham.

– Sua irmã a largaria em qualquer lugar e você viria aqui a pé ou de carro. Não acha perigoso?

– Por quê? Hilda poderá dormir em Mansfield e vir pegar-me no casebre. Poderá deixar-me aqui à noitinha e pegar-me na manhã seguinte.

– E as pessoas? As pessoas que enxergam tudo?

– Virei de véu e óculos escuros.

Mellors refletiu por um instante.

– Pois bem. Faça como quiser.

– Mas você agrada-se ou não disso?

– Oh! Sim. É certo que isso me agrada. Bater o ferro enquanto está quente.

– Sabe no que pensei? – disse Constance. – Que você é o cavaleiro do Pilão de Fogo.

– E você a dama do Almofariz Vermelho!

– Sim, sim! Sir Pilão e Lady Almofariz!

– Muito bem. Estou armado cavaleiro. John Thomas é o Sir John de Lady Jane.

– Sim! John Thomas está armado cavaleiro. Eu sou a dama do Tufo Louro. E é preciso que John receba flores – e Constance entreteceu dois amores-perfeitos nos pêlos dourados de onde lhe emergia o pênis.

– Isso! Que encanto, Sir John!

Constance colocou também em seu peito um raminho de miosótis.

– E não me esquecerá, não é? – disse beijando-o e procurando fixar os miosótis em seus mamilos.

– Está fazendo de mim um calendário – disse ele. – Espere um pouco – prosseguiu, levantando-se e abrindo a porta da cabana.

Flossie, deitada à soleira, olhou-o.

– Sim! Sou eu! – disse ele.

A chuva cessara, deixando o mundo envolto numa paz profunda e cheia de aromas. Caía a noite.

Mellors saiu e desceu a pequena encosta, enquanto Constance o via afastar-se como um fantasma delgado e branco.

Quando Mellors desapareceu, ela sentiu um estremecimento. Foi para a porta da cabana e lá ficou, envolvida numa das cobertas – lá, naquele silêncio empapado de água.

Mas Mellors voltou correndo com uma braçada de flores. Constance sentiu um pouco de medo, como se ele não fosse uma criatura totalmente humana. Trouxera amores-perfeitos silvestres, campânulas, folhagens de carvalho e madressilvas em botão. Envolveu seu corpo com ramos de carvalho e madressilvas, espalhou campânulas pelos seus seios e ajeitou uma flor rubra no umbigo e um miosótis no tufo louro.

– Ei-la em toda a sua glória! Lady Jane no dia do casamento com John Thomas!

E também enfeitou o seu próprio corpo com flores, com uma guirlanda pendurada no pênis e um jacinto no umbigo. Constance o olhava, divertida com aquele estranho ardor – e espetou-lhe uma flor no bigode.

– As núpcias de John Thomas e Lady Jane! – repetiu ele. – E temos de nos despedir de Constance e de Oliver. Talvez...

Estendeu a mão num gesto – mas espirrou, derrubando as flores do bigode e do umbigo. Espirrou de novo.

– Talvez o quê? – disse Constance à espera da conclusão da frase.

– Nada – disse ele.

– Mas talvez o quê? O que ia dizendo?



– O que ia dizendo?

Tinha esquecido, e foi para ela uma decepção profunda não ter a frase completa.

Um raio de sol brilhou na copa das árvores.

– Sol! É tempo de separar-nos. O que é que voa sem asas, Madame? O tempo! Diga boa-noite a John Thomas – ordenou dirigindo um olhar para o pênis. – Ele se sente seguro com essa guirlanda, mas está bem pouco Pilão de Fogo agora...

Ergueu sobre a cabeça a camisa de flanela.

– O momento de maior perigo para um homem é quando sua cabeça entra na camisa. É o mesmo que ter a cabeça num saco. Por isso quero as camisas americanas, abertas na frente.

Constance observava-o. Mellors vestiu a cueca e abotoou-a.

– Olhe, Jane, todas estas flores! Quem colocará flores em você, Jeanette, no ano que vem? Eu ou outro? "Adeus, minha campânula, passe bem!" Tenho horror a esta modinha; lembra os primeiros meses da guerra.

Sentou-se para calçar as meias. Constance permanecia imóvel ao seu lado, olhando. Mellors pousou-lhe a mão sobre a curva dos rins.

– Linda Jeanette – exclamou. – Talvez em Veneza apareça um homem que enfie um jasmim no vosso tufo dourado e uma flor de romã neste umbigo. Pobre pequenina Jeanette.

– Não diga semelhante coisa – protestou Constance. – Fala assim só para me magoar.

Mellors curvou a cabeça e acrescentou em dialeto:

– Talvez, talvez. Está bem. Não direi nada. Calarei. Mas é hora de vestir-se e voltar à sua nobre mansão. A hora de Sir John e Lady Jane está passada. Vista a camisa, Lady Constance, mas antes quero despi-la.

E despiu-a de todas aquelas flores esparsas pelo seu corpo, e beijou-lhe os seios, o umbigo, o tufo dourado. Só não tocou nos miosótis ali entretecidos.

– Essas florinhas ficam – disse ele. – Pronto! Ei-la nua de novo... nada mais que uma mulher nua! E agora vista a camisa e suma-se, senão Lady Chatterley chega atrasada para o jantar. "E onde estiveste, bela criança?", como diz a modinha.

Constance nunca sabia o que dizer quando ele lhe falava em dialeto. Vestiu-se e preparou-se para o detestável retorno a Wragby. Era a sua sensação: uma volta detestável.

Ele quis acompanhá-la. Os faisõeszinhos na gaiola nada tinham a temer. Na alameda do solar toparam com Mrs. Bolton, pálida e sem fôlego.

– Oh! Madame! Estávamos aflitíssimos com a sua ausência. Aconteceu coisa alguma?

– Nada. Não aconteceu coisa alguma.

Mrs. Bolton examinou o semblante de Mellors. Estava tranqüilo e tinha um olhar amoroso. Ela conhecia seu meio-sorriso, o olhar debochado. Ele sempre sorria com um ar pesado. Mas agora a encarava com delicadeza.

– Boa noite, Mrs. Bolton. Madame já está em segurança, de modo que posso deixá-la. Boa noite, Madame. Boa noite, Mrs. Bolton.

## 16

Constance teve de sujeitar-se a um verdadeiro inquérito. Clifford, ausente na hora do chá, entrou pouco antes de cair a tempestade e, onde está a senhora?, ninguém sabia. Mrs. Bolton supunha que andasse passeando pelo bosque. Mas, pelo bosque, com um tempo desses?

Clifford teve uma crise de nervos. Estremecia a cada relâmpago, empalidecia a cada trovão. O temporal lhe dava uma idéia de fim de mundo.

Mrs. Bolton tentou acalmá-lo.

– Com certeza madame abrigou-se na cabana por causa da chuva. Não se atormente. Tudo acabará bem.

– Não posso tolerar a idéia de que Lady Chatterley esteja no bosque com um tempo desses. E não gosto que vá tanto lá. A que horas saiu hoje?

– Pouco antes de o senhor chegar.

– Não a vi no parque. Deus sabe onde está e o que lhe aconteceu!

– Oh! Não há de ter-lhe acontecido nada, vai ver. Voltará logo que a chuva cesse. Garanto que foi a chuva que a reteve.

Mas Constance não apareceu logo que a chuva cessou. O tempo ia correndo e nada de aparecer. Caiu a tarde. O gongo deu o primeiro toque do jantar.

– Mau, mau – murmurou Clifford. – Vou mandar Field e Betts à sua procura.

– Oh! Não faça isso! – exclamou Mrs. Bolton. – Vão agravar as coisas, pensar em suicídio e Deus sabe em que mais. Nada de despertar a maledicência. Vou eu à cabana ver o que há e hei de trazê-la.

Clifford concordou e Mrs. Bolton pôs-se a andar. A meio caminho esbarrou em Constance e o guarda-caça. Ficou estarrecida.

– Não se zangue comigo de tê-la vindo procurar, Madame! É que Sir Clifford está num tal estado... Pensa que Madame foi fulminada por um raio ou esmagada pela queda de alguma árvore. Quis mandar Field e Betts à procura do corpo. Foi então que tomei a resolução de vir, porque antes eu que os criados.

Mrs. Bolton falava com nervosismo e ainda sentia no rosto de Constance o ar de enlevo da paixão.

– Muito bem – disse Constance, e calou-se.

As duas mulheres caminharam com dificuldade pelo caminho encharcado. Em silêncio. Ao chegarem ao parque, Constance tomou a dianteira. Mrs. Bolton estava sem fôlego.

– Que tolice imaginar tantas coisas! – exclamou afinal Constance, como que falando com ela mesma.

– Oh! A senhora sabe como são os homens. Vivem imaginando desastres. Mas Sir Clifford sossegará logo que a vir.

Constance parou de súbito.

– Mas é monstruoso que se atrevam a seguir-me! – explodiu com os olhos fuzilantes.

– Oh! Madame, não diga isso! Sir Clifford teria mandado os dois homens à sua procura e eles iriam direto à cabana. Mas eu, nem sei onde a cabana fica.

Constance estava púrpura de raiva. Mas não podia mentir, não podia sequer fazer cara de inocência. Olhou para Mrs. Bolton, que baixou a cabeça; era mulher, podia ser uma aliada.

– Pois bem – disse Constance. – Já que é assim, nada há a fazer. Tanto pior.

– Mas a senhora nada tem a temer, Madame. Apenas abrigou-se da chuva na cabana. Que mal há nisso?

Chegando ao solar, Constance foi diretamente ao escritório do marido, furiosa com ele – furiosa com aquele rosto pálido e alterado, aqueles olhos salientes. E explodiu.

– Devo dizer-lhe que não vejo com que direito ousa mandar os criados me seguirem!

Clifford também explodiu.

– Deus do céu! Onde esteve? Ausente de casa durante horas e horas com um tempo assim? Que diabo foi fazer nesse maldito bosque? Que significa essa expedição? Horas e horas depois que a chuva passou. Sabe que horas são? É de deixar um homem doido! Onde esteve, com todos os diabos?

– Não tenho de prestar contas de nada a ninguém! – gritou ela, arrancando o chapéu e sacudindo os cabelos.

Ele a encarou com os olhos fora das órbitas. Esses acessos de raiva faziam-lhe grande mal – e era Mrs. Bolton quem durante a semana suportava as suas conseqüências. Constance, porém, sentiu um súbito remorso.

– Mas francamente! – exclamou com mais moderação. – Hão de pensar que andei não sei onde. Saiba que estive na cabana esperando que a chuva cessasse, está ouvindo? Acendi lá um fogo e passei umas horas muito agradáveis.

Falava com a maior segurança, porque afinal de contas que razão tinha para enfurecer-se? Clifford a olhava desconfiado.

– Os seus cabelos! O estado em que você está!

– Sim – disse ela com calma. – Corri sem roupas pela chuva.

Ele a encarou, estupefato.

– Enlouqueceu, mulher?

– Por quê? Que loucura há num banho de chuveiro?

– E como se enxugou, ou secou, depois?

– Com uma velha toalha, ao pé da lareira.

Clifford continuava a encará-la, sempre estupefato.

– E se alguém a visse?

– Quem poderia me ver?

– Não importa quem. Alguém. Mellors. Não vai ele lá todas as tardes?

– Sim, vai... e foi. Apareceu depois da chuva para tratar dos faisões.

Constance falava com maravilhosa desenvoltura, tamanha que Mrs. Bolton, que a escutava da câmara vizinha, encheu-se de admiração. Que maravilha uma mulher que se justifica com tamanha naturalidade!

– E se ele chegasse quando você estava ao léu, nua, feito uma louca?

– Suponho que morreria de medo, e fugiria em disparada.

Clifford, já subjugado, continuava a encará-la. No fundo nem sabia o que pensar: o choque fora muito grande para que ele pudesse ter idéias claras. Limitou-se a aceitar o que ela dizia, sem pedir nada. E admirava-a. Não podia deixar de admirá-la. Constance pareceu-lhe mais bela do que nunca – dessa beleza que o amor dá.

– Em todo caso – concluiu ele já em outro tom –, será sorte que não se resfrie.

– Oh! Não há perigo. Sossegue.

Disse-o pensando nas palavras do outro: "Você tem a mais bela anca do mundo!" Ah! Se ela pudesse dizer a Clifford o que ouvira durante a tempestade! Mas limitou-se a assumir uma atitude de rainha ofendida e a retirar-se para o seu quarto.

Nessa noite Clifford fez um esforço para parecer amável. Estava lendo um livro novo sobre a religião científica. Havia nele uma veia de religiosidade insincera, mas Clifford interessava-se pela vida futura do seu próprio eu. Suas leituras eram como os seus debates literários com Constance, depois que passaram a conversar artificiosamente, quase que quimicamente. Tinha de preparar quimicamente as idéias na cabeça antes de expô-las.

– Que pensa disso? – indagou ele abrindo a brochura – Você não teria necessidade de refrescar na chuva o ardor do corpo se estivéssemos com alguns milênios de evolução a mais. Ah, eis aqui: "O universo nos mostra dois aspectos: desgaste físico de um lado e ascensão espiritual de outro."

Constance esperou pelo restante, mas Clifford deteve-se ali. Ela o encarou surpreendida.

– Mas se o homem ascende espiritualmente, que deixa embaixo, lá onde era outrora a cauda?

– Espere. Procure compreender o pensamento do autor. "Ascender, subir" é para o autor o contrário de "desgastar".

– De ficar fisicamente extinto, não é?

– Falando sério, que pensa disso?

Constance encarou-o de novo.

– Gastar-se fisicamente? Você está engordando, Sir Clifford, e eu não me gasto. Supõe que o sol seja hoje menor do que já foi? Para mim, não. E imagino que a maçã que Adão ofereceu a Eva não era maior que as nossas maçãs de hoje. Que pensa disso?

– Está bem, mas escute o restante: "Com lentidão extrema e inapreciável para nós, o universo passa a novas condições criadoras, entre as quais o mundo físico como o conhecemos será representado por uma leve onda que quase se confunde com o nada."

Constance ouviu com ar divertido, louca por dizer toda sorte de inconveniências. Mas conteve-se.

– Que estúpido malabarismo, Clifford! Como se a pobre conscienciazinha desse homem pudesse conceber o que se passa com tamanha lentidão! Todo esse palavrório significa apenas que esse autor faliu fisicamente... e, para compensar, quer que o universo venha a falir também. Pedantismo, nada mais.

– Oh! Mas ouça! Não interrompa o pensamento de um grande homem: "A ordem atual do mundo nasceu num passado inimaginável e terá fim num futuro igualmente inimaginável. Resta-nos o reino inesgotável das formas abstratas e a força criadora com mutações sempre determinadas pelas suas próprias criações; e Deus, de cuja sabedoria dependem todas as diversas ordens." Eis a conclusão.

Constance mostrava desprezo.

– Ele está espiritualmente extinto também – disse ela. – Quanto absurdo! Essas coisas inimagináveis, essas ordens diversas, esse reino de formas abstratas, essa força criadora com suas mutações e Deus no meio... Como tudo isso é idiota!

– Admito que é uma aglomeração um tanto vaga – disse Clifford –, uma espécie de mistura de gases. Não obstante, acho boa a idéia de que o universo está em vias de gastar-se fisicamente e de elevar-se espiritualmente.

– Acha-o de verdade? Pois que se eleve espiritualmente, contanto que me deixe fisicamente sã aqui embaixo.

– Tem amor pelo "eu" físico?

– Adoro-o! – respondeu Constance, com as palavras do guarda-caça a lhe cantarem na cabeça: "É a mais bela anca de mulher que vi em minha vida."

– Isso me espanta – retrucou Clifford –, porque o "eu" físico não passa de um embaraço. Vejo que as mulheres não sentem o supremo gozo da vida e do espírito.

– Supremo gozo? – repetiu Constance, erguendo para ele os olhos. – Acha um supremo gozo esse gênero de idiotices? Obrigada! Ah! Eu quero o físico, o corpo. A vida do corpo tem muito mais realidade que a espiritual! Isso caso o corpo seja realmente vivo. Mas há muita gente, como esse autor aí, que não passa de um espírito amarrado a um cadáver.

Clifford olhava-a com espanto.

– A vida do corpo – disse ele – é a vida animal apenas.

– E isso vale mais que a vida dos cadáveres científicos. Mas não é assim. O corpo humano está apenas no começo do seu despertar para a vida. Entre os gregos brilhou como uma faísca breve e abafada por Platão e Aristóteles e depois extinta por Jesus. Mas hoje o corpo volta à vida, ressuscita. E que lindo não será no universo esta vida do corpo humano!

– Minha cara, você está falando como se fosse a designada para introduzir essa vida no mundo. E, como vai a Veneza, espero que guarde um pouco de decência. Creia-me: se há um Deus, ele lentamente elimina do corpo os intestinos e demais vísceras para criar um ser mais elevado, mais espiritual.

– Creia-me! Por que hei de crer, Clifford, quando sinto que, se há um Deus, ele afinal acordou nas minhas entranhas e nelas circula com a alegre eclosão de uma aurora? Como crer no que você quer, se é justamente no contrário que eu creio?

– Realmente? Mas o que determinou tamanha mudança? O banho nua na chuva como uma bacante? O desejo de sensações novas? A perspectiva da estação em Veneza?

– Tudo junto! Acha inconveniente que me excite à idéia dessa viagem?

– A inconveniência está em revelá-lo com tamanha franqueza.

– Está bem. Guardarei comigo meus sentimentos.

– Inútil. Você até a mim transmite a exaltação. Chego a supor que sou eu quem parte.

– E por que não vai comigo, então?

– Já assentamos esse ponto; ademais, imagino que a sua exaltação vem sobretudo de poder por umas semanas fugir de tudo isto aqui. Para você, nada mais excitante que a idéia de um adeus a Wragby. Mas toda partida leva a um encontro, dos encontros vêm novas ligações.

– Eu não quero nenhuma ligação nova.

– Cuidado! Olhe que os deuses ouvem!...

Mas Constance estava realmente excitada com a idéia de partir, de romper os laços que a prendiam àquele homem. Impossível não denunciar-se.

Clifford, sem poder dormir, jogou toda a noite com Mrs. Bolton, que quase morreu de sono.

Hilda devia chegar no dia seguinte. Constance combinou com Mellors que, se tudo corresse como tinham combinado, ela daria sinal com um xale verde suspenso à sua janela. Caso contrário, o xale seria vermelho.

Mrs. Bolton ajudou Constance a fazer as malas.

– Que bom para madame mudar um pouco de ar!

– Creio que sim. Não receia ter de ocupar-se de Sir Clifford sozinha por todo esse tempo?

– Oh! Não. Sei lidar muito bem com ele. Não o acha muito melhor?

– Sim, parece melhor. Milagres de Mrs. Bolton...

– Antes fosse! Mas todos os homens são iguais: simples bebês. Querem ser levados e convencidos de que tudo fazem como desejam. Não acha que é assim, madame?

– Não tenho grande experiência para achar ou não.

Constance interrompeu a arrumação por um instante.

– E seu marido? Sabia levá-lo como um bebê? – disse, encarando a outra.

Mrs. Bolton também interrompeu a arrumação.

– Claro que sim! Mas ele percebia o jogo, devo confessar. Mesmo assim, cedia quase sempre.

– Não assumia nunca a atitude de dono e senhor?

– Não. Se eu notava em seus olhos um certo olhar, quem cedia era eu; mas geralmente era ele quem cedia. Não. Esse olhar de senhor ele nunca teve. Eu sabia até que ponto chegar.

– E o que teria acontecido se a senhora teimasse em não ceder nunca?

– Oh! Não sei. Isso nunca sucedeu. Mesmo quando ele não tinha razão, se eu via que o jeito era ceder, eu cedia. A senhora compreende, eu não queria que se rompesse a nossa ligação; se uma mulher teima em contrariar um homem, lá vai tudo por água abaixo. A mulher que deseja conservar um homem tem de ceder quando ele realmente insiste numa coisa; esteja com a razão ou não, ela tem de ceder. Do contrário quebra-se qualquer coisa. Mas devo confessar que Ted cedia muitas vezes à minha vontade, mesmo que eu não tivesse razão. Por isso penso que a coisa é a mesma dos dois lados, do lado do homem e do da mulher.

– E é assim também que a senhora age com os seus doentes? – perguntou Constance.

– Oh! Varia. Minha ligação com os doentes não é igual à dos casados. Sei o que é bom para eles, e procuro agir de modo que façam o que têm de fazer pelo bem deles mesmos. É diferente de quando amamos uma criatura. Muito diferente. A mulher que uma vez amou um homem pode demonstrar afeição por qualquer outro que tenha necessidade dela, mas não é a mesma coisa. Nesse caso não entra o amor. Quando a gente amou uma vez de verdade, é impossível amar novamente.

Essas palavras causaram medo a Constance.

– Acha então que amar de verdade é só uma vez?

– Perfeitamente. A maioria das mulheres não ama nunca, nem sabe o que é amar de verdade. Nem os homens tampouco. Eu, quando vejo uma mulher amando de verdade, sinto um grande dó... meu coração aperta.

– Mas acha que os homens se ofendem facilmente?

– Sim, quando feridos no orgulho. Mas com as mulheres dá-se a mesma coisa, só que os dois orgulhos são de ordem diversa.

Constance ponderou sobre essas palavras. E sentiu um mau pressentimento em relação à viagem. Porque, afinal de contas, iria dizer adeus, separar-se do seu homem. Embora por algumas semanas apenas, era separar-se dele – e talvez nisso estivesse a causa do estranho sarcasmo que ele demonstrou.

Mas, em boa parte, a vida humana é sempre dominada pelo mecanismo das circunstâncias exteriores. Constance sentia-se presa nas engrenagens dessa máquina. Não conseguia libertar-se nem por cinco minutos. E, ainda que pudesse, não se libertaria.

Hilda chegou à hora esperada, na quinta-feira de manhã, numa veloz baratinha de dois assentos, com as malas solidamente amarradas atrás. O mesmo ar sério e virginal de sempre, e voluntariosa como sempre. Era de uma tenacidade diabólica. O marido, ao convencer-se disso, requerera divórcio – divórcio que ela facilitara, embora não tivesse amante; por ora não queria saber de homens; sentia-se muito satisfeita de ser a única dona do seu nariz – e de seus dois filhinhos, que tencionava educar "convenientemente", qualquer que fosse o significado dessa conveniência.

Constance só tinha ali espaço para uma valise; a mala grande fora despachada por via férrea com a bagagem de Sir Malcolm. Ele preferira seguir de trem. Inútil levar um carro a Veneza, além de que a Itália é muito quente em junho para excursões desse tipo. Ele preferia o trem – e de trem seguiria para a Escócia.

Hilda e Constance estavam sentadas numa saleta de cima, conversando.

– Mas, Hilda, eu quero passar a noite aqui... não exatamente aqui, mas aqui perto – e era de inquietação o tom de Constance.

A irmã encarou-a com seus olhos inescrutáveis. Parecia tão serena – e de quanta cólera era capaz!

– Aqui perto, onde? – indagou.

– Você sabe que eu amo alguém, não sabe?

– Parece que sei qualquer coisa.

– Pois ele mora aqui perto e tenho de passar com ele esta noite. Preciso! Prometi, sabe?

Constance tornava-se insistente.

Hilda guardou silêncio, inclinando a sua cabeça de Minerva*. Depois encarou-a de novo.

– Quer contar-me quem é?

– O nosso guarda-caça – respondeu Constance, corando como uma menina apanhada em flagrante.

– Connie! – exclamou Hilda erguendo o nariz com repulsa, num jeito herdado de sua mãe.

– Eu sei. Mas ele é, na realidade, um amor. Conhece o que é ternura – disse Constance em tom de quem se justifica.

Hilda, como uma Atena corada e fresca, pendeu a cabeça e refletiu. A cólera que lhe tumultuava lá no fundo não ousava subir à tona, pois bem conhecia o temperamento agressivo da irmã, igual ao de Sir Malcolm.

Verdade que Hilda não gostava de Clifford – da sua gelada certeza de ser alguma coisa. Sim, Clifford imprudentemente estragara a vida de Constance, de modo que ela gostaria que a irmã o abandonasse. Mas, pertencendo à sólida classe média escocesa, repugnava-lhe qualquer "rebaixamento" de si própria ou da família.

– Vai arrepender-se disso, Connie.

---

*Minerva: nome romano de Atena, a deusa grega da guerra e da razão. (*N. da R.*)

– Nunca! – explodiu Constance, ruborizada. – Ele é uma exceção completa e eu "realmente" o amo. Oh! É um amante perfeito.

Hilda continuou a refletir.

– Você se cansará dele logo e acabará com vergonha do que fez.

– Nunca! Além disso, espero estar grávida dele.

– Connie! – exclamou Hilda pálida de cólera como quem dá uma martelada.

– Sim, farei o possível para ter um filho dele... ficarei extremamente orgulhosa disso.

Hilda compreendeu que era impossível demovê-la.

– E Clifford? Não suspeita? – perguntou.

– Oh! Não. Por que havia de suspeitar?

– Aposto que você já lhe deu muitos motivos para isso.

– Absolutamente não.

– Essa dormida fora esta noite me parece uma perfeita loucura. Onde mora ele?

– No casebre, lá do outro lado da floresta.

– Solteiro?

– Não. Abandonado pela mulher.

– Que idade?

– Não sei. Mais velho que eu.

A cólera de Hilda aumentava a cada resposta de Constance, cólera como as de sua mãe, das que iam ao paroxismo. Mas conseguiu se controlar.

– Se eu fosse você, desistia dessa escapada de hoje, Connie.

– Mas não posso! *Tenho* de passar a noite com ele ou desistir da viagem a Veneza. Não posso.

Hilda reconheceu naquela firmeza a decisão de Sir Malcolm – e diplomaticamente cedeu. Consentiu em ir

 com ela a Mansfield, para o jantar, e depois trazê-la ao

casebre à noitinha; de manhã voltaria para apanhá-la. Mas cedeu sem que sua cólera esfriasse, guardando rancor à irmã por vir atrapalhar-lhe os planos.

Connie correu para estender um xale verde sobre o peitoril da janela.

A cólera de Hilda transformou-se em indulgência para com Clifford. Porque, apesar dos pesares, ele era uma inteligência, sim. E se fisicamente não tinha sexo, melhor: menos chance de atritos. Hilda não queria mais saber do sexo – desse sexo que torna os homens maus e egoístas. Connie tinha uma vida melhor que a da maioria das mulheres – e ignorava-a, a tola.

E Clifford firmou-se na idéia de que, apesar de tudo, Hilda era uma mulher indiscutivelmente inteligente, companheira de primeira ordem para um marido desejoso de fazer carreira na política, por exemplo. Sim. Hilda seria incapaz das infantilidades de Constance, com quem não se podia absolutamente contar.

O chá veio mais cedo e foi tomado na sala principal com todas as portas abertas para que o sol entrasse. Todos pareciam um tanto cansados.

– Até à volta, Connie! Venha direitinho, hein?

– Adeus, Clifford. Minha demora será pequena – respondeu Constance, quase enternecida.

– Adeus, Hilda. Fique de olho nela, ouviu?

– Terei os dois em cima dela – foi a resposta de Hilda. – Garanto que não sairá dos trilhos.

– Até à volta, Mrs. Bolton! Sei que a senhora cuidará bem de Clifford.

– Farei tudo quanto puder, madame.

– E escreva-me caso haja novidade. Mande-me notícias dele.

– Escreverei, madame. E meus votos para que se divirta muito e passe muito bem.

Agitaram-se no ar as mãos. O carro partiu. Constance voltou o rosto e viu Clifford na sua cadeira de rodas, no alto da escada. Afinal de contas, era o seu marido e Wragby, a sua casa; as circunstâncias haviam determinado assim.

Mrs. Chambers abriu o portão, com votos de boa viagem à patroa. O carro atravessou a avenida sombria e alcançou a estrada geral, já cheia de mineiros trôpegos de volta para suas casas. Hilda tomou um atalho que a levava a Mansfield e Constance pôs os óculos. Deslizaram ao longo da via férrea, que corria sobre um aterro, e adiante atravessaram-na numa passagem de nível.

– Aquela é a trilha que leva ao casebre – disse Constance, apontando. Hilda olhou para a trilha com irritação.

– Que pena termos de mudar o programa! Poderíamos chegar a Pall-Mall às nove horas.

– Eu também o sinto... por você, Hilda – disse Connie atrás dos óculos.

Chegaram cedo a Mansfield, essa outrora romântica mas hoje desesperadamente triste cidade carvoeira. Hilda parou no hotel recomendado pelo guia de turismo e pediu um quarto. Aquela história de Connie parecia-lhe profundamente desinteressante e de enraivecer uma pessoa; mas ela precisava saber mais alguma coisa a respeito.

– *Ele! Ele!* Que nome tem esse homem, afinal? Você só fala em *ele*.

– Nunca o chamei pelo nome, nem ele a mim... o que é muito curioso, quando nos colocamos a refletir. Às vezes nos tratamos de John Thomas e Lady Jane. Mas o nome do meu homem é Oliver Mellors.

– E prefere ser Mrs. Mellors a ser Lady Chatterley?

 – Loucamente!

Nada havia a fazer naquele caso, Hilda percebeu. Mas se por quatro ou cinco anos ele tinha sido tenente do Exército na Índia, era possível que fosse um tipo apresentável. Caráter parecia ter, aparentemente. A cólera de Hilda começou a esvair-se.

– Você se fartará dele em pouco tempo – disse ainda – e ficará com vergonha dessa ligação. Não podemos nos meter com criaturas do povo.

– Que socialista está me saindo você, Hilda! Onde está a sua velha ternura pela classe operária?

– Poderei estar ao lado dos operários, numa crise qualquer, mas isso de misturar minha vida com a deles, nunca! E não é por esnobismo. Sim, porque tudo neles é diferente de nós.

Hilda convivera com verdadeiros intelectuais da política, de modo que tinha respostas rápidas.

Depois do jantar Constance arrumou várias coisas num saco de seda e penteou-se mais uma vez.

– Apesar de tudo, Hilda, o amor é uma coisa maravilhosa... quando se sente a vida, quando nos transportamos ao centro da criação – disse ela em tom de vanglória.

– Não há mosquito que não sinta o mesmo – respondeu Hilda.

– Acha? Oh! Que bom para eles!

Era uma noite maravilhosamente clara e que assim se conservaria até ao fim. Com o rosto endurecido pela máscara do ressentimento, Hilda pôs o carro em marcha e tocou – mas por outro caminho, o que passava por Bolsover.

Escondida atrás dos seus óculos e num boné de viagem, Constance mantinha-se em silêncio. A oposição de Hilda fazia-a agarrar-se ainda mais ao homem amado. Agora, sim, nada no mundo poderia separá-la dele.

Em Crosshill, Hilda acendeu os faróis e um trem que passou todo iluminado deu-lhe a impressão de que já era noite. Logo adiante era o atalho para o casebre.

Ao aproximar-se Constance viu um vulto parado, à espera. O carro deteve-se.

– Aqui estamos! – exclamou Constance em voz baixa, com a mão na portinhola. Mas Hilda tinha apagado os faróis e dava marcha a ré atrás para virar.

– Não há nada na ponte?

– Nada, tudo bem, respondeu o homem.

Hilda fez a volta. Constance desceu, dirigindo-se a ele.

– Esperou muito tempo?

– Não muito.

Ficaram os dois aguardando que Hilda descesse, mas Hilda não desceu; fechou a portinhola e ficou imóvel.

– Quero apresentar aqui minha irmã Hilda. Não quer descer, Hilda? É o senhor Oliver Mellors.

O guarda-caça tirou o chapéu mas não se aproximou.

– Hilda, venha conosco até o casebre, implorou Constance. – Não é longe.

– Mas o carro?

– Fica aí mesmo. Você leva a chave.

Hilda ficou calada, indecisa sobre o que fazer. Depois ergueu os olhos para o atalho.

– Posso deixar o carro ali naquela abertura?

– Por que não? – disse o guarda-caça.

Hilda fez a manobra, parou, tirou a chave e desceu.

Era noite, de sombra luminosa. Lado a lado do caminho cercas vivas abandonadas se erguiam, altas e selvagens. No ar boiava um perfume fresco. O guarda seguiu na frente. Constance no meio, Hilda atrás.

Ninguém falava. Nos lugares difíceis todos paravam e ele iluminava o caminho com a lanterna de bolso. Uma coruja piou suavemente no topo de um carvalho. Ninguém falava; não havia o que dizer.

Quando Constance viu a luzinha do casebre, seu coração pulsou violentamente. Sentiu um pouco de medo. Continuaram a marchar em fila.

O guarda abriu a porta e introduziu-as na salinha nua, mas quente. Estava posta a mesa. Dois talheres e dois pratos sobre uma toalha branca. Hilda sacudiu os cabelos e correu os olhos pelo recinto; depois encheu-se de coragem e encarou Mellors.

Teve boa impressão do seu físico delgado. Mellors mantinha-se distante, como disposto a nada dizer.

– Sente-se, Hilda.

– Faça o favor – secundou Mellors. – Que posso oferecer-lhes? Chá ou outra coisa? Preferem um copo de cerveja? Está muito boa.

– Cerveja! – decidiu Constance.

– Sim, cerveja, faça o favor – disse Hilda com simulada timidez. Mellors olhou-a e piscou.

Saiu para a cozinha com uma jarra verde. A expressão do seu rosto conservara-se a mesma.

Constance sentara-se perto da porta e Hilda na cadeira de Mellors, de costas para a parede.

– É o lugar dele – disse Constance com amor, e Hilda ergueu-se como se a cadeira queimasse.

– Sente-se, sente-se – disse Mellors no seu dialeto, perfeitamente tranqüilo. – Não tem bicho papão aqui.

Trouxe um copo para Hilda, a quem serviu em primeiro lugar.

– Quanto a cigarros, não tenho, porque não fumo. Talvez a senhora os tenha trazido. Quer comer alguma coisa?

E voltando-se para Constance:

– Quer alguma coisa? Você gosta de beliscar seu tira-gosto.

Falava em dialeto com a maior calma do mundo, como se fosse um dono de albergue.

– Que há para comer? – perguntou Constance, corada.

– Presunto, queijo, nozes. Pouca coisa.

– Não quer nada, Hilda? – perguntou Constance.

Hilda levantou os olhos para ele.

– Por que fala nesse dialeto de Yorkshire?

– Não é de Yorkshire, é de Derby – respondeu Mellors com o seu riso irônico e distante.

– Pois que seja, por que fala nesse dialeto de Derby? No começo recebeu-nos com o inglês de toda a gente.

– Sim? E não posso mudar, se isso me apraz? Não, não. Deixem-me falar no dialeto de Derby, já que isso me agrada. Creio que não há objeções.

– Parece-me um pouco afetado – disse Hilda.

– Talvez. Mas em Tevershall a senhora seria a afetada.

Ele a encarou com um olhar que desceu ao longo de suas faces e calculava as distâncias, como que dizendo: "Mas quem é a senhora?"

Mellors foi ao armário buscar os comestíveis.

As duas irmãs calaram-se. Mellors trouxe outro prato e mais talheres. Depois disse:

– Se me dão licença, tirarei o paletó, como faço sempre.

Tirou o paletó e pendurou-o num gancho; sentou-se à mesa apenas de camisa.

Cortou o pão e ficou imóvel. Hilda estava sentindo, como Constance sentira nos primeiros contatos, o poder do silêncio e do afastamento daquele homem.

E da sua mão pequena e sensível pousada sobre a mesa ela deduziu que não se tratava de um simples operário. Sim, aquele homem era alguém.

– Seja como for – disse Hilda, cortando um pedaço de queijo –, seria mais natural que nos falasse em inglês comum e não em dialeto.

Mellors apreendeu a vontade diabólica existente naquela mulher.

– Acha? – disse ele em inglês. – Poderá qualquer coisa que digamos um ao outro ser natural, a não ser que a senhora confesse que antes me desejaria ver no inferno que com sua irmã aqui? E que eu respondesse em igual tom? A não ser que fosse assim, poderá qualquer coisa ser natural entre nós?

– Como não? – retrucou Hilda. – As boas maneiras parecem-me uma coisa natural.

– Natural da nossa segunda natureza, não é? – disse ele rindo. E continuou em dialeto: – Não. Estou farto de boas maneiras. Deixe-me em paz.

Hilda, francamente derrotada, sentiu-se aborrecida. Que diabo! Aquele homem devia ao menos ser sensível à honra que elas lhe estavam dando. Em vez disso comportava-se como se as honradas com a recepção fossem apenas elas! Que impudência! E a pobre Connie nas garras dessa criatura!...

Puseram-se a comer em silêncio. Hilda, atenta às maneiras de Mellors à mesa, não podia deixar de admitir que por instinto era muito mais delicado e bem-educado do que ela mesma. Hilda conservava uma certa grosseria da Escócia e Mellors tinha a tranqüila segurança de um inglês que não cede diante de ninguém.

Hilda também não cederia diante dele.

– Mas o senhor realmente acha – disse ela mais amavelmente – que esta coisa vale o risco?

– Que coisa?

– Esta escapada com minha irmã?

O riso escarninho de Mellors crispou-lhe novamente os lábios.

– A pergunta não deve ser feita a mim – disse; e voltando-se para Constance: – Não veio por sua própria vontade, menina? Forcei-a eu a isso, diga?

Constance olhou para a irmã.

– Não venha com ardis, Hilda.

– Não são ardis, Connie. É que alguém tem de pensar, prever as conseqüências. Temos de dar continuidade à nossa vida. Não podemos fazer tolices.

– Continuidade? – interveio Mellors. – Que é isso? Que continuidade há em sua vida? Na senhora que está se divorciando? Que continuidade é essa? Só se é a continuidade da sua obstinação, disso não tenho dúvida. E a vantagem que tira? Breve estará farta da tal continuidade. Uma mulher teimosa, cabeçuda; eis aí uma bela continuidade. Graças a Deus, nada tenho com a senhora.

– Com que direito me fala nesse tom? – gritou Hilda.

– E com que direito a senhora vem aborrecer os outros com a sua continuidade? Deixe cada qual com a sua própria continuidade.

– Meu caro senhor, julga por acaso que me preocupo consigo?

– Creio que sim. Quer queira, quer não, a senhora é mais ou menos cunhada.

– Isso é precipitar demais. Ainda não chegamos lá, asseguro-o.

– E eu lhe asseguro que estamos mais próximos disso do que a senhora imagina. Tenho cá também uma espécie de continuidade minha, que vale tanto como a sua. E se sua irmã é um pedaço do cono que corre em mim em busca de um pouco de amor e ternura, ela sabe o que faz. Já esteve em minha casa, o que não aconteceu com a senhora e mais a sua continuidade, graças a Deus.

Mellors calou-se por instante; depois prosseguiu:

– Eu não uso calças pelo avesso, e quando pego um bom pedaço, agradeço aos céus. Há muito prazer a tirar de uma criatura bela como esta, o que já não se pode dizer da senhora e das suas iguais. E é pena, porque a senhora podia ser uma boa maçã em vez de um belo caranguejo. Mulheres do seu tipo têm de ser enxertadas.

E ele a apalpava com um sorriso de conhecedor, vagamente sensual.

– E homens do seu tipo deviam ser cuidadosamente isolados do mundo, como justa recompensa de sua vulgaridade e seus apetites egoístas.

– Sim, madame! Mas é muito bom que ainda haja homens como eu. Quanto à senhora, tem o que merece: ninguém a quer.

Hilda levantara-se e aproximara-se da porta. Mellors também levantou-se e tirou o paletó do gancho.

– Posso muito bem ir sozinha – disse ela.

– Duvido – respondeu Mellors.

Voltaram pelo mesmo caminho, numa fila grotesca, em silêncio. A coruja piou na mesma árvore. Encontraram o carro úmido do orvalho. Hilda tomou assento e pôs o motor em movimento.

– Tudo que tenho a dizer – declarou ela antes de partir – é que duvido muito que isto acabe bem.

– O que para uns é regalo, para outros é veneno – replicou Mellors –; mas para mim é pão e vinho.

Hilda acendeu os faróis.

– Não me faça esperar amanhã, Connie.

– Não. Estarei pronta na hora. Adeus!

O carro seguiu lento até à estrada e de lá partiu a toda.

Timidamente Constance tomou o braço do guarda-caça e puseram-se a andar. Ele nada dizia. De súbito Constance o deteve.

– Beije-me! – disse.

– Não! Espere um pouco. Deixe que me acalme.

Constance riu, e, sempre pendurada no braço do amante, apressou a volta para a casinha, sem dizer mais nada.

Sentia-se feliz de estar com ele, e arrepiava-se ao pensamento de que Hilda poderia tê-lo arrancado de si. Mellors conservava-se no seu silêncio impenetrável.

Ao verem-se de novo na casinha, Constance deu saltos de alegria de estar livre da irmã.

– Mas você foi cruel com ela! – disse-lhe.

– Merecia uns tapas.

– Por quê? É tão gentil!

Mellors não respondeu. Cuidava dos arranjos da noite com a maior tranqüilidade e precisão de movimentos. Ainda irritado, mas superficialmente e não contra ela. Encolerizado, ele adquiriu uma beleza particular, uma profundidade, um brilho que a deixava derretida por dentro.

Mas Mellors parecia não lhe dar nenhuma atenção. Por fim sentou-se para tirar os sapatos e encarou-a, ainda de semblante carregado.

– Não quer subir? Ali tem uma vela.

Constance obedeceu. Pegou a vela e subiu – e ele apalpou-lhe as ancas com os olhos.

Tiveram uma noite maravilhosa de paixão sensual; Constance, um tanto amedrontada, mas ao mesmo tempo arrastada a despeito de si mesma, conheceu vibrações de sensualidade ainda mais fortes que das outras vezes, vibrações diferentes, mais agudas, mais terríveis que as causadas pelo amor-ternura e, no momento, mais desejáveis. Apesar de um pouco atemorizada, não se opôs a coisa nenhuma – e uma sensualidade sem freios e sem vergonha sacudiu-a no mais fundo de si mesma, e a desfez dos últimos véus, revelando nela uma mulher nova. Não era propriamente amor. Não era volúpia. Sim, uma sensualidade aguda e ardente como o fogo, que lhe transformava a alma em brasa.

E esse fogo destruía as mais antigas e profundas vergonhas das suas partes mais secretas. Custou-lhe certo esforço deixar que o amante usasse dela ao sabor dos seus caprichos, reduzindo-a a simples coisa passiva, complacente como uma escrava – como uma escrava física. Mas a paixão a devorava com suas chamas consumidoras e quando a violência dessas chamas alcançou o mais íntimo de suas entranhas, realmente julgou estar morrendo – embora da mais maravilhosa das mortes.

Muitas vezes Constance perguntara-se a si mesma que quereria significar Abelardo ao dizer que, durante o seu ano de amor com Heloísa, haviam passado por todos os estágios e por todos os requintes do amor. Agora compreendia tudo. Era aquilo. Aquilo, mil anos antes! Os requintes da paixão, as extravagâncias da sensualidade! E era coisa necessária para destruir as falsas vergonhas e refinar em pureza o grosseiro minério do corpo.

Quanto não aprendeu nessa noite de outono! Se lhe tivessem contado, teria admitido ser coisa de matar uma mulher de vergonha – mas, na realidade, o que morreu foi a vergonha. A vergonha que não passa de medo; a profunda vergonha orgânica, o velho medo físico que se oculta nas raízes do corpo e que só pode ser expurgado por esse fogo sensual. Ao fogo da investida fálica do homem ela pôde alcançar o coração da floresta do seu ser. Constance sentiu que atingiu o embasamento de rocha de si mesma, e que essencialmente a vergonha não existe. Tornou-se ela mesma quando se libertou da vergonha. Oh! Então era assim? A vida, a vida! Era assim que ela realmente era! Nada ficou de disfarce, nada de que se envergonhasse; Constance compartilhou com outro ser a sua mais íntima, a sua última nudez.

E que demônio, esse homem. A mulher tinha de ser forte para agüentá-lo. Mas era difícil alcançar o coração da floresta do ser, os recessos mais íntimos onde se esconde a vergonha orgânica. Só o falo podia chegar lá. E como ele o tinha levado longe dentro dela!

Nos instantes de medo, ela repelira com ódio aquilo, e como na realidade o desejava! Agora sabia, compreendia tudo. É que no fundo sua alma sempre ansiara por essa investida fálica, mas secretamente e sem esperança de a ver realizada. Subitamente agora tivera tudo e com ela estava um homem compartilhando a sua nudez íntima, a morte da vergonha orgânica.

Que mentirosos os poetas e toda a gente! Fazem-nos crer que só precisamos de sentimentos. Mas, na realidade, do que imperiosamente precisamos é dessa penetrante, ardentíssima e terrível sensualidade. Oh! Encontrar um homem que ouse chegar lá, sem vergonha, sem pecado, sem remorso. Se ele houvesse mostrado vergonha depois, e com isso também suscitasse nela a vergonha, que horror! Que pena serem os homens em geral tão suscetíveis à vergonha, como Clifford! E mesmo como Michaelis! Sensualmente, eram Clifford e Michaelis dois humilhados, como cães. O tal supremo prazer do espírito! Mas de que vale para a mulher e mesmo para o homem? Apenas torna o homem confuso e canino, mesmo no espírito. Para purificar o espírito é necessário essa ardente sensualidade, ousada, selvagem.

Ah! Deus, que coisa rara um verdadeiro homem! A maioria não passa de cães que trotam, farejam e copulam.

Um verdadeiro homem, livre do medo da vergonha! Constance olhava para Mellors adormecido – dormindo como um animal selvagem dorme, perdido, exilado no afastamento do sono. E aninhou-se ao lado como para tê-lo menos longe de si.

Quando o homem acordou, ela, que também dormira, despertou. Viu-o sentado na cama, olhando-a, e viu a sua própria nudez refletida nos olhos dele. O fluido do conhecimento de macho que ele tinha do seu corpo parecia transbordar dos seus olhos para ela. Oh! A volúpia era estar assim com os membros e o corpo semi-adormecido ainda pesados do temporal da paixão!

– É hora de levantar-nos? – Constance perguntou.

– Seis e meia.

Ela devia estar na estrada, à espera de Hilda, às oito. Oh! Sempre, sempre aquela escravização aos outros!

– Vou preparar o café-da-manhã e trazê-lo aqui, quer? – disse Mellors.

Flossie gania embaixo. Mellors ergueu-se, despiu o pijama e esfregou o corpo com uma toalha. "Quando o ser humano revela-se pleno de coragem e vida, que belo é!", pensava Constance sem nada dizer.

– Quer que abra a janela?

O sol brilhava sobre a humilde folhagem lá fora. Constance sentou-se na cama e, inclinada, com os braços comprimindo os seios de modo a juntá-los, olhou sonhadoramente aquele pedaço de paisagem. Vestiu-se. Seu coração sonhava uma vida junto com ele: uma vida, apenas.

Mellors ia saindo, como que fugindo da perigosa e ameaçadora nudez da mulher.

– Onde está minha camisola? – disse ela, procurando; e ele apanhou ao pé da cama um trapo de seda, dizendo:

– Meus pés haviam sentido a seda.

Mas a camisola estava rasgada ao meio.

– Não importa – disse Constance. – Vou deixá-la aqui.

– Sim, deixe-a. Eu dormirei com ela entre as pernas; me fará companhia durante sua ausência. Tem nome ou marca?

Pela janela o ar da manhã entrava repleto de gorjeios. Os olhos todo sonhos de Constance demoravam-se na paisagem continuamente riscada de vôos de pássaros. Flossie – viu Flossie lá fora. Um dia novo...

Mellors embaixo acendeu o fogo, bombeou água. Entrava e saía – Constance acompanhava-o com a imaginação. O cheiro do bacon na frigideira subiu até ela. Por fim, Mellors reapareceu com uma enorme bandeja preta que mal passava na porta. Pousou-a na cama e serviu chá numa xícara. Constance, semivestida, lançou-se esfomeada ao bacon. Mellors, numa cadeira defronte, tinha o seu prato nos joelhos.

– Que bom é aqui! Que delícia este nosso café-da-manhã juntos!

Mellors comia em silêncio, com a idéia nos minutos que passavam.

– Oh, como eu queria ficar aqui e ver Wragby a um milhão de milhas de distância. É de Wragby que eu me ausento, no fundo, sabe?

– Sim.

– E promete que viveremos juntos, que teremos uma vida comum, eu e você? Promete?

– Sim, quando for possível.

– Será possível logo, não é? – disse Constance, inclinando-se sobre ele para segurar-lhe a mão e servindo o chá.

– Sim – repetiu Mellors, arrumando a xícara.

– Impossível daqui em diante vivermos separados, não acha? – e a voz de Constance revelava um tom de súplica.

Mellors olhou-a com aquele ar de sempre.

– Impossível, sim. Mas olhe que só faltam 25 minutos.

– Só?

Nesse momento um latido de Flossie fez o guarda erguer o dedo, atento, e levantar-se. Mais latidos. Era gente.

Silenciosamente Mellors largou na bandeja o guardanapo e desceu. Constance ouviu-lhe os passos embaixo, a caminho do jardim. E o som de uma campainha de bicicleta.

– Bom dia, Senhor Mellors. Carta registrada.

– Tem lápis?

Um instante de silêncio.

– Do Canadá.

– Sim. De um dos meus antigos companheiros, hoje estabelecido na Colúmbia inglesa. Por que mandaria isto registrado?

– Algum cheque de milhão.

Pausa.

– Bonito dia, não?

– Lindo.

– Adeus. Até amanhã.

– Até amanhã.

Instantes depois Mellors reaparecia em cima com ar de impaciência.

– O carteiro – explicou.

– Cedinho assim?

– Costuma passar às sete; às vezes madruga, como hoje.

– O tal companheiro mandou um cheque de milhão?

– Qual! Apenas uma fotografia e informações de uma propriedade na Colúmbia inglesa.

– Pretende ir para lá?

– Tenho pensado que seria possível.

– Oh! Sim! Deve ser um encanto.

Mas Mellors ficara aborrecido com a interrupção do carteiro.

– Essas malditas bicicletas caem em cima da gente de surpresa. Tenho medo que ele tenha percebido alguma coisa.

– Que poderia ter ouvido?

– Sei lá. Vamos, arrume-se enquanto vou dar uma espiada lá fora.

Constance o viu afastar-se de fuzil ao ombro e Flossie atrás, para dar uma espiada no caminho. Tratou de concluir a toalete e desceu para os últimos preparativos. Estava pronta para partir quando Mellors voltou. Ela pegou a bolsa e desceu para o jardim.

Depois de trancada a porta, partiram os dois, não pelo caminho, mas por dentro da floresta; tinham de evitar qualquer encontro.

– Você não acha que devemos viver para momentos como os da noite passada? – ela disse.

– Sim, mas não podemos deixar de pensar em todos os outros momentos – respondeu ele um tanto secamente.

Caminhavam pela trilha da floresta, ele na frente, calado.

– Mas está combinado que iremos viver juntos? – implorou Constance.

– Sim – disse ele sem se voltar. – Quando chegar a ocasião. Agora o que há é Veneza ou Deus sabe o quê.

Ela o seguia em silêncio, de coração apertado. Como era doloroso afastar-se daquela casinha!

Mellors parou.

– Vou entrar por ali – disse apontando para a direita.

Ela pendurou-se no pescoço dele.

– Mas guardará a sua ternura por mim, não é? Diga! Diga!

Ele a beijou e apertou-a contra o peito por um momento. Depois suspirou e beijou-a novamente.

– Tenho de ir espiar se o carro vem vindo – e rompeu pelo mato rasteiro, deixando atrás de si uma trilha de samambaia pisada. Desapareceu. Minutos depois voltava.

– Não há sinal de carro algum, mas a carroça do padeiro vem vindo.

Mellors parecia ansioso.

– Escute!...

Um barulho de carro se aproxima. Buzinadas. Constance seguiu pela trilha das samambaias, com pesar na alma, e foi até uma cerca. Ele vinha atrás.

– Passe por ali – disse Mellors apontando uma abertura na cerca. – Eu fico.

Ela o encarou com desespero, ele a beijou e empurrou-a.

– Vá!

Desolada, Constance passou a cerca, saltou uma pequena vala e entrou na estrada. Já fora do carro, Hilda mostrava-se contrariada por não ver a irmã.

– Oh! – exclamou ao dar com ela. – E ele?

– Ficou.

O rosto de Constance estava lavado em lágrimas. Entrou no carro. Hilda deu-lhe os óculos e o boné.

– Ponha isso!

Constance ajeitou-se no carro, escondida pelos óculos, pelo boné e o capote de viagem, impossível de ser reconhecida. Hilda tocou. Olhando para trás, Constance tentava uma derradeira visão do amante. Mas Mellors fizera-se invisível. E ela afastava-se dele! Lágrimas amargas correram-lhe dos olhos. A partida viera tão súbita!

– Graças a Deus ficarás separada desse homem por algum tempo – disse Hilda, ao fazer uma curva para desviar-se de Crosshill.

# 17

– Sim, Hilda – disse Constance depois do almoço ao aproximar-se de Londres –, você jamais conheceu a verdadeira ternura, nem a verdadeira sensualidade; mas creia que não há nada maior, quando temos ambas numa mesma criatura.

– Pelo amor de Deus, não se gabe das suas experiências! – replicou Hilda. – O que eu quero é um homem capaz de intimidade, capaz de abandonar-se a uma mulher... e jamais o encontrei. Não me interessa em nada a ternura egoísta e a sensualidade. Não poderia nunca resignar-me a ser a querida boneca de um homem, ou sua *chair à plaisir**. Sempre sonhei uma intimidade completa... e nunca a tive.

Constance ponderou sobre essas palavras. Intimidade completa! Tudo dizer um ao outro, que enfadonho! E que doença, numa ligação, essa incapacidade de abstrair-se de si mesmo!

– O que há é que você nunca se esquece de si mesma perante os outros, Hilda.

– Mas também não tenho natureza de escrava.

– Ilusão sua. Você é escrava da idéia que faz de si própria.

Hilda silenciou por um instante. Essa Connie! Que garota insolente!

– O que não sou é escrava da idéia que alguém faz de mim – respondeu sarcasticamente.

– Ah! Você não compreende nada, Hilda – murmurou Constance com resignação.

---

*Mulher a bel prazer do homem.

Sempre se deixara dominar pela irmã, mas agora não se submetia à dominação de mulher nenhuma. Ah! Só isso já era um alívio, a verdadeira conquista de uma vida nova. Não ser submetida a uma dominação estranha, à obsessão de outras mulheres! As mulheres, que horror!

Constance teve prazer em encontrar-se com seu pai, de quem era a filha preferida. Havia ficado com Hilda num hotelzinho em Pall Mall. Sir Malcolm hospedara-se no clube; à noite ia ter com as filhas, que gostavam de passear com ele.

Ele era bem robusto e belo ainda, embora um tanto apavorado com o mundo novo que surgia diante dos seus olhos. Casara-se na Escócia pela segunda vez com uma mulher mais moça e mais rica, e excursionava o mais que podia, como no tempo da primeira esposa.

Constance estava ao seu lado, na Ópera, observando-o. Sim, cheio de corpo, mas não muito. Coxas fortes, sólidas e ainda ágeis; as coxas de um homem que não recusara nenhum prazer da vida. Seu egoísmo, seu bom humor, sua tenaz necessidade de independência, sua insaciável sensualidade – tudo ela como que via em suas coxas ágeis e firmes. Um homem de verdade! Mas envelhecia, o que é muito triste. Mas, em suas pernas vigorosas, robustas, másculas, havia algo desse vivo poder de emoção e ternura que é a própria essência da mocidade e não se apaga nunca.

De súbito Constance compreendeu a significação das pernas. Pareceu-lhe que valem mais que o rosto, que possuem mais realidade. E como no mundo havia poucas pernas realmente vivas! Em geral, eram pernas gordas semelhantes a pudins embrulhados em toalhas; ou magros caniços cobertos de pano funerário; ou então eram pernas jovens e bem-feitas mas sem nenhuma significação, incapazes de emoção, de ternura, de sensualidade. Nenhuma sensualidade como a que via nas de seu pai. Todas acovardadas a ponto de nem mostrarem vida.

E as mulheres? Ah! Oh, os terríveis mourões da maioria das mulheres, revoltantes, dignos de inspirar massacres! Ou as pobres varas magrelas! Ou as pernas bonitinhas dentro de meias de seda, mas sem o menor átomo de vida! Horroroso, milhões de pernas insignificantes a se exibirem por toda parte.

Constance não se sentia feliz em Londres. Via nessa metrópole uma humanidade muito espectral, muito vazia. Nenhuma felicidade em todas aquelas criaturas, por mais vivas e encantadoras que às vezes parecessem. Tudo vazio e morto. Cegamente, com uma avidez de mulher, Constance ansiava pela felicidade, pela certeza da felicidade.

Em Paris, pelo menos, encontrava um pouco de sensualidade – mas que sensualidade cansada, gasta, surrada! Gasta e cansada pela ausência de ternura. Sim, Paris era triste, uma das cidades mais tristes do mundo, na sua sensualidade mecânica, na eterna caça ao dinheiro, ao dinheiro, ao dinheiro, apenas não sabia ser bastante americanizada ou londrificada para ocultar o seu cansaço num rangir mecânico! Oh! Todos aqueles machos, aqueles *flaneurs*, aqueles seguidores de mulheres, comedores de bons jantares! Como se mostravam cansados, gastos por falar de um pouco de ternura dada ou recebida! As mulheres, tão altivas, e às vezes tão encantadoras, tinham algumas noções das realidades sensuais – o que positivamente significava uma vantagem sobre suas colegas inglesas, tão tolas. Mas também, entre as mulheres, nada de ternura. Ressecadas, vítimas da infinita secura das vontades sempre tensas, elas também estavam gastas. Toda a humanidade estava gasta – e talvez viesse a tornar-se ferozmente destruidora. Uma espécie de anarquia! Clifford e a sua anarquia conservadora!

Talvez, breve, nem conservadora, e sim a mais radical de todas as anarquias.

Constance começava a ter medo das pessoas. Só às vezes e por momentos sentia-se feliz nos bulevares, no Bois ou no Jardim de Luxemburgo. Mas Paris já estava cheia de americanos e ingleses – esquisitos americanos de uniformes fantásticos e ingleses enfadonhos, insuportáveis fora da Inglaterra.

A continuação da viagem deu-lhe prazer. Tendo havido uns dias quentes demais, as duas irmãs resolveram atravessar a Suíça, passar pelo Brener e entrar em Veneza pelos Dolomitas. Hilda gostava de guiar o carro, ocupar-se de tudo, representar os papéis principais; Constance só queria ficar na sombra.

Foi muito agradável a viagem, embora Constance freqüentemente repetisse a si mesma: "Por que motivo nada mais me interessa? Nem a paisagem! Estou como São Bernardo, que atravessava de bote o lago Lucerna sem sequer perceber que aquilo era água entre montanhas. Não me interesso pela paisagem. E se me forçam a admirá-la, recuso-me a isso."

Sim, ela não achava nada vital, nem na França, na Suíça, no Tirol ou na Itália. Deixava-se levar como simples bagagem, apenas isso. Tudo menos real que Wragby, a horrível Wragby.

E as pessoas? Todas a mesma coisa. Todas queriam dinheiro; ou, se eram turistas, queriam prazer a qualquer preço, ainda que fosse esmagando pedras para tirar sangue! Pobres montanhas, pobres paisagens, era preciso esmagá-las, reduzi-las a poeira para extrair delas um pequenino prazer. Que significava toda essa gente com a sua firme resolução de divertir-se?

"Não", dizia Constance a si mesma, "eu prefiro estar em Wragby, onde posso ir e vir, e ficar tranqüila e nada ver e não me divertir. Toda essa vasta empresa de divertir, que é o turismo, não passa de um desastre humilhante". Constance desejava voltar a Wragby, voltar mesmo a Clifford, o pobre mutilado. Era menos estúpido que a legião dos imbecis em férias.

Mas, no íntimo de sua consciência, continuava em contato com o outro homem. Era fundamental não deixar quebrar-se o elo que os unia. Oh! Se não fosse assim, iria considerar-se completamente perdida, nesse mundo de ricos idiotas e de animais de prazer. Oh! Os animais de prazer! Oh! "Divertir-se!" Forma moderna de náusea.

Hilda deixou o carro numa garagem em Mestre e tomou o barco a vapor para Veneza, numa bela tarde de outono. O vento arrepiava a laguna e o sol tornava Veneza, lá do outro lado, quase obscura.

No cais saltaram do barco para uma gôndola e deram um endereço ao legítimo gondoleiro de blusa azul e branca, nada belo nem impressionante.

– Sim! A Vila Esmeralda, sim, conheço-a! Fui o gondoleiro de um senhor que lá esteve. Mas é longe.

Parecia infantil e impulsivo. Remava com exagerado ímpeto pelo meio dos pequenos canais de hediondos muros verdes e viscosos – os canais que atravessam os bairros pobres onde a roupa lavada é estendida em varais e tudo cheira a esgoto.

Mas chegaram a um dos canais mais amplos, com calçadas nas margens e pontes em arco, que cortam em ângulo reto o Grande Canal. O gondoleiro ia empoleirado atrás das duas mulheres sentadas sob um pequeno toldo.

– As senhoras vão ficar muito tempo na Vila Esmeralda? – indagou ele, enxugando o rosto num lenço azul e branco, sem interromper o movimento dos remos.

– Uns vinte dias; somos ambas casadas – disse Hilda em seu italiano de inglesa.

Houve uma pausa. A seguir o homem perguntou:

– Não querem um gondoleiro pelos vinte dias de estação? Pode ser por dia ou por semana.

As duas hesitaram. Em Veneza, o melhor é ter sua própria gôndola, como em terra deve-se ter o próprio carro.

– Que embarcação há na Vila?

– Uma lancha-automóvel e também gôndolas, mas...

– E qual o preço?

O homem pediu 30 xelins por dia, ou 10 libras por semana.

– É o preço habitual? – perguntou Hilda.

– Menos, *signora*. O preço habitual é maior...

As duas irmãs consultaram-se.

– Pois bem, apareça amanhã de manhã que combinaremos. Qual o seu nome?

Chamava-se Giovanni e indagou da hora em que deveria vir e com quem deveria tratar. Hilda não tinha cartão; Constance deu o seu. O gondoleiro lançou sobre ela um olhar rápido, quente, de um azul meridional.

– Ah! Milady! Milady é o seu nome, não?

– Milady Constanza! – disse Constance.

– Milady Constanza! – repetiu Giovanni, guardando o cartão com muito cuidado no bolso da blusa.

A Vila Esmeralda era longe, no extremo da laguna, defronte de Chioggia. Uma vivenda não muito antiga, agradável, com terraços para o mar e um grande jardim de árvores sombrias. O dono era um escocês pesado, grosseiro, que fizera fortuna na Itália antes da guerra, e depois se tornou famoso pelo seu superpatriotismo. Casado com uma mulher magra, pálida, toda angulosa, sem fortuna pessoal, com a desgraça de ter de fiscalizar as aventuras amorosas, muito sórdidas, do marido. Era um homem terrível para com os criados, mas depois de sofrer, no inverno anterior, um derrame, ficara mais manejável.

A Vila estava cheia. Além de Sir Malcolm e suas filhas, havia mais sete hóspedes – um casal escocês também com duas filhas; uma jovem condessa italiana, viúva; um jovem príncipe de Geórgia; e um pastor inglês ainda moço, que tivera pneumonia e estava a servir de capelão a Sir Alexander. O príncipe era um lindo rapaz, mas sem vintém; teria dado um excelente motorista, com a necessária imprudência, e nada mais! A condessa, uma gata pacífica, com os pequeninos interesses dela. O pastor, um pobre homem insignificante vindo de um presbitério de Bucks. E os Guthries, uma família da gorda burguesia de Edinburgo que se aproveita de tudo e não arrisca nada.

Constance e Hilda excluíram imediatamente o príncipe. Os Guthries eram mais ou menos da classe delas, mas tediosos. O capelão era um bom sujeito, mas excessivamente polido. Sir Alexander perdera muito da jovialidade depois do derrame, mas estava encantado com a presença de tantas damas. Lady Cooper, sua esposa, muito magra, divertia-se em exercer sobre as outras mulheres uma fiscalização que se tornara a sua segunda natureza; dizia perversidades glaciais, denunciadoras da má idéia que fazia da natureza humana. Tratava os criados com venenosa dominação e habilmente fazia crer a Sir Alexander que ele era o dono da sua própria cabeça.

Sir Malcolm pôs-se logo a pintar. Queria sem perda de tempo fixar uma paisagem da laguna que contrastasse com as suas paisagens escocesas. Todas as manhãs ia de gôndola e munido de enorme tela para o seu "lugar". Um pouco mais tarde a gôndola levava Lady Cooper e seu álbum de aquarelas para o centro da cidade. Aquarelista impenitente, havia enchido a vivenda com palácios cor-de-rosa, canais sombrios, pontes arqueadas, fachadas medievais. Um pouco mais tarde os Guthries, o príncipe, a condessa, Sir Alexander e às vezes Mr. Lind, o capelão, iam ao Lido para o banho. Por volta de uma hora voltavam todos para almoçar.

A vida na Vila era tediosa, mas isso não incomodava as duas irmãs, cujo tempo era todo passado fora. Seu pai levava-as à exposição: milhas e milhas de pintura enfadonha; levava-as para ver os seus velhos companheiros da Vila Lucchesi; nas tardes quentes sentava-se com elas na Piazza, onde reservara uma mesa no Florian; levava-as aos teatros para conhecerem as peças de Goldoni. Havia festas aquáticas com muita iluminação; e bailes. Veneza era uma cidade de estação. O Lido, com uma área de hectares de corpos tostados de sol como que metidos em pijamas, lembrava uma praia de focas reunidas para a festa do acasalamento. Gente demais na Piazza, corpos humanos demais no Lido, gôndolas demais, lanchas demais, barcos a vapor demais, pombos demais, lanchas demais, coquetéis demais, excesso de garçons esperando gorjetas, excesso de línguas exóticas, excesso de morangos, excesso de xales de seda, excesso de talhadas de melancias vermelhando como carne crua nas tendas: Oh! Excesso de diversão!

Constance e Hilda iam e vinham nos seus passeios de outono. Conheciam e eram conhecidas de montes de gente. Encontraram Michaelis. "*Hello*! Onde estão hospedadas? Venham tomar um sorvete comigo ou outra coisa. Venham dar um passeio comigo em minha gôndola." Até Michaelis estava quase brunido pelo sol. Cozido pelo sol, seria melhor definição – do efeito do sol sobre todos aqueles corpos.

Divertido, sim, de uma certa maneira. *Quase* prazer. Entretanto, com todos os coquetéis, todos os banhos de água morna; todos os banhos de sol na areia ardente, todas as danças ao som do jazz, estômago contra estômago, pelas noites calmas; e com todos os sorvetes ingeridos, aquilo tudo não passava de um perfeito narcótico. E era o que todos queriam, um entorpecente. A água tão quieta, um entorpecente; o jazz, os cigarros, os coquetéis, os vermutes, apenas entorpecentes. Atordoamento! O prazer! O prazer!

Hilda gostava de sentir o atordoamento. Gostava de olhar para as mulheres imaginando o que seriam e o que faziam. As mulheres interessam-se tremendamente pelas mulheres. Com que parecem? Que homens pegaram? Que gosto estão tirando disso? Os homens eram cachorrões com calças de flanela branca, à espera de serem acariciados, à espera da esfregação de estômago contra estômago ao som do jazz.

Hilda gostava do jazz por lhe permitir colar o seu estômago ao de um pretenso homem, deixar que ele dominasse os seus movimentos daqui para lá através da sala; depois separavam-se e ela o esquecia. Servia-se do homem apenas. A pobre Constance divertia-se menos. Não gostava de dançar, porque não tolerava isso de apenas colar o seu estômago ao de outra cintura. Tinha horror àquela aglomeração de carne nua no Lido, onde a água mal dava para molhar os corpos. Não gostava de Sir Alexander nem de Lady Cooper. Não queria ser acompanhada por Michaelis nem por ninguém.

Seus melhores momentos eram aqueles em que persuadia Hilda a acompanhá-la através da laguna até bem longe, até um local solitário, de praia cascalhenta, onde pudessem banhar-se sozinhas. A gôndola era deixada a distância.

Para esse passeio Giovanni arranjou um auxiliar. Giovanni era bastante gentil ao modo dos italianos, e totalmente vazio de paixão. Não são apaixonados os italianos.

Paixão implica profundeza de reservas e eles se emocionam facilmente, enternecem-se, raramente os empolga uma paixão que perdure.

Giovanni andava muito apegado àquelas damas, como andara apegado aos anteriores carregamentos de damas de sua gôndola. E sempre pronto a prostituir-se, se elas o desejassem. Ganharia assim um presente muito a propósito, pois estava para casar-se. Giovanni falou-lhes desse casamento e ambas mostraram-se devidamente interessadas.

A idéia de Giovanni fora que aquele passeio em local deserto não passava de "negócio" – isto é, *l'amore*, o amor. E tratou de conseguir um companheiro, não só porque tinha de ir muito longe como também por serem duas. Duas damas, dois machos. Boa aritmética. E damas bem belas! Giovanni mostrava-se orgulhoso de servi-las. E embora quem lhe pagasse e desse ordens fosse a *signora*, estava esperançoso de que para o *amore* fosse escolhido pela jovem milady. Ela havia de ser mais generosa.

O auxiliar de Giovanni chamava-se Daniel. Não era gondoleiro nem nada tinha do parasita ou do homem que se prostitua. Era um barqueiro. Conduzia uma das grandes barcas que trazem a Veneza as frutas e mais coisas das ilhas.

Belo, grande, bem-feito de corpo, cabeça bem conformada, coberta de cabelos cacheados – cabelos louros; rosto viril um tanto leonino, olhos azuis bem separados. Daniel não se mostrava efusivo, nem loquaz, nem embriagado como Giovanni. Não falava; remava com serena facilidade, como se estivesse ali sozinho. As damas eram elevadas demais, muito distantes dele. Nem sequer as via. Só olhava para a frente, ao longe.

Um verdadeiro homem. Daniel irritava-se quando Giovanni bebia demais e remava tontamente, sem ritmo nos braços. Um homem inviolado, como Mellors. Constance lamentava pela futura mulher do transbordante Giovanni. Mas a mulher de Daniele devia ser uma dessas boas venezianas do povo, como ainda as há, modestas como flores, nos quarteirões afastados daquela cidade-labirinto.

Primeiro o homem prostitui a mulher; depois a mulher prostitui o homem. Giovanni ardia por prostituir-se, babava-se como um cão no desejo de dar-se a qualquer uma delas. E por dinheiro!

Constance olhava Veneza ao longe, colorida de rosa e perdida sob a água. Construída, enriquecida e morta sobre dinheiro. Dinheiro, prostituição e morte.

Daniel, entretanto, era um homem capaz da livre lealdade de um homem. Não vestia a blusa clássica dos gondoleiros, e sim malha azul. Um tanto selvagem, rude, altivo e a serviço daquele vil Giovanni que, por sua vez, estava a serviço das mulheres. Assim vai o mundo. Quando Jesus recusou o dinheiro do diabo, *ipso facto*, deixou o diabo dono da situação no mundo, como um banqueiro judeu.

Ao voltar para casa, meio hipnotizada pela radiante luz da laguna, Constance encontrava às vezes cartas de Wragby. Clifford lhe escrevia regularmente; e de forma primorosa: cartas dignas de impressão. Justamente por isso Constance não as achava interessantes.

Ela vivia semi-hipnotizada pela luz da laguna, pelo ambiente de água salgada, pelo espaço, pelo vazio, pelo nada; e também por uma saúde perfeita – a sonolência da saúde. Estado benéfico em que se deixava estar sem pensar em coisa nenhuma. Além disso, estava grávida, de modo que a sonolência da luz, do sal da laguna, dos banhos de mar, das horas passadas nas praias a apanhar conchinhas, dos lentos passeios de gôndola era completada pela sua gravidez, essa plenitude adormecedora.

Já havia passado duas semanas em Veneza e tinha de passar mais duas. O sol atrapalhava a sua noção do tempo, e a plenitude física fazia-a esquecê-lo por completo. Constance estava imersa no semi-sono do bem-estar.

Uma carta de Clifford veio tirá-la da sonolência.

"Nós também temos tido aqui nossos pequeninos acontecimentos locais. Parece que a esposa maluca do Mellors, o guarda-caça, apareceu lá no casebre e não foi bem acolhida. Ele a repeliu e fechou a porta a chave. Mas dizem que, ao voltar da ronda pela floresta, ele encontrou lá dentro a dama firmemente estabelecida em sua cama, *in puris naturalibus,* ou melhor, *in impuris naturalibus**. Ela teria quebrado uma vidraça para entrar. Impossibilitado de expulsar de sua cama aquela Vênus fatigada, bateu em fuga e recolheu-se, dizem, em casa de sua mãe, em Tevershall. Mas a Vênus de Stacks Gate ficou onde estava e proclamou o casebre o seu lar; e Apolo deixou-se ficar em Tevershall. Isto é o que dizem, pois Mellors não veio contar-me nada. Minhas informações eu as devo ao nosso íbis, à nossa ave catadora de lixo, Mrs. Bolton. E eu nada te escreveria se ela não houvesse exclamado: 'Madame não irá mais passear no bosque, se esta mulher permanecer pelas vizinhanças.'

"Gostei do quadro que fizeste de Sir Malcolm entrando na água, os cabelos brancos soltos ao vento, a carne rosada, resplandecente ao sol. Sinto inveja desse sol daí. Aqui chove. O que não invejo é o impertinente apego de Sir Malcolm à carne. Mas é coisa da idade. Quanto mais o homem envelhece, mais se torna carnal e mortal. Só a mocidade dá valor à imortalidade..."

---

*Forma latina para designar "Na pureza das coisas naturais... na impureza das coisas naturais", modo irônico de dizer "nua".

Tais notícias vieram trocar a beatitude de Constance por um aborrecimento próximo da exasperação. Teria então de preocupar-se com aquela terrível peste? De Mellors não viera carta alguma. Embora tivessem combinado não se escreverem, se viesse qualquer coisa dele seria bom. Afinal de contas, era o pai da criança que ela trazia no ventre. Por que não escrevia?

Mas que horror! Que trapalhada! Que horríveis essas criaturas do povo! E como era bom aquele sol ali em Veneza, aquela indolência, tudo o mais, comparado com a confusão dos Midlands! Sim, um céu claro é praticamente a única coisa importante na vida.

Constance não falara a ninguém da sua gravidez, nem a Hilda, e a Mrs. Bolton escreveu pedindo pormenores.

Duncan Forbes, artista e amigo da família, apareceu em Vila Esmeralda, vindo de Roma. Acompanhava-as agora nos passeios de gôndola, banhava-se com elas do outro lado da laguna, servia-lhes de guarda-costas. Um rapaz tranqüilo, quase taciturno e artista muito avançado.

Constance recebeu uma carta de Mrs. Bolton.

"Quanto ao caso Mellors, não sei o que Sir Clifford escreveu a Madame. A mulher dele voltou inesperadamente; Mellors encontrou-a sentada à porta. Disse-lhe ela então que tinha voltado para a sua companhia como legítima mulher que era; que desejava recomeçar a vida em comum, pois não concordava com o divórcio. Mellors não quis saber de nada; não abriu a porta e afundou de novo na floresta.

"Mas, regressando à noite, viu que tinham arrombado a janela. E lá dentro encontrou a mulher instalada em sua cama, em pêlo. Mellors ofereceu-lhe dinheiro; ela não aceitou; disse que era sua legítima esposa e que viera para ficar. Não sei que gênero de cena houve entre ambos. Foi a mãe dele quem me contou isto; estava terrivelmente aborrecida, a coitada. Para terminar, Mellors disse à mulher que preferia morrer a viver de novo com ela – e, fazendo a mala, mudou-se para a casa de sua mãe em Tevershall. Passou a noite lá e no dia seguinte fez o serviço de costume sem aproximar-se do casebre. Parece que não viu mais a mulher todo esse dia. No dia seguinte, lá foi a mulher à procura do Dan, irmão de Mellors, em Beggarlee, urrando e blasfemando, dizendo que era a sua mulher legítima e que ele havia recebido outras no casebre, que ela encontrou lá um vidro de perfume e pontas de cigarros de luxo nas cinzas da lareira – e não sei mais o quê. Também parece que Fred Kirk, o carteiro, ouviu voz de mulher no quarto de Mr. Mellors certa manhã, e que viu marcas frescas de carro, na estrada, ou na trilha que vai do casebre à estrada.

"Mr. Mellors ficou em casa de sua mãe. Ia ao bosque pelo parque, porque a mulher não abandonava o casebre. Por fim ele e Tom Phillips foram lá e tiraram quase toda a mobília e até desligaram a bomba d'água, de modo que a mulher teve de sair. Mas, em vez de voltar para Stacks Gate, foi alojar-se com Mrs. Swain, em Beggarlee, porque a mulher de Dan não a aceitou mais. E ela continuou a ir à casa de Mrs. Mellors para ver se pegava o marido. E depois jurou que havia dormido com ele no casebre e foi ao cartório requerer uma pensão. Está mais vulgar do que nunca e forte como um touro. E por toda parte repete os maiores horrores sobre o marido, dizendo que recebia outras mulheres no casebre e contando como costumava conduzir-se com ele quando viviam juntos – todas as sujeiras que fizera com ela e não sei mais o quê. Que mal uma mulher pode fazer quando se põe a falar! E, por mais baixa que seja, encontra sempre quem lhe dê ouvidos. Ela assegura que Mr. Mellors é um desses homens brutais para com as mulheres – e todos acreditam, porque todos gostam de acreditar nessas coisas. Declara também que não o deixará tranqüilo nunca, enquanto viverem. Ela está-se aproximando da menopausa, época que põe loucas certas mulheres..."

O golpe foi rude para Constance. Não havia dúvida que também sobre ela ia espirrar um pouco daquela sujeira lamacenta. E irritou-se com o fato de que Mellors não se tivesse posto a salvo de uma Bertha Coutts, mais ainda que a tivesse desposado. Alguma inclinação para a baixeza, nele, talvez. Constance recordou a última noite passada juntos e estremeceu. Toda aquela sensualidade, Bertha Coutts também conhecia! Talvez fosse prudente desembaraçar-se dele, fugir. Não havia mais dúvida: era um homem baixo, verdadeiramente baixo.

Operou-se nela uma reação de sentimentos, e veio-lhe a revolta contra a aventura. Chegou a ter inveja das meninas Guthries, da ingênua inexperiência de sua virgindade. E agora temia que soubessem das suas relações com o guarda-caça. Que humilhação! Sentia-se cansada, tinha medo, aspirava por uma vida sem mancha. Se Clifford soubesse, que humilhação! Pensou até em livrar-se da criança que tinha no ventre. Em suma, abandonou-se completamente à depressão e à covardia.

Quanto ao vidro de perfume, a culpa fora dela, sim. Havia cometido a loucura de perfumar alguns lenços e camisas do amante, e na gaveta deixara meio vidro de essência de violeta Coty. Isso para que o perfume o fizesse recordá-la. As pontas de cigarros eram dos fumados por Hilda.

Constance não pôde evitar fazer algumas confidências a Duncan Forbes. Não lhe disse que era a amante do guarda-caça; apenas que o amava – e contou-lhe a sua história.

– Oh! Vai ver: eles não terão sossego enquanto não derrubarem esse homem. Se se recusou a subir à burguesia quando teve chance para isso, e se é um homem que se fez campeão do sexo, está perdido. A única coisa que ninguém permite é ser leal e franco em relação ao sexo. Pode-se ser o mais sujo possível; quanto mais sujo se é no sexo, mais gostam. Mas quem tem fé em seu sexo e não quer que ele seja conspurcado, esse está perdido. É o último tabu que nos resta: não admitir que se fale do sexo como uma função natural e vital. Ninguém quer ter esse tipo de sexo; o mundo destrói os que se utilizam do sexo como função natural. Vai ver como vão estraçalhar esse homem. De que o culpam, afinal de contas? Se fez amor à sua mulher por todos os lados, não estava no seu direito? Ela até devia mostrar-se orgulhosa. Mas veja que mesmo uma criatura das mais baixas, como essa mulher, volta-se contra o sujeito e serve-se de seus instintos de hiena para excitar contra ele o povo. Temos de esconder, temos de ter vergonha do amor físico, antes que praticá-lo. Oh! Eles vão destruir o pobre homem!

Essas palavras fizeram Constance sentir uma reação em sentido contrário. Que havia feito Mellors, afinal de contas? Que tinha feito a ela, Constance? Apenas lhe proporcionado um prazer violento, e um sentimento de liberdade e vida; havia rompido o dique dessa onda sexual natural e ardente que estava represada nela. E era por isso que se atiravam contra ele!

Não! Não havia de ser assim! Ela o recordou, nu e alvo, o rosto e as mãos bronzeados de sol, baixando os olhos e falando ao seu pênis ereto como se ele fosse outra pessoa, e rindo-se com aquele seu curioso riso de escárnio. E lembrou suas palavras: "Você tem a mais linda anca de mulher!..." E, suavemente, Constance sentiu-lhe a mão a lhe acariciar as partes mais secretas, pousando em seu corpo como uma bênção. E um calor percorreu suas entranhas; e pequeninas chamas formigavam em seus joelhos, e ela disse: "Oh! Sim, tenho de não recuar! De nenhum modo posso abandoná-lo. É preciso que o guarde comigo e que, apesar de tudo, me guarde para ele. Eu ignorava esta vida ardente; a ele é que devo a revelação. Não posso perdê-lo."

E Constance ousou um passo atrevido; incluiu um bilhete para Mellors numa carta a Mrs. Bolton pedindo-lhe que o entregasse. Dizia o bilhete: "Estou desolada de saber dos aborrecimentos que sua mulher lhe causa: não dê a isso grande importância; trata-se de uma espécie de histeria, de fogo de palha, que se apagará com a mesma rapidez com que se acendeu. Mas estou desolada, mesmo assim. Só desejo que não leve nada muito a sério. Não vale a pena. É uma histérica que quer fazer mal a você. Volto daqui a dez dias e espero encontrar tudo bem."

Dias depois, nova carta de Clifford, evidentemente muito aborrecido:

"Estou encantado por saber que pretende deixar Veneza no dia 16, mas, se está gostando, não se apresse. Faz-me muita falta, e a Wragby; o essencial, porém, é que goze o mais possível desse sol e dos pijamas, como dizem os reclames do Lido. Fique mais tempo, se quiser, e assim melhor suportará o nosso terrível inverno. Hoje, por exemplo, está chovendo.

"Tenho sido admirável e assiduamente tratado por Mrs. Bolton. Que curioso espécime de humanidade! Quanto mais vivo, mais me convenço de que os seres humanos são curiosíssimos animais. Há os que poderiam ter cem patas, como as centopéias, e os que poderiam ter seis, como as lagostas.

"A coerência e a dignidade que esperamos do nosso próximo parecem não existir – e acabamos duvidando se existirão em nós mesmos.

"O escândalo do guarda-caça cresceu; virou uma bola de neve. Mrs. Bolton me põe a par de tudo. Ela faz-me pensar num peixe que, apesar de mudo, emitisse mexericadas pelos brônquios. Dir-se-ia que a vida alheia é o oxigênio necessário à sua existência.

"Mrs. Bolton anda muito preocupada com o escândalo de Mellors, e, se eu deixo que principie, leva-me ao fundo. Toda a sua imaginação – semelhante à de uma atriz num palco – vai contra a mulher de Mellors, que ela se obstina em tratar de Bertha Coutts. Obriga-me a mergulhar na vida lamacenta das Berthas Coutts deste mundo, e quando escapo à onda dos diz-que-diz-que e subo à superfície, olho para a luz do dia com espanto – espanto de que possa existir a luz.

"Bem certo que este mundo, que nos parece a superfície de todas as coisas, é na realidade um fundo de mar; todas as árvores são vegetações submarinas, e nós mesmos não passamos de uma fauna submarina revestida de detritos, como os camarões. Em certos e raros momentos, a alma, sempre asfixiada, eleva-se através dos incalculáveis milheiros de léguas sob as quais vive, e sobe ao éter, onde reina um ar verdadeiro. Estou convencido de que o ar que habitualmente respiramos é uma espécie de água gasosa, e os homens são uma espécie de peixes.

"Mas é verdade, às vezes a alma se eleva de chofre para a luz, em êxtase, depois de ter-se nutrido nas profundidades submarinas. Parece ser nosso destino mortal devorarmos as vidas aquáticas do nosso próximo na selva submarina da humanidade. Mas nosso destino imortal nos faz escapar; e, depois de devorada a presa viscosa, emergimos do velho oceano e retornamos ao éter brilhante e à verdadeira luz. E então compreendemos que possuímos uma natureza eterna.

"Quando ouço Mrs. Bolton, sinto-me mergulhado nas profundezas onde nadam e se contorcem os peixes dos segredos humanos. O apetite carnívoro nos faz agarrar um fragmento de presa, e depois subimos alto, muito alto, do nevoeiro ao éter, da umidade à secura. A você poderei explicar todo este processo. Mas com Mrs. Bolton só sinto o mergulho profundo e horrível no seio das algas, e por entre os monstros lívidos das profundidades máximas.

"Tenho receio de perder o nosso guarda-caça. O escândalo levantado pela vagabunda da sua esposa cresce em vez de diminuir. Acusam-no de coisas abomináveis, e o curioso é que ela achou jeito de pôr do seu lado toda a população feminina – essa horrível raça de peixes.

"A aldeia está podre com as histórias. Contam-me que essa Coutts anda a assediar Mellors em casa de sua mãe, depois de haver saqueado o casebre e a cabana. Chegou um dia a apoderar-se da própria filha, quando a encantadora criança voltava da escola; mas, em vez de beijar a mão da mãe, a menina mordeu-a e recebeu uma bofetada que a fez ir longe.

"Essa mulher espalhou ao redor de si uma prodigiosa nuvem de gás asfixiante. Expõe à maledicência todos os detalhes da sua vida conjugal, as intimidades entre marido e mulher que geralmente morrem no túmulo do silêncio matrimonial. Ela os está desenterrando depois de dez anos passados – e imagine o que sai! Sei desses detalhes por informação de Liley e do doutor, que muito se divertem com a história. Claro que nada disso significa muita coisa. A humanidade sempre procura com avidez as posições sexuais fora do comum; mas, se um homem insiste em possuir sua esposa "à maneira italiana", como diz Benvenuto Cellini, por que não? Simples questão de gosto. Mas nunca pensei que o nosso guarda-caça fosse homem de tais façanhas. Com certeza Bertha Coutts foi sua professora. Seja como for, a lama é pessoal e nada temos com isso.

"Mas cada qual é obrigado a ouvir tudo e eu também. Dez anos atrás o pudor teria abafado o negócio. Esse pudor já não existe e as mulheres dos mineiros, armadas até os dentes, não se calam por coisa nenhuma. Dir-se-ia que de cinqüenta anos para cá a Imaculada Conceição tem presidido a todos os nascimentos de Tevershall e que todas as nossas mulheres são outras tantas Joanas d'Arc. O fato de o nosso guarda-caça ter um toque de Rabelais*, o torna aos olhos da aldeia mais escandaloso que um assassino como Crippen. No entanto, essa gente de Tevershall tem a virtude de crer levianamente nos diz-que-diz.

"O pior é que a execrável Bertha Coutts não se limita a si mesma. Descobriu e proclama aos quatro ventos que seu marido 'levava' mulheres ao casebre e chegou a sugerir nomes. Até nomes respeitáveis foram arrastados na lama, e a situação começou a ir tão longe que houve necessidade de obter contra ela um mandado de prisão.

"Como me era impossível impedir que essa criatura fosse à floresta, fui forçado a ter uma conversa com Mellors. Ele continua a ir e vir com seu ar de 'não se ocupe dos meus negócios, que não me ocupo dos seus'. Mas percebo que se sente como um cão com uma lata presa ao rabo. Só que Mellors finge não perceber a luta. Mas dizem que na aldeia as mães recolhem as crianças quando ele passa, como se fosse o marquês de Sade em pessoa. Ele persiste

---

*François Rabelais (1483-1553), um dos clássicos autores franceses da época do Renascimento. Tornou-se conhecido pela obra-prima *Gargantua e Pantagruel*, onde satiriza o comportamento do clero e os dogmas católicos. (*N. da R.*)

em sua impudência; creio que a lata está muito solidamente atada à sua cauda e que ele não repete a si mesmo a frase de Don Rodrigo na balada espanhola: 'Ah! Estou sendo agora mordido lá onde pequei!'

"Perguntei-lhe se se julgava capaz de continuar nas suas funções de guarda-caça, e respondeu-me não haver até agora negligenciado coisa alguma. Disse-lhe que me era desagradável que sua mulher andasse pela propriedade como se estivesse em sua terra, e sua resposta foi que não tinha poder nenhum para afastá-la. Fiz depois alusão ao escândalo e ao crescendo em que vai. 'Sim', respondeu ele, 'se as pessoas cuidassem do seu próprio rabo, não teriam tempo de ouvir o que se conta do rabo dos outros'.

"Disse isso com um certo amargor, e tenho de confessar que não deixa de ser verdade. Mas a maneira de dizer não é decente nem respeitosa. Permiti-me observar-lhe isso – e então ouvi o barulho da lata ao rabo. 'Não é um homem no seu estado, Sir Clifford, que pode recriminar-me de eu ter um peixe entre as pernas.'

"Estas coisas assim ditas indiferentemente a quem quer ouvir não melhoram a sua situação, de modo que o reitor, Linley e Burroughs acharam que o melhor era despedi-lo.

"Perguntei-lhe se era verdade que recebia damas no casebre, e respondeu-me: 'O que tem isso, Sir Clifford?'

"Fiz-lhe ver que eu queria as conveniências respeitadas em meus domínios, ao que retrucou: 'Então, é preciso costurar a boca de todas as mulheres.' E como apertei-o um pouco a respeito do seu modo de vida no casebre, respondeu-me: 'O senhor poderia inventar histórias de mim com a cadela Flossie. Eis um belo assunto!' A impertinência desse homem não tem par.

"Perguntei-lhe se lhe seria fácil encontrar outro emprego. Resposta: 'Se é um convite para que eu me vá daqui, nada mais fácil.' Não fez objeção nenhuma quanto a partir no fim daquela mesma semana, e, aparentemente, quer iniciar um outro, Joe Chambers, nos misteres da sua função de guarda-caça. Propus-lhe dar-lhe um mês de ordenado a mais, quando se fosse, e respondeu preferir que eu guardasse o meu dinheiro, 'para ficar com a consciência tranqüila'. 'O que quer dizer com isso?', indaguei. E ele: 'O senhor não me deve nenhum extra, por isso não me pague nenhum extra. Se está vendo a ponta de minha camisa para fora, diga-o logo.'

"E assim terminou o caso – por enquanto; a mulher sumiu-se; não sabemos para onde foi; mas está sujeita à prisão se reaparecer em Tevershall. Dizem que tem um medo horroroso da cadeia, porque sabe que a merece. Mellors partirá sábado que vem e tudo voltará à quietude antiga.

"Enquanto isso, minha cara Constance, se tiver gosto em permanecer mais tempo em Veneza, ou em ir à Suíça até agosto, sentir-me-ei feliz de vê-la afastada dessas sujeiras. Por esse tempo já não restará traço de coisa alguma.

"Como vê, somos monstros submarinos, e quando a lagosta caminha na lama, suja a água para todos. É forçoso que nos acomodemos filosoficamente."

A irritação e a falta de simpatia para o que quer que fosse revelado pela carta de Clifford causaram péssimo efeito em Constance. Mas ela compreendeu melhor depois de receber de Mellors a seguinte carta:

"O gato escapou do saco e com ele vários outros gatinhos. Você já deve ter sabido que minha mulher voltou aos meus braços desamorosos e instalou-se no casebre, onde farejou um rato sob a forma de um *vidrinho* de perfume. Nenhuma outra prova encontrou por algum tempo. Depois fez um barulhão a propósito da fotografia queimada, cujo vidro e papelão do verso descobriu na despensa. Por desgraça alguém havia rabiscado uns desenhos e umas iniciais: C. R. Essa pista, entretanto, não conduziu a grande coisa. Mas Bertha logo devassou também a cabana e lá descobriu um livro – a autobiografia da atriz Judith, com este nome na primeira página: Constance Stewart Reid. Depois disso andou a proclamar aos ventos que minha amante não passava da própria Lady Chatterley. O barulho chegou aos ouvidos do reitor, de Mr. Burroughs e do próprio Sir Clifford, os quais tomaram medidas baseadas na lei. E minha mulher, que tem medo da polícia, desapareceu.

"Sir Clifford chamou-me para uma conversa no castelo. Deu voltas ao assunto e mostrou-se aborrecido. Depois indagou se eu sabia que o nome de Lady Chatterley andava nos rumores. Respondi que não dava atenção aos falatórios e que me surpreendia de ouvir aquilo da própria boca de Sir Clifford. Ele disse que era uma grande ofensa e eu respondi que na cozinha do casebre há um retrato de folhinha da rainha Mary, sem dúvida porque também faz parte do meu harém. Parece que não gostou de minhas respostas. Acusou-me de homem de mau caráter, que andava com as calças desabotoadas, e respondi, mais ou menos, que eu não era como ele que nada tinha que desabotoar. Resultado: fui despedido. Parto no próximo sábado e para sempre.

"Irei a Londres, para a minha antiga pensão, na casa de Mrs. Igner, Cobug Square 17, onde espero encontrar quarto.

"Nossos pecados acabam nos apanhando um dia, sobretudo se somos casados e a mulher se chama Bertha Coutts..."

Nem uma palavra para ela, Constance, ou sobre ela, o que a deixou ressentida. Mellors poderia ter dito qualquer coisa que a consolasse ou a tranqüilizasse. Mas Constance compreendeu que ele queria deixá-la livre para voltar ou não para Clifford. E isto também a desapontou. Que necessidade havia de ele ser tão falsamente cavalheiresco? Ela preferia que ele tivesse dito a Clifford: "Sim, ela me ama e é minha amante e muito me orgulho disso." Mas a sua coragem não chegou a tanto.

Assim, em Tevershall seu nome andava ligado ao do guarda-caça! Horrível mistura! Mas breve tudo estaria acabado.

Constance estava tomada de uma cólera confusa que a tornava incapaz de agir. Não sabia o que fazer nem o que dizer, de modo que não dizia nem fazia nada. Continuou sua estada em Veneza como se nada houvesse, passeando de gôndola com Duncan Forbes, tomando banhos de mar, a deixar que o tempo corresse. Duncan, que já havia dez anos nutria por ela um amor melancólico, reacendeu-se de novo. Mas esfriou com a sua recepção: "Só quero dos homens que me deixem em paz."

Duncan deixou-a em paz e não se aborreceu. Não obstante continuou a cercá-la de uma estranha espécie de amor. Queria estar com ela apenas.

– Já pensou – disse-lhe um dia – quão poucas relações há entre as criaturas? Veja Daniel, belo como o sol, filho do sol... e tão sozinho na sua beleza. Eu, entretanto, juraria que ele tem mulher e família que não abandonará por preço algum.

– Pergunte-lhe se é assim.

Duncan fez a pergunta e Daniel respondeu que era casado e tinha dois filhos, de 7 e 9 anos. Mas não revelou nenhuma emoção.

– As criaturas capazes de unirem-se intimamente a outras são as únicas que se mostram assim solitárias. As demais possuem um certo visco, grudam-se à massa, como Giovanni.

E Constance acrescentou mentalmente: "E como você também, Duncan."

## 18

Era preciso decidir-se e Constance decidiu-se. Deliberou deixar Veneza no mesmo sábado em que Mellors deixaria Wragby. Chegaria segunda-feira a Londres, onde o veria. Escreveu-lhe para o endereço dado, pedindo-lhe para mandar carta ao Hotel Hartland e vir vê-la nesse mesmo dia à noite, por volta das sete horas.

A confusa cólera de Constance entorpecia todas as suas reações. Nem com Hilda confidenciava; esta, magoada com a obstinação daquele silêncio, ligou-se intimamente a uma holandesa. Constance detestava as intimidades abafadas entre mulheres, mas Hilda as cultivava.

Sir Malcolm resolveu fazer a viagem com a filha mais jovem. Hilda iria depois, com Duncan. O velho artista reservou leitos no Orient-Express, apesar do desinteresse de Constance pela atmosfera de vulgar depravação dos trens de luxo. Mas a viagem até Paris seria curta.

Sir Malcolm não se sentia à vontade quando voltava à sua segunda mulher, exatamente como acontecera com a outra. Mas, como ia haver em casa uma reunião para a caça dos faisões selvagens, tinha de chegar a tempo. Constance, embevecida pelo sol veneziano, viajava alheia à paisagem.

– Nada interessante para você, Connie, voltar agora a Wragby – disse Sir Malcolm ao vê-la assim distante.

– Estou decidida a não voltar para Wragby – respondeu-lhe de supetão, olhando o pai com os seus belos olhos azuis. E os grandes olhos azuis de seu pai mostraram a expressão de espanto de um homem de consciência social pouco pura.



– Quer dizer que fica algum tempo em Paris?

– Não. Quero dizer que não voltarei nunca mais para Wragby.

Sir Malcolm, que tinha os seus aborrecimentos pessoais, não desejava carregar também os da filha.

– Como? Não entendo...

– Vou ter um filho.

Era a primeira vez que Constance dizia isso a alguém, e sua sensação foi de que naquele momento sua vida se separava em duas.

– Como sabe disso? – perguntou Sir Malcolm.

– Sei do modo como se sabe, claro.

– Mas não é filho de Clifford, naturalmente?

– Não. É de outro homem.

Ela estava divertindo-se em atormentá-lo.

– Um homem que eu conheço?

– Não. O senhor nunca o viu.

Houve um silêncio.

– E quais são os seus projetos, Connie?

– É justamente o que não sei.

– Há meio de arranjar as coisas com Clifford?

– Acho que Clifford aceitaria a criança – respondeu Connie. – Disse-me, depois daquela conversa, que pouco se importava que eu tivesse um filho, contanto que tudo corresse discretamente.

– É a única solução razoável num caso como o dele. Sendo assim, acho que tudo correrá bem.

– Como? – inquiriu Constance encarando-o nos olhos, aqueles olhos iguais aos seus, mas reveladores de certa inquietação; olhos de criança assustada; olhos que revelavam às vezes muito egoísmo, mas geralmente bom humor e sensatez.

– Você pode dar um herdeiro aos Chatterley e botar outro baronete em Wragby – opinou Sir Malcolm com um sorriso levemente sensual.

– Mas creia que não tenho nenhuma vontade disso – replicou Constance.

– Por que não? Está presa ao outro? Pois bem, Connie, se quer que diga o que penso, ouça. O mundo não pára; Wragby subsiste e continuará a subsistir. O mundo é mais ou menos fixo e nós somos forçados a adaptar-nos a ele, na aparência. Pessoalmente, podemos fazer o que nos apraz. As emoções são instáveis. Você pode amar um homem este ano e amar outro no ano que vem. Mas Wragby é fiel a você. Quanto ao restante, proceda como quiser. Mas para que fazer escândalo? Poderá romper com tudo, se quiser, pois tem do que viver. Mas para quê?

Sir Malcolm sorria ainda. Constance nada replicou.

– Espero que você tenha escolhido um homem de verdade – disse-lhe ele em seguida, com a sensualidade desperta.

– Sim, foi o que se deu... e aí está o embaraço. Porque não há muitos homens de verdade na nossa classe.

– Não, por Deus, não os há, Connie! E quem olha para você inveja o escolhido. Mas espero que dele não venham aborrecimentos.

– Oh! Não. Ele me deixa totalmente à vontade para agir por mim mesma.

– Claro. Todo homem verdadeiro procede assim.

Sir Malcolm estava satisfeito. Constance era a sua filha predileta, em quem sempre amara a mulher nela imaginada. Constance puxara pouco à mãe, e, além disso, nunca teve amor por Clifford. E, contente, Sir Malcolm mostrou ternura para com a filha, como se o feto que ela gestava fosse dele.

Acompanhou-a até o Hotel Hartland e, depois de acomodá-la, foi para o clube, já que a filha lhe dispensava a companhia para a noite.

Constance encontrou no hotel uma carta de Mellors. "Não posso chegar até aí, mas espero-a na Rua Adam, diante do Golden Cock, às sete."

E, com efeito, ela lá o encontrou, alto e fino, muito diferente de aspecto em seus trajes londrinos. Havia nele uma distinção natural, embora lhe faltasse o ar sob medida dos homens da alta sociedade. Mas Constance sentiu imediatamente que era um homem que encontraria as portas abertas onde quer que se apresentasse. Tinha um equilíbrio natural, coisa que vale muito mais que o corte mundano sob medida.

– Ah! Como você está bem – disse ele.

– Sim, mas você mudou.

Ela perscrutava ansiosamente o seu rosto. Mellors emagrecera, tinha as maçãs salientes. Mas sorria-lhe com os olhos e ela se sentiu imediatamente à vontade. Subitamente o esforço de manter as aparências cedeu em Constance. Algo físico emanava dele, que lhe dava, a ela, o sentimento íntimo de bem-estar, de felicidade, do "à vontade". Seu instinto de mulher à procura da felicidade advertiu-a logo. Nem todo o sol de Veneza a aquecia tanto como a presença daquele homem.

– Que horror o que houve, não? – disse-lhe ela depois que se sentaram à mesa, um defronte do outro.

Mellors emagrecera bastante. Constance o observava agora. Sua mão pousava sobre a mesa com o abandono de um animal adormecido – o mesmo gesto que já ela conhecia. Constance teve vontade de pegar a mão dele e beijá-la, mas não ousou.

– Horrível esta gente que nos rodeia – disse-lhe ele.

– Sofreu muito?

– Aborreci-me, como sempre me aborreço... mesmo sabendo que é tolice aborrecer-se.

– Não teve a sensação de cachorro com uma lata presa ao rabo? Clifford disse-me numa carta que você lhe deu essa impressão.

– Talvez tenha tido.

Constance nunca soube do amargor que aquelas palavras lhe causavam.

Houve uma pausa longa.

– Sentiu falta de mim?

– Gostei que estivesse afastada do escândalo.

Nova pausa.

– Mas *acreditará* o povo que realmente há algo entre nós? – perguntou Constance.

– Não. Para mim, não.

– E Clifford? Teria acreditado?

– Não creio. Esforça-se por não pensar nisso. Mas o caso fez com que desejasse a minha ausência, para sempre.

– Vou ter um filho!

Mellors lançou para Constance um olhar que ela não podia compreender. Era como se uma chama sombria a houvesse iluminado.

– Diga que está contente – suplicou-lhe ela, tomando-lhe a mão; então viu transparecer nele um certo ar de triunfo, mas um triunfo entravado por coisas que não compreendia.

– Isso é o futuro – respondeu Mellors.

– Mas está contente ou não? – insistiu Constance.

– Desconfio sempre do futuro.

– Mas não precisa pensar nas responsabilidades. Clifford tomará conta da criança e se sentirá feliz.

Mellors empalideceu a essas palavras. Calou-se.

– Quer que eu volte para Clifford e dê um novo baronete a Wragby?

Mellors olhou-a com os olhos distantes, pálido, e o riso escarninho reapareceu-lhe nos lábios.

– Você lhe revelaria quem é o pai?

– Ele aceitaria a criança mesmo sabendo de quem é.

Mellors refletiu um momento.

– Sim, é bem possível.

Calaram-se por instantes. Naquele momento um grande abismo os separava.

– Mas você não quererá que eu volte para Clifford, não é? – começou Constance.

– Depende de você. Que prefere?

– Oh! Viver com você, só isso – respondeu ela com simplicidade.

Essas palavras fizeram com que as chamas do desejo tremessem despertas no ventre de Mellors, que baixou a cabeça; depois encarou-a com os olhos já mudados.

– Vai perder muito. Eu nada tenho a lhe dar – disse-lhe ele.

– Tem a dar-me mais que qualquer outro homem. Não ignora isso.

– Sim, eu sei... num sentido.

Calou-se por um instante, imerso em pensamentos. Depois falou:

– Diziam outrora haver muito de mulher em mim, mas não é verdade. Não tenho muito de mulher em mim pelo fato de não dar tiros em passarinhos, de não gostar da caça ao dinheiro ou das posições sociais. Eu teria com facilidade aberto caminho na vida, no Exército. Mas não gostava do Exército. Sempre soube lidar com homens e eles gostavam de mim, e tinham pânico das minhas cóleras. Não: é a autoridade superior, estúpida e mecânica que faz do Exército uma coisa mortalmente estúpida. Gosto dos homens e eles de mim, mas não tolero a petulância pretensiosa e o falatório dos que conduzem o mundo. Eis por que não me interessei em abrir caminho. Também odeio a petulância do dinheiro, e ainda a petulância das castas sociais. Sendo assim, e o mundo tal como é, que posso oferecer a você?

– Mas por que teria de oferecer algo? Não se trata de um negócio. Nós nos amamos e isso basta – respondeu Constance.

– Não, não. Há mais que isso. Viver é avançar, e minha vida recusa-se a fluir pelos canais abertos pelos homens. Logo não presto para nada, e não tenho o direito de enfiar uma mulher na minha vida, já que minha vida não vai dar em coisa nenhuma. É preciso que um homem ofereça à mulher uma vida que tenha sentido. Não posso tornar-me apenas o macho dessa mulher.

– Por que não?

– Porque não posso. Você acabaria me odiando.

– Como se não pudesse confiar em mim!...

O riso escarninho perpassou-lhe pelos lábios.

– O dinheiro é seu – disse ele –; a situação social é sua; quem decide é você. Eu, afinal de contas, não passaria do fornicador de madame.

– E o que poderia ser além disso?

– Aí está! Alguma coisa invisível! Para mim mesmo, sou alguma coisa. Compreendo o sentido da minha existência, embora admita que ninguém mais a compreenda.

– E essa existência perderia o sentido se vivêssemos juntos?

Mellors calou-se por alguns momentos antes de responder.

– Talvez – disse por fim.

– E qual o sentido da sua existência?

– Já disse que é invisível. Não creio no mundo, nem no dinheiro, nem no progresso, nem no futuro da nossa civilização. Para que a humanidade tenha um futuro é necessário que uma grande mudança se dê.

– E qual seria o verdadeiro futuro?

– Deus sabe! Sinto qualquer coisa em mim, misturada com muita cólera. Mas o que é, exatamente, não sei dizer.

– Quer que lhe diga? Quer que lhe diga o que você tem e os outros homens não têm?

– Fale.

– A coragem dos próprios sentimentos, a coragem da ternura; essa coragem que o faz pôr a mão no meu traseiro e dizer que tenho uma magnífica bunda!

O risinho perverso desapareceu-lhe do rosto.

– É isso mesmo!

Refletiu um instante e disse:

– Sim, tem razão. É isso em tudo e também em minhas relações com os homens do Exército. Era preciso manter com eles contato físico e não recuar. Era necessário tratá-los como seres físicos e dar-lhes um pouco de ternura, ainda que isso para eles fosse a morte. Uma questão de intimidade, como disse Buda. Mas o próprio Buda recuou diante dessa ternura física, que é o que mais vale, mesmo entre os homens de sadia virilidade. É o que os faz homens verdadeiros, e não simples macacos. Sim, é a ternura, é o interesse pela cona. Sexo não passa de toque, contato, o mais íntimo dos contatos. E é desse contato que temos medo. Somos semiconscientes, semivivos. Temos de nos tornar conscientes e vivos. Sobretudo nós, ingleses, precisamos de mais contato uns com os outros, com um pouco de delicadeza e ternura.

Constance o encarava.

– Então, por que tem medo de mim?

Mellors demorou para responder.

– É o dinheiro que me amedronta, e a sua situação social! A sociedade que há dentro de você.

– Mas não encontra ternura em mim? – disse ela com ardor.

Mellors olhou-a, com um olhar absorto.

– Sim, intermitentemente, como acontece comigo.

– Mas não admite que essa ternura seja duradoura? – disse ela com ansiedade.

Mellors acalmava-se, fundia-se, perdia a sua expressão de defesa.

– Talvez – disse.

– Quero que me prenda em seus braços – disse ela. – Quero que me diga que se sente feliz com o nosso filhinho.

Tão ardente estava Constance, tão encantadora, que Mellors sentiu-se fundir por dentro.

– Vamos lá para o meu quarto, ainda que seja mais um escândalo.

Constance viu que ele novamente se deixava invadir pelo esquecimento do mundo e que seus olhos brilhavam de ternura apaixonada.

Foram pelas ruas mais afastadas até Coburg Square. Seu quarto era em cima, uma pequena mansarda decente e muito em ordem. Cozinhava num fogão a gás.

Constance despiu-se e obrigou-o a fazer o mesmo. Estava encantadora no brilho da gravidez recente.

– Eu não devo tocar em você – disse ele.

– Não! Agarre-me e diga que me quer. Diga que vai ficar comigo! Diga que nunca me deixará, haja o que houver.

Constance colou o seu corpo nu ao dele – a esse único remanso que conhecia.

– Pois bem. Já que quer, ficarei com você – disse ele apertando-a contra o peito.

– E diga que está contente pelo nosso filhinho – insistiu Constance. – Beije-o. Beije o meu ventre e diga que está contente de saber que ele está lá!

– Sempre tive medo de pôr uma criança no mundo. Por causa do meu terror do futuro.

– Mas já pôs um. Já pôs um dentro de mim. Seja terno com ele e isso irá condicionar o seu futuro. Beije-o!

Mellors estremeceu, sentindo a verdade daquilo. "Seja terno com ele e isso irá condicionar o seu futuro." E o seu amor por aquela mulher cresceu. Beijou-a no ventre e no monte de Vênus, o lugar mais próximo do útero onde estava o feto.

– Oh! Você me ama, sim! – explodiu Constance num grito como aqueles seus gritos de amor, articulados e cegos. E ele a prendeu meigamente, sentindo o caudal de ternura que rolava de suas entranhas para as dela, compassivas, quentes.

E Mellors compreendeu ao penetrá-la que era o que tinha a fazer – realizar o contato da ternura sem prejuízo do seu orgulho, dignidade ou integridade de homem. Porque, afinal de contas, se era só ela quem tinha dinheiro, o orgulho e a honra deviam impedi-lo de considerar isso razão para afastá-los. "Eu quero o contato físico com ternura, e ela é a minha companheira. E isso deve ser uma luta contra o dinheiro, a máquina e a insensibilidade do mundo. Ela me ajudará nessa luta. Graças a Deus achei uma mulher! Graças a Deus tenho uma mulher que é terna e me compreende, que não é tirânica nem tola. Graças a Deus encontrei a ternura e a compreensão."

E enquanto seu sêmen jorrava dentro de Constance sua alma também se projetava para ela, nesse ato de criação que é mais que procriação.

Constance estava mais resolvida do que nunca a que nada os separasse; mas os meios, as disposições para isso tinham de ser arranjados.

– Você odeia Bertha Coutts? – perguntou-lhe.

– Não me fale dessa criatura.

– Preciso falar, porque você já a amou. E foi tão íntimo dela como é de mim hoje. Não acha horrível odiar uma criatura com a qual chegou à intimidade máxima? Por que isso?

– Não sei. Ela parecia sempre pronta a voltar-se contra mim, sempre. E aquela obstinação de fêmea, aquele furor às soltas, tinha de acabar em tirania atroz. Ela sempre jogava na minha cara a sua liberdade, como se me lançasse ácido sulfúrico.

– Mas não se libertou nunca de você totalmente. Será que ainda o ama?

– Não, não! Se ainda se ocupa de mim, é movida pela raiva louca de me fazer mal, só isso.

– Mas houve um tempo em que ela amou você...

– Não. Talvez só em alguns momentos. Eu a atraía e isso talvez fosse uma das razões para ela odiar-me. Amava-me por um instante, mas voltava atrás e me torturava. Seu maior desejo sempre foi maltratar-me. Sua vontade voltou-se contra mim desde o começo.

– Talvez acreditasse que você não a amasse o bastante e quisesse forçá-lo a amá-la.

– Forçar!

– Mas você nunca a amou de verdade, não é? Pois aí está o mal, diante dos olhos dela.

– Que teria eu podido fazer? No começo eu a amava, mas ela... Vamos parar com isto. Foi tudo uma desgraça. Quando ela apareceu no casebre, eu a teria matado, se tivesse tido a coragem. Está aí uma coisa que devia ser legal. Quando uma mulher fica obscena, bêbada de maldade, devíamos poder matá-la.

– E não também aos homens quando ficam cegos pela obstinação?

– Sim, a eles também! Mas preciso livrar-me dela definitivamente, senão cairá de novo sobre mim. Tenho de obter o divórcio. Prudência, portanto. O mundo não poderá ver-nos juntos, muito menos ela. E não suporto a idéia de que minha mulher me veja com você.

Constance refletiu sobre isso.

– Então não podemos ficar juntos?

– Por uns seis meses, não. Mas acho que terei o divórcio em setembro. E ainda teremos de esperar até março.

– Mas a criança nascerá em fins de fevereiro.

– Ah! Os Cliffords, as Berthas! Quisera vê-los mortos.

– Não está sendo muito generoso com eles.

– Generoso! Mas o que se pode desejar de melhor para essa gente, senão a morte? Eles não podem viver! Não fazem outra coisa senão negar a vida! São hediondas as almas que há neles. Oh! Bem que podia ser permitido matá-los.

– Mas você teria coragem para isso?

– Teria, sim, e matava-os com menos remorso do que se matasse doninhas. As doninhas, pelo menos, são bonitas e solitárias, e essa gente é uma legião. Ah! Sim, eu os mataria!

Mas era preciso pensar em outra coisa. Constance compreendia aquela necessidade de desembaraçar-se de Bertha Coutts; a sua íntima incursão na vida de Mellors fora bastante sinistra. Logo, não havia outro remédio. Constance teria de viver sozinha até março. E também ela iria divorciar-se de Clifford. Mas como? Se o nome de Mellors aparecesse, o divórcio seria impossível. Que horror, tudo isso! Se pudessem ir ao fim do mundo e serem livres lá...

Impossível! O fim do mundo está hoje a cinco minutos do coração de Londres. O rádio matou a distância. Os reis de Dahomey e os Lamas do Tibet ouvem Paris e Nova York.

Paciência! Paciência! O mundo é uma vasta rede de máquinas perigosas, entre as quais temos de agir com muita prudência para que não nos esmaguem.

Constance fez confidências a Sir Malcolm.

– Você compreende, papai, é o guarda-caça de Clifford, mas também já foi oficial nas Índias. Tal qual o Coronel C. E. Florence, que preferiu retirar-se do Exército.

Seu pai, porém, não tinha nenhuma simpatia pelo misticismo do famoso Coronel Florence; atrás de tanta humildade só via autopromoção, e era o gênero de vaidade que o velho pintor mais detestava: a vaidade do rebaixamento voluntário.

– De onde vem esse guarda-caça? – indagou com irritação.

– De uma família de mineiros de Tevershall, mas é perfeitamente apresentável.

Essa resposta irritou-o ainda mais.

– Sim, um mineiro que encontrou um bom filão... uma boa mina para explorar.

– Não, meu pai. Está completamente enganado, e se o vir mudará de idéia. Ele é um homem de verdade. Clifford sempre o detestou justamente por não encontrar nele nenhuma humildade.

– Por uma vez ao menos o instinto de Clifford não se enganou...

O que Sir Malcolm não suportava era a idéia da ligação da filha com um guarda-caça. Não tinha importância a ligação, e sim o escândalo.

– O homem não vem ao caso; parece que soube agir com você. Mas pense, Connie, no que vão dizer! Pense em sua madrasta!

– Eu sei – disse Constance. – O falatório é uma coisa horrível, sobretudo na sociedade. Já pensei que poderíamos dar outra paternidade ao filho, de modo a não aparecer o nome de Mellors.

– Que outro se prestaria a isso?

– Duncan Forbes, por exemplo. Sempre foi nosso amigo e tem nome no meio artístico. Além disso, gosta de mim.

– Pobre Duncan! E o que ganhará com isso?

– Não sei. Talvez até gostasse.

– Sim? Curioso! Você nunca foi amante dele?

– Não. Nem ele deseja isso. Só quer ficar perto de mim, sem me tocar.

– Deus do céu! Que geração de homens, esta!

– O que Duncan realmente quer é que eu lhe sirva de modelo, coisa em que jamais consenti.

– Deus o ajude! Parece mesmo adequado ao papel.

– E o senhor meu pai preferiria que o falatório do mundo girasse em torno dele?

– Oh! Constance. Que pergunta!

– Bem sei que é horrível, mas que fazer?

– Esse jogo de combinações faz com que um homem como eu já se sinta demais neste mundo.

– Vamos, papai! No seu tempo de juventude não havia tanto jogo de combinações assim?

– Mas era outra coisa, creia.

Hilda apareceu e também se irritou com o andamento das coisas. Não podia suportar a idéia da irmã ligada a um guarda-caça. Que humilhação!

– Poderíamos partir para um lugar bem longe daqui, sumindo para sempre – sugeriu Constance.

Inútil. O escândalo rebentaria do mesmo modo. E se Constance tivesse de partir com ele, melhor que se fossem casados. Era a opinião de Hilda. Sir Malcolm hesitava.

– Mas papai consente em vê-lo? – perguntou Constance.

Pobre Sir Malcolm! Vontade de ver Mellors não tinha nenhuma, como o pobre Mellors não tinha nenhuma vontade de ser visto. Não obstante, o encontro dos dois homens realizou-se, num almoço em gabinete particular do clube.

Sir Malcolm entrou forte no uísque e Mellors também bebeu. Conversaram todo o tempo sobre a Índia, que o guarda-caça conhecia. Só ao fim do almoço, depois do café, é que Mellors, acendendo um charuto, abordou a questão de um modo muito cordial.

– Então, Sir Malcolm, e sua filha?

O risinho de Mellors crispou-lhe os lábios.

– Você lhe plantou um filho, bem plantado, é isso.

– Tenho essa honra – sorriu Mellors.

– Honra! Por Deus! – e Sir Malcolm abriu a cara escocesa num riso lúbrico. – Honra! Como foi a coisa? Boa, hem, meu rapaz? É boa?

– Boa, sim.

– Adivinhava que era! Ah, ah! Minha filha é de ótima raça. Nunca recuei diante de uma boa fornicação, embora a mãe de Constance, oh! – e seus olhos rolaram para o céu. – Mas você soube acendê-la, pude observar isso, ah, ah! O meu sangue! O meu sangue nela! Você botou fogo nela bem direitinho, ah, ah! E eu gostei imensamente. A coitadinha bem que precisava. Excelente moça, sempre adivinhei haver ali uma ótima mulher para quem soubesse acordá-la. Ah, ah, ah! Guarda-caça! Caçador é o que você é! Ah, ah! Mas, falando sério, como espera sair-se disso?

Falando sério eles não chegariam a nada, e Mellors, menos bêbado que Sir Malcolm, manteve a conversa com muita inteligência – o que não é dizer muito.

– Quer dizer então que é um guarda-caça! Ah! Tem muita razão. Essa caça não é de desdenhar. A prova de uma mulher está no traseiro. É tocando-se na sua bunda que se pode saber o que vale. Ah! Eu o invejo, meu rapaz! Que idade tem?

– Trinta e nove.

Sir Malcolm ergueu as sobrancelhas.

– Já? Mas ainda tem vinte anos bons diante de si, a julgar pelo aspecto. Guarda-caça ou não, é um bom galo, vê-se logo. Não é horrível como Clifford, um pobre coitado que nunca teve uma fornicação nas veias. Gosto de você, meu rapaz. Garanto que tem um pênis de primeira ordem, sim. É garnizé, vê-se logo. Bom lutador. Guarda-caça, ah, ah! Eu é que não confiaria minha caça a você. Mas, falando sério, o que vai fazer nesse caso? O mundo está cheio de velhas faladeiras.

A sério eles não podiam chegar a nada, a não ser firmarem entre si a velha maçonaria da sensualidade dos machos.

– Pois bem, meu rapaz, se eu puder servi-lo em alguma coisa, terei muito prazer. Guarda-caça! Espantoso! Estou encantado, sabe? Encantado. Fiquei sabendo que minha filha é mulher. E tem suas rendinhas, modestas, é verdade, mas que lhe permitem não morrer de fome. E vai herdar tudo o que possuo. Bem que o merece, por ter-se mostrado boa fêmea neste mundo de velhas. Há sessenta anos que luto para desembaraçar-me da saia das velhas e não o consegui ainda. Mas com você a coisa é outra, vê-se logo.

– Fico muito satisfeito do bom juízo que faz de mim, Sir Malcolm. Em geral dão-me a entender que sou um macaco.

– Oh! Naturalmente. Como não poderia parecer um macaco para toda essa corja de velhas?

Ao se separarem eram os melhores amigos do mundo, e Mellors passou o restante do dia rindo por dentro.

No dia seguinte, Mellors, Constance e Hilda almoçaram num lugar discreto.

– É uma pena que a situação seja tão desagradável de qualquer lado que a encaremos – disse Hilda.

– Pois eu terei muito prazer de enfrentar esta situação – replicou Mellors.

– Vocês deviam evitar filhos até que estivessem em condições de se casar.

– Sim, mas eu...

– O senhor não vem ao caso. Constance tem dinheiro suficiente para a vida de ambos, mas a situação é insustentável.

– Também acho.

– Nesse caso, abandone-a, não tente sustentá-la. Se ao menos pertencesse à mesma classe que Connie...

– Oh! Se estivesse metido numa jaula do jardim zoológico!...

Fez-se silêncio.

– O melhor – propôs Hilda – é que seu nome não seja pronunciado em todo o processo. Connie apresentará ao público o nome de outro homem. Para o divórcio, bem entendido.

Mellors olhou-a sem compreender. Constance ainda não lhe falara do projeto Duncan.

– Não estou entendendo.

– Temos um amigo que provavelmente se prestará à comédia, e assim só o nome dele aparecerá.

– Um homem?

– Naturalmente.

– Mas ela tem outro?

 Mellors olhou para Constance estupefato.

– Não, não! – gritou Constance. – Uma velha amizade apenas, nada de amor.

– Então, como toma a coisa sobre seus ombros, se não tira nenhum proveito dela?

– É que há homens cavalheirescos que não pensam apenas em aproveitar-se das mulheres – disse Hilda.

– Mais uma lambada. Mas quem é esse sujeito?

– Um velho amigo que conhecemos desde a nossa infância na Escócia, um artista.

– Duncan Forbes! – adivinhou Mellors imediatamente, pois já ouvira Constance mencionar essa amizade. – E como vão fazer para que Forbes endosse a promissória?

– É preciso que ele e Constance passem algum tempo juntos num hotel, ou que ela vá para a casa dele.

– Parece-me muito barulho para nada – disse Mellors.

– Terá por acaso alguma outra solução a propor? – disse Hilda. – Se o seu nome aparecer, não conseguiremos o divórcio, nem de um lado nem do outro. Bem sabe como sua mulher é.

– Quanta coisa! – murmurou Mellors com ar sombrio.

Calaram-se por instantes.

– Poderíamos simplesmente desaparecer – propôs ele.

– Não há desaparecimento possível para Constance – tornou Hilda. – Clifford é muito conhecido.

Novo silêncio, pesado de impotência.

– O mundo é o que é. Se vocês querem viver juntos sem ser perseguidos, têm de se casar. Para que haja casamento, é indispensável o divórcio de ambos. Sendo assim, o que propõe?

Mellors calou-se. Depois:

– E o que propõe você?

– Primeiro, ver se Duncan quer prestar-se ao papel, e depois conseguir de Clifford o restante. Entrementes, o seu divórcio de Bertha Coutts seguirá seus trâmites. E os dois ficarão separados até que estejam livres.

– Dir-se-ia uma casa de loucos.

– Talvez. Mas a vocês dois é que o mundo consideraria loucos... ou pior ainda.

– Criminosos, suponho. Pudesse eu servir-me do meu punhal – disse ele sorrindo e recaiu num silêncio irritado. – Está bem – disse por fim. – Consinto em tudo o que querem. O mundo é louco e não posso destruí-lo. Vocês estão certas. Temos de agir da melhor maneira para sair do embaraço.

Mellors olhou para Constance com humilhação, cólera e abatimento.

– Minha menina! O mundo vai pôr sal no teu traseiro.

– Não, se eu não deixar!

Para Constance o mundo tinha menos importância do que para ele.

Duncan foi sondado e, antes de resolver, quis um encontro com o guarda-caça, num jantar em seu apartamento. Duncan era uma espécie de Hamlet atarracado, moreno, taciturno, de negros cabelos lisos e uma estranha vaidade de celta. Sua arte era toda tubos, válvulas, espirais e cores raras ultramodernas, mas apresentadas com certa força, certa pureza de forma e tom; Mellors, entretanto, achou aquilo simplesmente repugnante. Mas não ousava dizê-lo, tamanha era a loucura de Duncan por sua arte: um culto pessoal, uma religião.

Estavam ambos vendo as pinturas no estúdio. Duncan com os olhos em Mellors, ansioso por ouvir as impressões de um guarda-caça. As opiniões de Constance e Hilda ele já conhecia.

– Isto parece um massacre – disse por fim Mellors, desnorteando o pintor com o imprevisto da apreciação.

– Massacre de quem? – interpelou Hilda com frieza.

– Da minha pessoa. Todas as minhas tripas se sentem massacradas.

Um bafo de puro ódio emanou do artista. Nas palavras de Mellors sentira a nota da antipatia e do desprezo.

Mellors conservara-se de pé, esbelto e fino, o ar fatigado, olhando para as pinturas com alheamento.

– Talvez seja a estupidez que tenha sido massacrada, a estupidez sentimental – revidou Duncan.

– Acha? A mim me parece que todos estes tubos e latas onduladas são a própria estupidez e muito sentimentais, pois mostram-se apiedados de si mesmos.

A cara do artista amarelou de ódio, enquanto com silenciosa altivez ia ele virando para as paredes os quadros.

– Creio que podemos ir para a sala de jantar – disse Duncan friamente.

Deixaram o estúdio em morno silêncio.

Depois do café:

– Não tenho nenhuma objeção a passar como o pai da criança – disse o pintor –, mas imponho uma condição: Constance deverá posar para mim! Há anos que o desejo e ela sempre se recusa a isso.

Duncan falara com a sombria decisão de um inquisidor.

– Só aceita com essa condição? – inquiriu Mellors.

O artista pôs o máximo de desprezo na resposta:

– Certamente. Só com essa condição.

– Poderia usar-me também como modelo e pintar um conjunto: Vulcano e Vênus presos na rede da arte. Fui ferreiro antes de ser guarda-caça.

– Obrigado – disse Duncan. – Não creio que a anatomia de Vulcano possa interessar-me.

– Mesmo entubada, corrugada e pulverizada assim?

O artista calou-se, muito altivo para responder.

A reunião prosseguiu. Duncan fingiu estar a mil léguas de Mellors, e só conversou com as duas – assim mesmo sincopadamente, como se as palavras fossem extraídas com esforço do fundo da sua sinistra genialidade.

– Duncan não agradou a você – disse Constance a Mellors ao retirarem-se – mas é melhor do que parece. Um homem muito bom, no fundo.

– Um cachorrinho preto com destempero ondulado.

– É verdade, não esteve amável hoje.

– E vai posar para ele?

– Isso agora me é indiferente. Ele não porá a mão em mim. Tudo me é indiferente, afora vivermos nós dois a nossa vida.

– Ele vai é cagar você na tela.

– Não faz mal. Apenas pintará os seus sentimentos por mim, o que me é indiferente. Só não quero que me toque, por nada no mundo. Mas se ele acha que pode fazer qualquer coisa apenas me olhando com o seu olho de coruja, que o faça. Que me reduza a quantos tubos e latas ondulantes quiser. Tanto pior para ele. Odiou você por dizer que sua arte tubular é sentimental e pretensiosa – mas é isso mesmo.

## 19

"Caro Clifford:

Creio que o que foi previsto vai realizar-se. Amo outro homem e espero que você concorde com o divórcio. Estou atualmente em casa de Duncan, que andou em Veneza conosco. E estou aborrecidíssima por você, mas peço que tenha calma. De mim você já não tem necessidade – e não posso suportar a idéia de voltar a Wragby. Estou muitíssimo triste. Perdoe-me e requeira o divórcio – e case com outra melhor do que eu. Não sou a mulher de que você precisa; muito impaciente, muito egoísta. Por isso não poderei nunca voltar aí. Creia que estou aborrecidíssima só por sua causa. Mas se você tomar a coisa com calma, verá que não é assim tão horrível. Você nunca foi muito apegado a mim. Perdoe-me, pois, e separe-se de mim."

Clifford, lá no seu íntimo, não se espantou grandemente de ter recebido essa carta. Bem lá no fundo ele sabia que o desfecho do seu casamento teria de ser aquele. Mas nunca deu a menor mostra exterior dessa convicção. A carta foi-lhe, entretanto, um golpe terrível, porque a superfície da sua confiança estava intacta.

E não somos todos nós assim? Por um esforço de vontade impedimos que as nossas convicções profundas e intuitivas subam à tona, vindas do inconsciente. Daí esse estado de temor, de apreensão, que torna o golpe dez vezes mais violento quando o dia chega.

Clifford reagiu como uma criança histérica. Chegou a espantar Mrs. Bolton, diante da qual ergueu-se na cama, com o ar sinistro e olhar vazio.

– O que há, Sir Clifford? O que há?

Nenhuma resposta. Mrs. Bolton supôs logo um ataque. Precipitou-se sobre ele, apalpou-lhe o rosto, tomou-lhe o pulso.

– Sente alguma dor? Onde? Diga! Que há?

Nada de resposta.

– Meu Deus, meu Deus! Vou telefonar para Sheffield chamando o doutor Carrington e pedirei ao doutor Lecky que venha também, depressa.

Ia saindo, rumo ao telefone, quando ele gritou:

– Não!

Mrs. Bolton parou, atônita, olhando para aquele rosto amarelo e sem expressão, como o de um idiota.

– Prefere que não chame o doutor?

– Sim. Não é caso para tal – respondeu Clifford com voz sepulcral.

– Mas, Sir Clifford, isto não pode ficar assim, comigo aqui sozinha. A culpa recairá sobre mim.

Depois de um silêncio, sua voz cavernosa soou.

– Não se trata de doença. É que minha mulher não volta mais.

Parecia uma estátua falando.

– Não volta mais – repetiu Mrs. Bolton. – Madame não volta mais? Não creio nisso. Conte com ela. Voltará sim.

A estátua sentada na cama não se mexeu, apenas apontou para uma carta aberta.

– Leia!

– Mas se é uma carta de madame, ela não gostará que a leia. Diga o senhor mesmo o que há.

– Leia! – repetiu a voz sepulcral.

– Está bem. Obedeço – e Mrs. Bolton leu. Depois falou: – Estou surpreendidíssima com a atitude de madame. Tinha prometido voltar!

A expressão de idiotia do rosto de Clifford foi-se agravando. Mrs. Bolton encarou-o com inquietação. Não ignorava o que tinha diante de si: a histeria masculina. Lidara com muitos soldados vindos da guerra, para desconhecer o que fosse aquilo.

E irritou-se ligeiramente contra Sir Clifford. Qualquer homem no seu natural bom senso teria percebido que Constance amava outro e não voltaria. E, lá no fundo, ele sabia disso – mas teimava em não render-se às evidências.

Se houvesse admitido a hipótese, estaria preparado para o choque; e se não houvesse admitido, teria lutado com sua mulher para desviar o golpe; isso seria agir como homem. Mas, não. Sabia e ao mesmo tempo procurava iludir-se. O diabo torcia a cauda diante dele e ele fingia ver o sorriso dos anjos. Estava pagando pela situação falsa em que se colocara – atacado de um acesso de histeria. E isso lhe vem, pensava Mrs. Bolton com certo rancor, de tanto pensar em si mesmo. Vive tão preocupado com seu "eu" imortal que, quando acontece qualquer coisa, fica como uma múmia atrapalhada com suas faixas. Era isso.

– Eu jamais poderia imaginar que madame procedesse assim! – irrompeu, e para isso invocava mentalmente suas passadas dores, de modo que uma verdadeira torrente de lágrimas brotou dos seus olhos. Aquilo era uma questão apenas de começar, porque de fato tinha razão para derramar lágrimas sinceras.

Clifford pôs o pensamento na maneira pela qual Constance o traiu e também começou a chorar. Vendo-o assim, Mrs. Bolton enxugou depressa as lágrimas de encomenda e inclinou-se para ele.

– Acalme-se, Sir Clifford! – disse com a maior emoção. – Acalme-se. Tudo passa na vida... e essa dor assim pode fazer-lhe mal.

Clifford estremeceu e engoliu um silencioso soluço; e as lágrimas transbordaram ainda mais rápidas dos seus olhos. Mrs. Bolton pousou-lhe a mão no ombro e também deixou cair mais lágrimas. Clifford estremeceu de novo, numa convulsão, e ela passou-lhe o braço pelo pescoço.

– Vamos, vamos, acalme-se – gemia a enfermeira entre lágrimas.

E atraiu-o para si e enleou-o em seus braços; e ele pousou a cabeça em seus seios, soluçando e sacudindo os largos ombros. Mrs. Bolton alisava-lhe os cabelos louros, dizendo:

– Vamos, vamos, acalme-se! Isto faz mal ao sangue.

Clifford apertou-a contra si, como uma criança, e ensopou-lhe de lágrimas o avental. Abandonou-se-lhe inteiramente.

Ela a agarrou e embalou-o no peito, pensando lá consigo: "Ó, Clifford! Ó, altos e poderosos Chatterley! A que extremos chegastes!" E Clifford acabou dormindo como uma criança. Ela então, esgotada, deixou o aposento e pôs-se a rir e a chorar ao mesmo tempo, também num acesso de histeria. Era grotesco! Era horrível! Que queda! Que vergonha! E, apesar disso, como era comovente!

Daí por diante, a conduta de Clifford para com Mrs. Bolton foi a de uma criança. Agarrava-lhe a mão, repousava a cabeça em seu seio. Uma vez que ela o abraçou de leve, pediu: "Sim, abrace-me!" E ela o abraçava, quase a rir-se.

E ele ficava largado, vazio, num maravilhamento de criança. E contemplava-a com os seus grandes olhos de criança, em completo abandono àquele culto da Madona. Abandono completo da virilidade, um retorno quase perverso ao estado de criança. Passava-lhe as mãos pelo peito, tocava-lhe os seios, beijava-os com exaltação – exaltação de um homem que quer fazer-se criança.

Mrs. Bolton sentia-se ao mesmo tempo encantada e envergonhada. Gostava e odiava aquilo. Não o repelia nunca e uma estreita intimidade física foi se estabelecendo entre ambos, uma intimidade de perversão que fazia dele um menino cândido perdido num maravilhamento semelhante à exaltação religiosa.

Coisa curiosa: quando esse homem-criança que era Clifford ressurgia para o mundo, mostrava-se bem mais vivo, bem mais hábil do que o fora antes. O homem-criança tornava-se então o verdadeiro homem de negócios, penetrante como agulha ao tratar dos seus interesses. Em luta com outros homens chegava sempre aos seus fins e tirava o máximo proveito de tudo, mostrando uma astúcia e uma dureza impressionantes, quase sinistras, e uma espantosa segurança no ataque e na defesa. Era como se sua passividade e prostituição à Magna Mater lhe dessem uma visão mais profunda das coisas materiais. Do agachamento às suas emoções íntimas, da sua inteira desvirilização, como que brotava uma segunda natureza, fria, quase visionária, perfeitamente adaptada às circunstâncias. Em matéria de negócios, tornara-se quase inumano.

Era o triunfo de Mrs. Bolton.

– Como agora tudo lhe sai bem! – dizia a enfermeira com orgulho. – E é a mim que ele o deve. No tempo de Lady Chatterley as coisas não vinham assim. Ela não é o tipo de mulher que faz um homem ir para a frente.

Mas, ao mesmo tempo, em algum canto da sua estranha alma feminina, como ela o desprezava e odiava! Aos seus olhos Clifford não passava de um animal caído, de um monstro abatido. E, ajudando-o e encorajando-o do melhor modo, lá no íntimo de sua sã feminilidade de outrora ela sentia por ele um desprezo sem limites. O mais vil vagabundo parecia-lhe mais digno que ele.

A linha de conduta de Clifford para com a esposa rebelde foi curiosa. Insistiu em vê-la; mais: exigiu que ela viesse a Wragby. E mostrou-se intransigente nesse ponto.

– Mas de que adianta isso? – dizia Mrs. Bolton. – Não será melhor dispensá-la de aparecer aqui?

– Não! Ela disse que voltava e tem de voltar, é preciso que volte.

Mrs. Bolton deixou de fazer objeções. Era inútil.

Clifford escreveu a Constance:

"Não tenho necessidade de dizer o estado em que fiquei com sua carta. Bem que poderá imaginar isso, se quiser, mas sei que não quererá dar esse trabalho à imaginação.

"Sua carta só tem uma resposta: É preciso que eu a veja aqui em Wragby para que possa tomar qualquer resolução. Lembre-se de que solenemente prometeu voltar e eu não a libero da promessa. Não posso crer em nada, pensar em nada, antes de a ter aqui em minha presença, em circunstâncias normais. Não tenho necessidade de dizer que ninguém em Wragby suspeita de coisa alguma, de modo que o seu retorno parecerá natural. Só então, depois de debatido o caso, e na hipótese de não mudar de idéia, é que poderei tomar uma resolução."

Constance mostrou a carta a Mellors.

– Ele começa a vingar-se – disse ele ao restituí-la.

Constance calou-se. Estava espantada de sentir medo de Clifford. Medo de aproximar-se dele como de um perigoso malfeitor.

– Que fazer?

– Nada, se prefere não fazer nada – respondeu Mellors.

Ela escreveu a Clifford na tentativa de evitar o encontro. A resposta foi esta:

"Se não vier a Wragby agora, ficarei certo de que pretende vir algum dia e agirei de acordo com essa convicção. Continuarei a esperá-la, por cinqüenta anos que seja."

Constance teve medo. Era um medo insidioso de que ele fosse aproveitar-se da situação e ela não tinha dúvida de que ele agiria daquela forma. Não pediria o divórcio e a criança seria dele, a menos que fosse provada a ilegitimidade.

Depois de uns dias de vacilações e tormento, decidiu ir com Hilda, e comunicou a Clifford a sua resolução. A resposta foi: "Sua irmã não será bem-vinda, mas não lhe fecharei a porta. Estou certo de que contribuiu para que você desertasse dos seus deveres e responsabilidade; não espere, pois, que demonstre prazer em vê-la."

Quando as duas apareceram em Wragby, Clifford estava fora. Mrs. Bolton as recebeu.

– Oh! Madame, não é a volta feliz que tínhamos esperado.

– Não é. – murmurou Constance.

Mrs. Bolton sabia de tudo! Saberiam também os demais criados?

Constance entrou na mansão que agora odiava com todas as fibras do seu corpo. O grande solar lhe parecia um mal, uma terrível ameaça sobre a sua cabeça. Não estava mais ali como dona, e sim como vítima.

– Não poderei ficar por muito tempo – sussurrou ela aos ouvidos da irmã.

Foi-lhe doloroso subir ao seu quarto, tomar posse dele como se nada houvesse acontecido. Cada minuto passado entre as paredes de Wragby era-lhe odioso.

Só viram Clifford ao descerem para o jantar. Estava corretamente vestido, de gravata preta, muito reservado, como os grão-senhores. Mostrou-se cortês durante a refeição, fazendo amáveis esforços para conversar. Mas tudo ali tinha um tom de hospício.

– Que sabem os criados? – murmurou Constance num momento em que a enfermeira deixou a sala.

– Das suas intenções? Nada.

– Mas Mrs. Bolton sabe.

Clifford mudou de cor.

– Mrs. Bolton não é uma criada – disse ele.

– Oh! Não tem importância.

A situação manteve-se tensa até depois do café. Hilda retirou-se da sala.

Clifford e Constance ficaram em silêncio ainda por alguns minutos. Nenhum dos dois queria ser o primeiro.

Constance sentia-se satisfeita de vê-lo não tomar a situação melodramaticamente, e procurou conservar o máximo possível a sua altivez.

– Penso que não está arrependida do que fez – começou ele afinal.

– Não pude evitá-lo – murmurou Constance.

– Se não pôde, quem o poderia?

– Ninguém, suponho eu.

Clifford encarou-a com uma estranha e gélida raiva. Estava habituado a Constance, que por assim dizer fazia parte integrante da sua vida e da sua vontade, e queria retê-la. Como ousava ela romper todos os seus compromissos, destruir a construção da sua vida cotidiana? Como ousava demolir a sua personalidade?

– E qual a causa que a levou a trair-me desse modo?

– O amor! – respondeu Constance, resolvida a ficar nessas generalidades.

– O seu amor por Duncan Forbes? Mas quando me encontrou não achava que ele fosse digno disso. Supõe agora que o ama acima de todas as coisas?

– A gente muda – disse ela.

– É possível! Sei que é caprichosa. Mas é necessário que me convença. Recuso-me a crer que ama Duncan Forbes.

– E que tem isso? O que há a fazer é pedir o divórcio e não investigar os meus sentimentos.

– E por que haveria eu de pedir o divórcio?

– Porque não posso mais viver aqui. E também porque, no fundo, você não me quer mais.

– Perdão. Eu não mudei. No que me concerne, já que é minha esposa, prefiro que fique sob este teto, digna e tranqüila. Ponho de lado a questão do sentimento, e asseguro que isso muito me custa. Mas o fato de ver quebrar-se tudo em Wragby é absolutamente doloroso. Destruir esta vida respeitável unicamente para a satisfação de um capricho!

Calaram-se por uns momentos. Depois:

– Nada posso fazer – disse Constance. – É necessário que eu saia daqui. Vou ter um filho.

– E é por causa desse filho que quer partir?

Constance fez sinal que sim.

– Por quê? Duncan Forbes faz tanta questão da prole?

– Sim, mais do que você o faria.

– Realmente? Pois eu tenho necessidade de minha mulher e não vejo razão nenhuma para deixá-la partir. Se lhe agrada ter um filho sob este teto, onde está o inconveniente? A criança será bem-vinda, contanto que a boa ordem e as conveniências sejam respeitadas. Imagina que Duncan Forbes tem mais apego a você que eu? Duvido que seja assim.

Calaram-se por um momento.

– Mas você não compreende, Clifford! É preciso que eu saiba. É preciso que eu viva com o homem que amo.

– Não, não compreendo. Não dou nada por esse amor, nem pelo homem que você diz amar. Não creio nesse palavrório sentimental.

– Pode ser. Mas eu creio.

– Deveras? Minha cara senhora, acho-a muito inteligente para admitir o seu amor por Duncan Forbes. Estou certo de que, mesmo agora, ainda me prefere a ele. Sendo assim, por que cederia eu a tamanho absurdo?

Constance não pôde deixar de dar-lhe razão e resolveu dizer toda a verdade.

– Por que cederia? Porque não é a Duncan Forbes que eu amo – disse ela, encarando-o firme. – Coloquei-o no meio disso simplesmente por atenção a você.

– Por atenção a mim?

– Sim! O homem que eu realmente amo... ah! Como vai odiar-me! É Mellors, o ex-guarda-caça.

Se pudesse, Clifford teria dado um pulo da cadeira. Seu rosto amarelou e seus olhos enfurecidos olharam-na como se contemplassem uma catástrofe. Depois recaiu na cadeira, arquejante, com os olhos voltados para o teto. Endireitou-se por fim.

– É verdade o que está dizendo? – perguntou com uma cara horrenda.

– Sim, claro que sim.

– E quando começou isso?

– Na primavera.

Clifford ficou silencioso como um animal caído numa armadilha.

– Então, foi mesmo a senhora que esteve lá no casebre?

Bem lá no fundo, Clifford sabia que tinha sido ela.

– Sim.

Ele se inclinou para Constance, encarando-a com uma expressão de animal enjaulado.

– Meu Deus! Criaturas assim deviam ser exterminadas!

– Por quê? – murmurou Constance.

Ele nem ouviu.

– Lama! Aquele vagabundo pretensioso. Aquele miserável! Dizer que minha mulher teve relações com ele quando era meu criado! Meu Deus, meu Deus, será que não tem fundo a ignóbil baixeza das mulheres?

Ele estava fora de si, como Constance previra.

– E vai ter um filho desse vagabundo?

– Sim. Estou esperando um filho dele.

– Está esperando! E tem certeza disso? Desde quando está certa?

– Desde junho.

Clifford mal podia falar; voltava à sua expressão de criança.

– A gente se assombra de que seres assim possam existir...

– Que seres?

Ele a encarou em silêncio, com um ar de catástrofe. Era evidente que não podia admitir que a vida de Mellors estivesse de algum modo interferindo na sua. E Clifford transfez-se num ódio indizível, impotente.

– E tem pretensão de desposá-lo? De tomar o seu ignóbil nome?

– Sim, é o que quero fazer.

Novamente ele deu idéia de uma coisa esmagada.

– Isso mesmo – murmurou como que falando para si próprio. – É como sempre a imaginei: uma criatura anormal. Não passa de uma dessas mulheres pervertidas e meio loucas que não resistem à tentação de correr atrás do depravado, que têm a nostalgia da lama.

Clifford tornou-se de súbito ardentemente moral. Via-se a si mesmo como a encarnação do Bem, e via Constance como a encarnação do Mal. Teve a sensação de estar se diluindo numa espécie de limbo.

– Pois bem – propôs Constance –, já que é assim, não acha que o melhor seria divorciar-nos e acabar com isto?

– Não! Vá para onde quiser, mas não tenho a mínima vontade de me divorciar – respondeu ele idiotamente.

– Consentiria que a criança pertencesse legalmente a você e fosse a herdeira?

– Por que não?

– Mas legalmente será seu filho e, sendo homem, herdará o seu título e o castelo de Wragby.

– Nada disso me interessa.

– Mas é preciso que interesse! Eu farei o possível para impedir que a criança seja legalmente sua. Prefiro até que fique ilegítima, só minha, se não pode ser de Mellors.

– Faça como bem entender.

Impossível fazê-lo mudar de idéia.

– Mas por que não quer se divorciar? – insistiu Constance. – Duncan servirá de pretexto. Não será mencionado o nome de Mellors. Duncan está de acordo.

– Não pedirei o divórcio nunca! – exclamou ele com a obstinação de quem bate um prego.

– Mas por quê? Só porque eu o desejo assim?

– Porque quero seguir a minha própria inclinação e minha inclinação não é para me divorciar.

Inútil insistir. Constance foi contar a Hilda o resultado da conversa.

– Vamos embora amanhã e esperemos que ele recupere a razão.

Constance passou metade da noite arrumando seus pertences. No dia seguinte, cedo, mandou para a estação a bagagem sem nada dizer a Clifford. Só iria revê-lo antes do almoço, para a despedida.

Mas falou a Mrs. Bolton.

– Tenho de despedir-me da senhora... e bem sabe por quê. Conto com a sua discrição.

– Oh! Pode contar comigo, madame, vá sossegada. Ah! Foi um rude golpe para todos aqui! Mas espero que venha a ser feliz com o outro senhor.

– O outro senhor? O nome dele é Mellors, e Sir Clifford já sabe. E se um dia ele se resignar ao divórcio, avise-me, sim? Quero desposar honrosamente o homem a quem amo.

– Está bem, madame. Pode contar comigo. Serei fiel a Sir Clifford e à madame também, porque vejo que os dois têm razão, cada qual a seu modo.

– Obrigada! Tome isto. Faça o favor de aceitar.

E foi assim que Constance novamente saiu de Wragby, voltando com Hilda para a Escócia. Mellors encontrou trabalho numa fazenda. Sua idéia era obter o divórcio, ainda que Constance não obtivesse o seu.

Durante seis meses trabalharia no campo, para que mais tarde pudesse viver numa pequena propriedade em que ele empregasse as suas energias. Porque tinha de trabalhar duro; tinha de ganhar a vida, mesmo que o dinheiro de Constance ajudasse no começo.

E tinha também de esperar a primavera, o nascimento da criança e a volta do outono. Escreveu a Constance esta carta:

The Grage Farm, Old Heanor,
29 de setembro.

"Encontrei trabalho aqui graças a Richards, velho companheiro do Exército, engenheiro da companhia. É uma propriedade agrícola pertencente a Butler & Smitham Colliery Company, onde se cultivam o feno e a aveia destinados aos pôneis das minas. Mas há também vacas, porcos e tudo o mais, e ganho 30 xelins por semana como trabalhador de campo. Rowley, o intendente, me ocupa em serviços diversos, para que eu possa aprender tudo daqui até a Páscoa. De Bertha nada sei. Não compreendo por que não se apresentou na ação de divórcio, nem sei onde está nem o que anda fazendo. Mas se eu me conservar quieto até março, creio que estarei livre. E você, não se preocupe com Sir Clifford. De repente ele mesmo procurará separar-se de você. Já é muito que a deixe em paz.

"Estou alojado num velho casebre bastante decente. Meu senhorio é um mecânico de High Park, grandalhão e barbudo, muito 'bíblia'; e sua mulher, um passarinho de altos vôos, toda 'rei da Inglaterra' e 'permita-mes'. O filho único que tinham morreu na guerra, e isso os deixou com um buraco na alma. Há ainda uma moça ingênua que estuda para professora e a quem ajudo nas lições. Como vê, estou em família. Boa gente, sim. Gentilíssimos amigos. E assim vou passando mais animado que você.

"O trabalho não me aborrece. Não é nada inspirador, mas eu não necessito de inspiração. Estou acostumado a lidar com cavalos; e as vacas, se bem que femininas, exercem sobre mim um efeito calmante. Quando estou tirando leite, sinto-me consolado. Temos seis vacas Herefords lindíssimas. Acabamos de colher a aveia e isso me deu prazer, apesar da chuva e dos arranhões nas mãos. Não me ocupo muito com as pessoas da casa, mas nos entendemos bem.

"Nas minas tudo vai mal. Isto aqui é uma carvoaria como Tevershall, embora não tão feia. Às vezes converso com os operários no bar. Resmungam muito, mas não querem mudar nada. Todo o mundo reconhece que os mineiros de Notts-Derby têm o coração no lugar. Mas o restante da anatomia deste povo não achará colocação numa terra que não precise do trabalho dela. Eu os admiro, mas não me entusiasmam; já perderam o espírito combativo. Falam muito da nacionalização dos lucros, da nacionalização das minas e de todas as indústrias. Impossível nacionalizar o carvão sem fazer o mesmo com todas as indústrias.

"Falam em adaptar o carvão a novos usos, a mesma idéia de Sir Clifford. Isso pode ser viável em certos casos, mas duvido que em todos. Tudo o que o homem produz tem de ser vendido e o problema do carvão é vendê-lo. Os operários são muito práticos, e sempre com a impressão de que tudo caminha contra eles – e talvez seja assim mesmo. Alguns entre os mais moços reclamam e pedem um regime soviético, mas sem grande convicção. Realmente convencidos só estão de uma coisa: de que tudo vai mal.

Mesmo sob um regime soviético, como vender o carvão? Aí está a dificuldade.

"Esta vasta população industrial tem de viver e, para que viva, a máquina não pode parar nunca. As mulheres falam muito mais que os homens e com outra firmeza. Os homens, muito frouxos, moles, parecem submetidos a uma maldição inexorável. Ninguém, em suma, sabe o que poderá ser feito, apesar de todo o palavrório. Os jovens enfurecem-se por não disporem de bastante dinheiro para gastar. A vida para eles se resume a uma questão de dinheiro para gastar e agora não o têm. Os poços trabalham dois dias ou dois dias e meio por semana – e não há sinal de melhoria nem mesmo para o próximo inverno. Como pode uma família viver com um salário de 25 a 30 xelins por semana? As mulheres são as mais danadas – e também as mais danadas para gastar.

"Se fosse possível fazê-las compreender que há uma grande diferença entre viver e gastar dinheiro! Mas é inútil. Se fossem educadas de modo a 'sentir' em vez de 'ganhar e gastar', se arrumariam muito bem com 25 xelins. Se os homens usassem calças vermelhas, como expliquei, não pensariam tanto em dinheiro; se pudessem dançar, pular, cantar, farrear e ser belos, se arranjariam com pouco dinheiro; se soubessem divertir-se a si mesmos e deixar-se divertir pelas mulheres! Deviam aprender a andar nus e ser belos, e a cantar em massa e a dançar as danças antigas, e a esculpir os tamboretes em que se sentam, e a bordar os seus emblemas. Não sentiriam então a necessidade do dinheiro. Eis como resolver o problema industrial: ensinar o povo a viver com beleza, sem necessidade de ganhar dinheiro. Mas é impossível. As inteligências são muito limitadas. A massa não pensa, é incapaz de pensar. Não é viva, não adora o Grande Pã, o único deus adequado às massas.

As elites podem ter cultos mais elevados, mas a massa há de ser pagã.

"Esses mineiros, porém, não são pagos como era de desejar. Um pobre rebanho de semimortos para suas mulheres, mortos para a vida. Os jovens correm de motocicleta com as moças e dançam o jazz sempre que podem. Mortos também. Querem dinheiro. O dinheiro envenena os que o possuem e deixa famintos os que não o possuem.

"Devo estar lhe cansando de tantas palavras. É que não quero falar só de mim, e tenho pouco a contar. E não gosto de pensar muito em você, porque só serve para me perturbar aqui dentro. Mas não é preciso dizer que o objetivo da minha vida neste momento é conseguir que vivamos juntos. No fundo, tenho medo. Sinto o diabo no ar; e o diabo vai procurar tirar-nos tudo. Ou, em vez do diabo, é Mammon, que, segundo penso, não passa da vontade coletiva dessa gente que só quer dinheiro e detesta a vida. Seja como for, sinto no ar mãos crispadas que procuram agarrar pela garganta e estrangular tudo aquilo que vive independentemente do dinheiro. Maus tempos se aproximam. Maus tempos se aproximam, rapazes, maus tempos vêm vindo! Se as coisas continuarem assim, só teremos no futuro destruição e morte, entre as massas industriais. Às vezes sinto minhas entranhas se desfazerem – e você aí esperando um filho meu. Não importa. Todos os desastres do mundo não conseguiram destruir os corações, nem mesmo o amor das mulheres, de modo que também não conseguirão apagar o meu desejo por você, nem a pequena chama que há entre nós. Estaremos juntos no ano que vem. E, embora eu tenha medo, também tenho fé em nossa união. O homem tem de combater e confiar em alguma coisa fora de si. Só podemos nos garantir quanto ao futuro crendo realmente no melhor que há em nós e no poder que há fora de nós. Assim, creio na chama que há entre nós. E para mim, agora, ela é tudo quanto vejo no mundo. Não tenho amigos, só você. A nossa chama é o que me prende à vida. E há a criança – mas isso é uma outra questão. Meu Pentecostes* é essa chama que arde em você e em mim. O velho Pentecostes não está bem certo. Eu e Deus – apesar de ser um tanto pretensioso. Mas a chama que treme dentro de nós, isto é certo. E é o que me compensa das Berthas e dos Cliffords e das companhias de carvão e dos governos e das massas ávidas de dinheiro.

"Eis por que não gosto de pensar muito em você neste momento. Tortura-me e não adianta nada. Horroriza-me a idéia de que você está longe de mim; mas, se começo a atormentar-me, qualquer coisa se gasta e se perde. É preciso paciência, sempre paciência.

"Estou no meu quadragésimo inverno, e lamento os que já passaram. Mas neste vou agarrar-me à minha pequena chama de Pentecostes e conhecer um pouco a calma. O hálito do mundo não apagará. Você está na Escócia e eu no Midlands, e se não posso apertá-la nos meus braços nem enrolar minhas pernas nas suas, ainda assim tenho comigo qualquer coisa sua. Nossas almas palpitam juntas na pequena chama de Pentecostes, e isso é como a lombeira depois da cópula. Quando nos penetramos, fazemos nascer uma chama. Até as flores são criadas pela cópula do sol com a terra.

"Assim, aceito a fria castidade, porque é a paz que sobrevém à cópula. Gosto de ser casto agora. Amo a castidade como a 'bola de neve' ama a neve. Amo essa castidade

*Petencostes: festa cristã celebrada no qüinquagésimo dia após a Páscoa. (*N. da R.*)

que é a pausa na lombeira das nossas cópulas, e está entre nós como uma 'bola de neve' de fogo pálido. Quando voltar a primavera e nos juntarmos, então poderemos fazer com que esse fogo brilhe intenso, bem vivo e radiante.

"Mas, agora, nada! Temos de ser castos. É bom ser casto. É como um rio de água fresca em nossos corações. Como pode uma criatura ser leviana com o sexo? Que miséria ser como Don Juan, impotente para manter a chama acesa, impotente para ser casto nos intervalos do amor?

"E aqui tem você muitas palavras, já que não pode haver outra coisa. Se eu estivesse dormindo em seus braços, a tinta secaria no tinteiro. Podemos ser castos juntos, como podemos copular juntos. Mas devemos manter-nos separados por enquanto, já que isso parece ser o melhor.

"Não importa, não importa; não iremos nos atormentar com isso. Porque realmente cremos na pequena chama e no Deus sem nome que a impede de apagar-se. No fundo, há tanto de você aqui comigo, que é uma pena que não esteja na totalidade.

"Não receie coisa alguma de Sir Clifford. Se nada receber dele, não se importe. Que pode ele contra você? Espere. Ele acabará, por ele mesmo, exigindo o divórcio. E se não o fizer, acharemos meio de passar sem isso. Mas fará. Terá necessidade de vomitar você fora de sua vida, como uma abominação.

"Estamos reunidos por uma grande parte de nós mesmos. Temos de ficar firmes e nos prepararmos para o próximo encontro. John Thomas, de cabeça caída, diz boa-noite a Lady Jane. De cabeça caída, sim, mas cheio de esperanças."

*fim*

Este livro foi composto na tipologia Minion, em
corpo 10,5/13, e impresso em papel off-set 63g/m² no Sistema
Cameron da Divisão Gráfica da Distribuidora Record.